de

CRASH

Voor Roeland
die helemaal niet van lezen hield
maar wel heel erg van leven

Mariëtte Middelbeek

CRASH

1

OP HET MOMENT DAT MAAR LIEFST TWEE PAAR KOPLAMPEN het erf opdraait, bekruipt me een gevoel dat er iets aan de hand is. Er komt hier 's avonds al niet veel verkeer, laat staan twee auto's die ook nog eens ons erf oprijden. Ik sta op en gluur door de net vorige week aangebrachte shutters – onderdeel van mijn plan om de boerderij te moderniseren – naar de late bezoekers. Het is bijna half tien 's avonds en ik ben alleen thuis. Maarten is een halfuur geleden vertrokken naar de verjaardag van Leon, zijn beste vriend van vroeger. Hij is echt nog niet terug.

Twee blauwe Volvo's parkeren bij de achterdeur. Polen, schiet het even door mijn hoofd. Vorige week fietste een meisje het erf op dat nogal paniekerig aan Maarten vroeg of ze even in de schuur mocht schuilen, omdat ze door Polen achterna werd gezeten. Een uur lang zat ze achter de ploeg, zonder dat er iemand het erf opkwam. Daarna stapte ze op haar fiets en verdween. Zouden de twee grote Volvo's daar iets mee te maken hebben? Polen die uit zijn op vergelding?

'Doe normaal', mompel ik hardop tegen mezelf. Het is hier de maffia niet. Dit is de Achterhoek.

'Beer', sis ik. 'Ga kijken.'

Onze zwarte labrador tilt zijn kop op en begint vrolijk te kwispelen. Hij is een schat, maar voor waakhond is hij niet in de wieg gelegd. Buiten hoor ik gedempte stemmen. Beer laat een soort grom horen en kijkt daarna hulpzoekend naar mij.

'Oké, ik ga zelf wel.'

Zoals gebruikelijk op het platteland meldt het bezoek zich bij de deur van de bijkeuken, waar we niet eens een bel hebben. Ik heb Maarten al een keer of zeshonderd gevraagd die te installeren, omdat ik gehecht ben aan een zekere mate van privacy. Hij heeft het al die zeshonderd keer beloofd, maar niet gedaan. De oogsttijd is net voorbij, hopelijk heeft hij binnenkort tijd.

Niet te geloven dat het alweer bijna oktober is. Nog drie weken en dan zijn we een jaar getrouwd.

'Hallo?' klinkt een mannenstem. In de huiskamer laat Beer een gematigd blafje horen.

Ik loop via de keuken naar de bijkeuken en knip het licht aan. 'Wie is daar?' roep ik. Omdat het binnen licht is en buiten donker, zie ik nauwelijks wie er aan de deur is.

'Van Vleuten', klinkt het antwoord. 'Politie. Kunt u even opendoen, mevrouw Draaisma?'

Ik kijk naar mijn hand en zie dat die trilt als ik naar de klink reik. In mijn hoofd gebeuren rare dingen. Ik word bang, maar ik weet niet waarvoor. Ik wil niet weten waarvoor.

'Goedenavond.'

Voor de deur staan twee agenten, een man en een vrouw, allebei in uniform, hoewel ze niet met een politieauto zijn gekomen.

Ik bedenk dat ik het sowieso raar vind dat ze allebei met een eigen auto zijn gekomen.

'Goedenavond', antwoord ik, twijfelend of ik ze de hand moet schudden. Mijn gedachten lijken ineens heel traag te gaan, alsof ik een paar seconden achterloop op de werkelijkheid.

'Mogen we even binnenkomen?' vraagt Van Vleuten. Hij steekt zijn hand uit en ik schud die. En daarna die van zijn collega. Agente Özcan. Raar, ze ziet er helemaal niet Turks uit. Wel blond, met blauwe ogen en rode wangen. Een boerendochter, zou mijn moeder zeggen, maar dat zegt ze bij iedereen met blond haar, blauwe ogen en de rode wangen van iemand die veel buiten is.

'Mevrouw Draaisma?'

'Ja. Ja, natuurlijk. Kom verder. Goh, ik schrik er helemaal van dat jullie hier zijn. Je gaat toch meteen denken dat er iets ergs is gebeurd.'

Ik zet een stap opzij en wacht op de geruststelling dat dat natuurlijk niet het geval is, maar dat ze bezig zijn met een routinecontrole of zoiets. Van Vleuten zegt niets, Özcan kijkt naar de neuzen van haar zwartleren schoenen. Mijn mond wordt droog.

Ze komen binnen en ik neem ze mee naar de huiskamer. Nu ik heb vastgesteld dat de bezoekers geen gevaar vormen is Beer een en al enthousiasme. Hier in huis zijn de rollen van mens en hond een beetje omgedraaid.

'Beer, in de mand', zeg ik als hij met zijn favoriete rode bal in zijn bek zijn neus tegen de knie van de agent duwt. Met zijn bijna zwarte hondenogen kijkt hij me verbaasd aan, maar dan gehoorzaamt hij.

'Tja, eh... Ga zitten', hoor ik mezelf zeggen. 'Wilt u koffie?'

Van Vleuten schudt zijn hoofd, Özcan volgt zijn voorbeeld. Ze gaan naast elkaar op onze donkergrijze bank zitten. Net nieuw, ook.

'Dan neem ik ook niets', kondig ik aan, al weet ik niet waarom ik dat zou moeten zeggen.

'Mevrouw Draaisma', neemt Van Vleuten het woord als ik ook ben gaan zitten. 'We zijn hier vanwege uw man, Maarten.'

'Oh, maar die is niet thuis', onderbreek ik hem. 'Hij is naar een verjaardag en...'

Aan de blik in de ogen van de agent zie ik dat hij al weet dat Maarten er niet is. Ik houd mijn mond.

'We vinden het ontzettend vervelend om dit te moeten zeggen, maar uw man heeft een auto-ongeluk gehad. Hij moest uitwijken voor een trekker en heeft de macht over het stuur verloren.'

Ik slik moeizaam.

Van Vleuten praat verder. Ik kijk naar zijn bewegende lippen en wil dat die stoppen met bewegen. Dat ze nooit de woorden uitspreken.

'Het spijt me verschrikkelijk, mevrouw Draaisma. Uw man is op weg naar het ziekenhuis overleden.'

2

TWEE MAANDEN LATER

ER ZIJN GEBEURTENISSEN WAARVAN JE JE ALTIJD ZULT BLIJVEN herinneren waar je was toen je erover hoorde. De dood van prinses Diana, 9/11, het moment dat Obama bekendmaakte dat Bin Laden was gedood. En er is het soort nieuws waarbij je je altijd elke nanoseconde van dat moment zult blijven herinneren. Elke nano van een nanoseconde, elke vezel van de kleren die je droeg, elke vierkante millimeter van de grond waarop je stond, staat gebrand op je netvlies, zit verankerd in je geheugen zonder ooit maar een micrometer te wijken voor nieuwe herinneringen en nieuwe gebeurtenissen. Simpelweg omdat je niet wilt dat ze wijken voor nieuwe herinneringen.

Zo'n moment is de dood van Maarten.

De stonewashed spijkerbroek die ik die avond droeg, hangt op een hangertje in mijn kast. Mijn zwarte blouse heb ik sindsdien niet meer gewassen. Het is het laatste kledingstuk van mij dat Maarten heeft aangeraakt.

En ik heb sindsdien sowieso niet meer zo veel gewassen. Of in huis gedaan. Wat heeft het voor zin?

Ik kijk op de klok. Het is nog maar half vijf, maar buiten is het donker. Vanochtend zeiden ze op de radio dat het misschien gaat sneeuwen. Het is eind november. Sinds wanneer komt sneeuw al in november?

Ik hoor iets in de bijkeuken. Meteen daarna gaat de keukendeur open. Ik sta met de halfflege wijnfles bij het aanrecht, maar ben te laat bij de koelkast.

'Daphne', zegt Pieter. 'Het is half vijf.'

Ik kijk hem aan. Het beeld gaat langzamer dan mijn ogen, waardoor er een soort waas ontstaat. 'Ja.'

'Zet de wijn even weg.'

'Ja.'

Maar ik blijf staan waar ik sta. 'We moeten een bel hebben. Maarten zou een bel maken.' Ik kijk langs Pieter heen, alsof Maarten binnenkomt om te vertellen dat hij eindelijk heeft gedaan wat hij al zo lang heeft beloofd.

'Ik ga een bel maken', zegt Pieter. 'Maar nu kom ik alleen om te zeggen dat ik naar huis ga.'

'Nu al?'

'Ja, Job is ziek en Nadine is de hele dag met hem in de weer. Ik moet ook mijn steentje bijdragen.'

Ik neem niet de moeite om te doen alsof ik het begrijp.

'Dus dan ga ik maar', zegt Pieter, maar hij blijft staan waar hij staat. Hij lijkt op Maarten, maar ook weer niet. Ze hebben hetzelfde postuur.

Hadden hetzelfde postuur.

Hebben.

Hetzelfde postuur dus.

Maar Pieter heeft een wat langer gezicht en minder haar. Maarten was de knapste. Is de knapste.

Ik ga weer aan tafel zitten en schenk mijn glas bij, hoewel het nog bijna vol is. Daarna blijf ik zitten met mijn ellebogen op tafel en draai mijn trouwring rond mijn vinger. 'Oké', zeg ik. 'Tot morgen.'

'Daphne, gaat het wel goed met je?'

Ik wend mijn blik af, om de bezorgdheid in Pieters ogen niet te hoeven zien. Ik spuug op bezorgdheid. Al die mensen met hun bezorgdheid.

Eet je wel genoeg?

Drink je niet te veel?

Huil je niet te veel?

Huil je niet te weinig?

En dan al dat begrip, ook zoiets.

Ik begríjp dat je je rot voelt.

Ik begríjp dat je verdriet hebt.

Ik begríjp waar je doorheen moet.

Nee, dat begrijp je niet.

Niemand begrijpt dat. Maarten was de zoon van twee mensen, de broer van drie, de neef van een stuk of vijftien en de vriend van nog veel meer. Maar geliefde was hij alleen van mij.

'Prima', zeg ik als Pieter duidelijk niet van plan is weg te gaan voor hij zijn antwoord heeft. 'Zie je dat niet? Het is nog nooit zo goed met mij gegaan.'

'We maken ons zorgen om je.'

'We?'

'Ja, Nadine en ik. En mijn ouders. En jouw ouders.'

Ik haal mijn schouders op. 'Een heel comité. Nou, zeg maar tegen ze dat het fantastisch met me gaat. En dat ik genoeg sla eet.'

'Daph...' Pieter zet een stap dichterbij. Ik neem een slok. 'Maarten komt echt niet terug als jij de rest van je leven hier blijft zitten drinken. Hij zou verdrietig worden als hij je zo zag.'

Met een ruk kijk ik op. Fel zeg ik: 'Waar slaat dat nou weer op? Is dit weer een van jullie je-moet-toch-door-met-je-leven praatjes? Sinds wanneer mag ik niet meer zelf bepalen wat ik met mijn leven doe? En wanneer gaan jullie ophouden met mij de hele tijd vertellen dat Maarten dood is? Ik was ook op de begrafenis, hoor. Ik heb het gezien, dank je.'

Pieter heft hulpeloos zijn handen, een gebaar dat ik inmiddels in verschillende uitvoeringen bij verschillende mensen heb gezien. 'Sorry', zegt hij zacht. 'Ik wilde je niet van streek maken. Kan ik iets voor je doen?'

Ik schud mijn hoofd en haal in één beweging mijn schouders op. 'Ga naar huis', zeg ik. 'Nadine wacht op je.'

Pieter knikt en draait zich om. Ik merk dat hij aarzelt voor hij weggaat, maar ik zeg expres niets. Ik heb geen zin in zijn betuttelende praatjes, en ook niet in die van mijn moeder, die zo'n beetje elke dag belt. Vaak neem ik niet eens op.

Nu Pieter weg is, is het doodstil in huis. Beer ligt aan mijn voeten te slapen, het enige geluid komt van het tikken van de keukenklok. Mijn eigen woorden echoën in mijn hoofd.

Ik heb het gezien.

Ik héb het ook gezien. De withouten kist die ik had uitgezocht en waarvan ik me achteraf afvroeg of Maarten hem wel mooi had gevonden. Misschien had hij liever donker gewild. Wist ik veel, we hadden het hier nooit over gehad. Op de kist lagen losse bloemen, allerlei soorten door elkaar. Dat was ook een idee van mij, omdat ik geen graftakken wilde. Raar, hoe je ineens een mening krijgt over dingen waarover je daarvoor nog nooit hebt nagedacht. En raar dat ik ineens alles binnen een paar dagen bleek te kunnen regelen, terwijl ik nog nooit op tijd ben geweest met het doen van mijn belastingaangifte. Gek genoeg kan ik me niet eens herinneren dat ik dat allemaal heb geregeld.

Ik kan me wel meer niet herinneren. De rit naar het ziekenhuis achter in de blauwe Volvo. Alleen het nummer op Sky Radio dat zacht door de auto klonk is me bijgebleven. *Can't stop loving you* van Phil Collins. Maarten zou het vreselijk hebben gevonden.

De aankomst in het ziekenhuis herinner ik me nauwelijks, alsof iemand de beelden expres vaag heeft gemaakt. De geur herinner ik me, een combinatie van Dettol en oude mensen. Soms word ik wakker uit een droom waarin ik in een lange gang loop, dat zal de gang van het ziekenhuis wel zijn. Ik was bang dat we naar het mortuarium gingen, maar gelukkig lag Maarten op een kamertje net achter de spoedeisende hulp. Zijn gehavende gezicht en bijna doorschijnende huid kan ik me haarscherp voor de geest halen. Scherper dan me lief is. Ik zie de bijna grijze tint van zijn huid voor me als ik mijn ogen dichtdoe en weer eens niet kan slapen. Zijn gebroken neus die een beetje scheef stond en was volgepropt met watten. Zijn gesloten ogen met blauwe plekken van kneuzingen eromheen. Het hagelwitte verband rond zijn hoofd. Volgens de arts was hij door de klap van de auto tegen een boom met de linkerkant van zijn hoofd tegen de sponning van het raam geknald, waarbij zijn schedel was gebroken en hij gedeeltelijk was gescalpeerd. Een gapende wond, afgedekt door een wit gaas.

Een verpleegster had de gele deken tot aan Maartens kin opgetrokken. Ik wilde hem terugslaan, zijn hele lichaam puntje voor puntje bekijken en zijn wonden kussen. Maar ik stond als verstijfd. De Maarten die in het bed lag was de Maarten die ik al zo lang kende, met wie ik zo vertrouwd was en van wie ik meer hield dan wat wie of wat ook ter wereld. En tegelijkertijd was hij het niet.

De deur gingen open en mijn schoonouders kwamen binnen, gebracht door een andere politieagent. Er waren tranen, geschreeuw, geruk aan de deken, iemand omhelsde me. En al die tijd stond ik daar. Met Phil Collins in mijn hoofd.

I never wanted to say goodbye. Why even try... I'm always here if you change, change your mind.

De dagen daarna waren de meest efficiënte uit mijn leven. Ik vond Maartens iPod, die al weken kwijt was, onder ons bed. Ik zocht zijn favoriete nummers uit, die we op de begrafenis konden draaien. Ik wilde vooral Springsteen draaien, Maarten was zijn grootste fan. Maar zijn moeder Tilly vond dat veel te populair en uiteindelijk kozen we voor één nummer van The Boss, wat ik nog steeds veel te weinig vind. Ik maakte keuzes, belde mensen, praatte iedereen moed in. De begrafenisondernemer zei dat hij niet vaak meemaakte dat iemand zo goed wist wat er allemaal geregeld moest worden en wat de overledene had gewild. Ik voelde me trots. The good housewife. En al die tijd voelde het alsof ik iemand anders was, bezig met de begrafenis voor iemand uit zo'n verhaal dat je weleens hoort en waarvan je altijd blij bent dat het niet over jou gaat. Weduwe op haar negenentwintigste. Deze keer ging het wel over mij.

Ik had me nooit eerder afgevraagd hoe het voelt om het onderwerp van zo'n verhaal te zijn. En nu ik het weet, bevalt het me helemaal niet.

Na de begrafenis wilde iedereen met mij mee naar huis, omdat ik anders alleen zou zijn. Terwijl ik dat juist wilde, alleen zijn. Alleen met Maarten. In de dagen voor de begrafenis was Maarten van iedereen geworden. Iedereen meende ineens te weten wat zijn favoriete muziek was, zijn mooiste kleren, zijn lievelingsbloemen. Welke tekst op de rouwkaart bij hem paste, en wat hij gewild zou hebben als hij had moeten kiezen uit twee orgelstukken. Maarten haatte orgels, maar niemand geloofde me toen ik dat zei. Pas na de begrafenis was Maarten weer van mij. Thuis, op de bank, kon ik met hem praten, aan hem vragen of wat ik had gedaan wel was wat hij had gewild. Ik kreeg geen antwoord, en toch ook weer wel. Ik denk dat Maarten blij zou zijn geweest. In elk geval met de moeite. Uiteindelijk was Maarten altijd blij met wat ik voor hem deed.

Als de telefoon gaat, overweeg ik even om op te nemen. Maar het toestel staat in de kamer en ik zit in de keuken en mijn benen voelen zwaar. Bovendien is er niemand die ik wil spreken. Nadat de telefoon vijftien keer is overgegaan, geeft de beller het op. Het tikken van de klok lijkt harder te klinken dan net. Ik schenk mijn glas weer vol. Aangezien ik de enige in de ruimte ben, zal ik wel degene zijn geweest die het leeg heeft gedronken, maar ik kan het me niet herinneren. Wel begint de alcohol zijn verdovende werk te doen. Een van de hoogtepunten van mijn dag.

Weer gaat de telefoon. Ik kom overeind en moet me vastpakken aan de tafel om niet om te vallen. Langzaam loop ik naar de huiskamer. Beer kijkt me verwachtingsvol aan, ik zou meer met hem moeten spelen. En ik zou nummerherkenning moeten aanvragen.

'Hallo?' Mijn stem klinkt een beetje raar. Schor, alsof ik verkouden word.

'Lieverd!' Het is mijn moeder. Sinds de dood van Maarten is er iets in haar stem geslopen dat een soort continue bezorgdheid moet voorstellen en dat me ontzettend op mijn zenuwen werkt. Want het is het soort bezorgdheid dat niet vrijblijvend is. Het soort dat je naar allerlei groepjes en clubjes wilt schoppen om te práten over wat je hebt meegemaakt.

Ik praat liever met Maarten. Hele gesprekken kunnen we voeren, maar als ik dat zeg, sleept m'n moeder me aan mijn haren naar zo'n clubje.

'Mam', antwoord ik een beetje vermoeid. 'Wat is er?'

'Hoe gaat het?'

Ook zo'n loze vraag. Maar toch geef ik braaf antwoord.

'Goed. Met jullie?'

'Heb je gedronken?'

Ik weeg mijn antwoord af, maar mijn gedachten gaan te traag. 'Mwah', zeg ik uiteindelijk. 'Hoezo?'

'Omdat dat niet goed voor je is. Is er iemand bij je? Is Pieter er nog?'

'Nee, hij is naar huis. Iets met de baby.'

Dat woord, die vier simpele letters, geeft me het gevoel dat iemand met een priem in mijn hart boort. Ik weet niet eens waarom ik het uitspreek, de baby. De baby die zij hebben gekregen, en Maarten en ik niet. De baby die maar vijf dagen na Maartens begrafenis werd geboren en zijn naam als tweede naam heeft. Job Maarten. Wat iedereen een prachtig gebaar vond, behalve ik. Want ík zou mijn kind naar Maarten vernoemen. Nee, wíj. Wij zouden ons kind vernoemen.

'Och lieverd, toch', zegt mijn moeder. 'Ik kom naar je toe.'

Ik kijk naar de inmiddels pikdonkere lucht, hoor de wind om de boerderij loeien en weet dat de avond zich lang en leeg voor me uitstrekt. En toch zeg ik: 'Doe maar niet. Ik ben moe, ik ga vroeg naar bed.'

'Maar ik kan voor je koken. Je moet wel goed eten, anders voel je je alleen maar ellendiger.'

'Ik eet goed', zeg ik braaf, hoewel de koelkast al een dag of twee leeg is en ik leef op beschuiten zonder iets erop. 'Ik kom morgen wel naar jullie toe.'

'Oké', zegt mijn moeder, terwijl ik aan haar stem hoor dat ze het er niet mee eens is. 'Bel me als er iets is. Dan kom ik meteen.'

'Ja, mam.'

Als ik ophang valt mijn oog op de foto van Maarten en mij tijdens onze eerste zomer op de boerderij, anderhalf jaar geleden.

We staan onder de grote appelboom in de voortuin en lachen naar elkaar. Maarten was niet het type man dat een romantisch aanzoek zou plannen, maar even daarvoor was hij bij wijze van grap onder de boom op zijn knieën gegaan, en had ik nogal lacherig geroepen dat ik natuurlijk met hem wilde trouwen. Daarna kwam Pieter het erf op en riepen we dat we gingen trouwen, en toen maakte hij die foto. Die avond besloten Maarten en ik dat het geen grap was, maar dat we inderdaad zouden trouwen.

Ik pak de foto op en kijk er een tijdje naar. In mijn keel ontstaat de inmiddels vertrouwde brok en er druppen tranen op het glas van het fotolijstje. Ik zet het terug op het kastje, maar het valt om. Met mijn handen langs mijn lichaam blijf ik staan, terwijl de tranen blijven komen en mijn schouders schokken. Het moment onder de appelboom komt nooit meer terug. Maarten komt nooit meer terug. Ik zak neer op de vloer en huil als een klein kind. Beer duwt een paar keer met zijn natte snuit tegen mijn wang, ik leg mijn betraande gezicht op zijn hondenkop en zo blijven we heel lang zitten.

Bijna elke ochtend sinds de dood van Maarten komt mijn schoonmoeder langs. Ik weet dat ze zich zorgen maakt om mij, maar ze komt voornamelijk om het over Maarten te hebben. Mijn schoonvader is een lieve man, maar geen prater. Maartens drie broers ook niet, en dus heeft ze in mij haar ideale gesprekspartner gevonden. Ik heb geen behoefte aan al die gesprekken over Maarten, de verleden tijd doet te veel pijn en meestal treft ze me na een halfdoorwaakte nacht waarin ik niet over, maar met Maarten heb liggen praten. Dus is het eenrichtingsverkeer: zij spreekt, en ik antwoord af en toe iets volkomen nietszeggends. Ik vind het niet erg. Ze is te veel met zichzelf bezig om aan mij te vragen of ik wel goed eet en dat is een verademing.

Maar vandaag komt ze niet alleen, ze wordt vergezeld door mijn schoonvader. Henk volgt haar de keuken in en zoals altijd als hij er is, voel ik me alsof ik bij hem op bezoek ben. Dit huis was tot een kleine twee jaar geleden immers zijn huis, de eerste ontmoeting met Maartens ouders vond zelfs plaats in de keuken waarin we nu staan.

'Hallo, Henk', zeg ik. Ik geef hem een zoen, iets wat we sinds de dood van Maarten doen. Daarvoor nooit. Henk kwam hier drie, vier keer per week om Maarten te helpen op de boerderij en het zou raar geweest zijn om hem elke keer zo te begroeten. Nu komt hij nog steeds wel om Pieter bij te staan bij alles wat er gedaan moet worden, maar hij komt niet vaak meer binnen. Nu hij in de keuken staat, blikt hij wat schichtig om zich heen, alsof hij hier liever niet wil zijn. Uiteindelijk richt hij zijn aandacht op Beer, die achter hem aan naar binnen is gelopen en aangehaald wil worden.

'Ik denk dat we moeten praten', zegt Tilly, hoewel ik niet inzie waarom dat zou moeten. Ze gaat aan de keukentafel zitten. Ik leg twee koffiepads in de Senseo en wacht tot de kopjes volgelopen zijn. Daarna zet ik ze voor Tilly en Henk, die inmiddels is gaan zitten, neer. Zelf neem ik niets. Het is onaangenaam stil als ik aan tafel plaatsneem.

'We moeten praten', herhaalt Tilly, maar ze gaat niet door.

Onhandig neemt Henk het woord. 'Je weet natuurlijk dat Maarten de boerderij had overgenomen', begint hij. Hij maakt zijn zin niet af, maar haalt een zakdoek uit de zak van zijn oude spijkerbroek en veegt ermee langs zijn ogen. Ik heb Henk nooit echt zien huilen, maar hij kan de naam van Maarten niet uitspreken zonder vochtige ogen te krijgen. Op een of andere manier vind ik dat erger dan wanneer hij tranen met tuiten zou huilen en snikkend met zijn hoofd in zijn handen over tafel zou liggen.

Maarten was heel anders. Als hij met een probleem zat, besprak hij dat altijd met me. Wat nergens op sloeg, want zijn problemen hadden altijd te maken met aardappelrot of een kapotte stuurstang van de kieper en daar kon ik natuurlijk niets mee.

'Ja', zeg ik, omdat Tilly aan haar kopje zit te frunniken en Henk naar buiten staart. 'Ja, ik weet dat Maarten de boerderij had overgenomen.'

Nou ja, technisch gezien had hij hem nog niet helemaal overgenomen. We waren in het huis getrokken, Maarten was degene die bepaalde wat er met het land gebeurde en degene die er verantwoordelijkheid voor droeg, maar op papier was het nog het bedrijf van zijn ouders. Ze waren bezig dat allemaal te regelen.

Tilly richt haar blik op mij. 'Maarten vond dat een boer bij zijn boerderij hoort te wonen. Dat is de reden dat Henk en ik naar het huis in het dorp zijn gegaan, om de weg vrij te maken voor jullie.' Ze slikt en brengt haar koffiekopje naar haar lippen zonder er een slok uit te nemen. 'Maar nu... Ik bedoel, Pieter woont niet bij de boerderij, maar hij neemt hem wel over.'

Twee weken na de dood van Maarten waren Henk en Tilly komen vertellen dat Pieter zijn werk op de boerderij zou overnemen. Het maakte mij niet uit. Maarten en ik wilden de boerderij samen gaan runnen, maar in de praktijk was hij degene die het meeste werk deed en hield ik me bezig met de administratie. Ik was pas afgelopen zomer gestopt met mijn werk als gastvrouw in een hotel in Zutphen, een halfuurtje rijden bij ons vandaan. Tilly zei na de begrafenis dat ik mijn deel van het werk natuurlijk gewoon kon blijven doen, maar ik heb geen rekenmachine, belastingformulier of zelfs maar ordner aangeraakt. Het kan me niet genoeg schelen.

'Daphne?' Tilly's zachte stem brengt me terug in het hier en nu. Wat zei ze ook alweer? Oh ja, dat Pieter de boerderij overneemt, maar hier niet woont.

Ja. Dus?

Het duurt even voor ik begrijp welke kant zij en Henk op willen. Het moet nog half elf worden, maar acuut verlang ik naar alcohol.

'We willen je echt niet weg hebben', zegt Henk. 'Maar het is zo dat... Nou ja.'

'Ja, precies.' Tilly heeft het gefrunnik van haar koffiekopje naar haar trouwring verplaatst. 'We weten dat je gehecht bent aan dit huis en dat er veel herinneringen zijn, en dat je hier wilt blijven. Maar Pieter... Hij en Nadine zullen de boerderij gaan runnen en wij vinden ook dat een boer bij zijn bedrijf moet wonen.' Ze perst haar lippen gespannen samen en wacht mijn reactie af.

Ik wacht mijn reactie ook af, maar ik weet niet wat ik voel. Boven alles een dof geklop, in mijn hoofd, mijn buik, mijn benen. Ergens leeft een sprankje boosheid op, maar het wordt gesmoord in alle dofheid. Eerst mijn man en met hem mijn leven, en nu ook nog mijn huis. Wat kan ik nog meer kwijt-raken?

'Je kunt natuurlijk in het huis van Pieter gaan wonen', zegt Henk. De arbeiderswoning een paar honderd meter verderop aan deze weg is ook van hem, ooit gekocht voor een prikkie en helemaal door Henk opgeknapt. Ik denk aan de babykamer en word meteen misselijk. Ik kan daar niet wonen.

'Denk er maar even over na', zegt Tilly. Ze wrijft met haar hand over de mijne. Allebei voelen ze steenkoud aan. 'Je hoeft echt niet meteen weg. Maar op termijn... Tja.'

Ze staat op, een beetje houterig. Henk neemt de laatste slok van zijn koffie en volgt haar voorbeeld. Onhandig raakt hij mijn schouder aan, ik verroer geen vin. Ik merk dat ze langer willen blijven, willen praten over wat ze net hebben gezegd, maar ik wil dat ze weggaan.

Als ze weg zijn zet ik werktuigelijk de kopjes op het aanrecht. Tilly heeft geen slok van haar koffie genomen. Ik spoel de zwarte vloeistof door de gootsteen en blijf heel lang naar buiten staan kijken. Beer rent met zijn bal door de tuin, in de schuur brandt licht. Pieter probeert de trekker te repareren die sinds een paar dagen een raar geluid maakt. Ik bedenk dat ik hier nooit wilde wonen. En nu wil ik nooit meer weg.

Toen ik Maarten voor het eerst ontmoette zal ik een jaar of twee zijn geweest, en hij tweeënhalf. Het was op de peuterspeelzaal. Daarna ging hij naar de ene basisschool in het dorp, en ik naar de andere. Tegen de tijd dat we zestien waren, kwamen we elkaar af en toe tegen op een verjaardag van een gezamenlijke vriend. Ik kende Maarten niet goed, ik wist alleen dat hij aan een buitenweg woonde en dat zijn vader iets met aardappels deed. Of wortels. Of het ene jaar het een, en het andere jaar het ander. Eerlijk gezegd had ik me, ondanks dat ik in een dorp opgroeide, nooit echt voor de agrarische wereld geïnteresseerd. Ik maakte plannen om het huis uit te gaan en naar Arnhem of Nijmegen te verhuizen, of misschien wel naar Amsterdam, maar uiteindelijk vierde ik mijn tweeëntwintigste verjaardag gewoon thuis. Ervan overtuigd dat het de laatste keer zou zijn.

En toen kwam Maarten.

Althans, hij was er altijd al, maar toen pas kwam ik erachter hoe leuk hij was. Het was op de verjaardag van een vriend van hem, met wie ik sinds kort omging omdat hij wat had gekregen met Saskia, een van mijn beste vriendinnen. We vierden de verjaardag in het café, het enige café dat ons dorp rijk is. Die avond ontdekte ik hoe goed Maarten kon dansen, wat een zeer unieke eigenschap is bij de jongens uit de omgeving. Maarten was daarnaast gevat en grappig en veel meer van de wereld dan ik had gedacht. Hij bleek over andere onderwerpen dan trekkers en combines te kunnen praten – ook al zo'n unicum vergeleken bij sommige andere jongens. Hij had zelfs een halfjaar door Azië gereisd omdat hij veel van de wereld wilde zien voor hij het bedrijf van zijn vader zou overnemen en het waarschijnlijk gedaan zou zijn met die vrijheid. Hij vroeg naar mijn ambities en ik vertelde hem dat ik net mijn opleiding tot gastvrouw in de horeca had afgemaakt en dat ik op zoek was naar een baan die ik leuk vond, ergens in een stad. Maarten was oprecht geïnteresseerd en voor ik het wist was de avond om en waren we met z'n tweeën over. Die avond kuste hij me voor het eerst, voor de deur van het café. Ik viel als een blok voor hem.

Vallen voor Maarten betekende het einde van mijn stadse ambities. Hij wilde best reizen en de wereld ontdekken, maar hij was vastbesloten de boerderij van zijn vader over te nemen als de tijd daar rijp voor was. Tot die tijd in de stad wonen was voor Maarten geen optie. Hij was gewoon geen stadsmens, hij zou er diep ongelukkig zijn geworden. En dus huurden we een huisje in het dorp en ging ik bij een hotel in Zutphen werken tot het moment dat we naar de boerderij konden verhuizen. Een moment waar ik tegenop had gezien. Omdat Maarten vond dat een boer bij zijn bedrijf hoort te wonen, wilde hij niet eens overwegen om in het dorp te blijven, hoezeer ik ook mijn hakken in het zand zette. Ik was bang dat ik het zou missen dat ik even naar de buren kon lopen voor een kop koffie en een praatje. Of even naar mijn ouders, die een straat achter ons woonden. Of mijn broer Rens, op drie minuten fietsafstand. De boerderij lag toch op bijna een kwartier rijden vanaf het dorp, zonder buren binnen een straal van driehonderd meter. Bovendien was het huis oud en ingericht naar de smaak van Maartens ouders. Schrootjes en plavuizen, dat werk. Maar nadat Henk en Tilly uit de boerderij waren vertrokken en wij de boel helemaal hadden laten verbouwen, veranderde ik rigoureus van mening. Vanaf de eerste dag dat we hier woonden, wilde ik nooit meer weg.

Maar een boer moest volgens Maarten honderd procent toegewijd zijn aan zijn bedrijf. Dat gold voor hemzelf, en dat geldt nu voor Pieter. Maar het betekent dat ik nu weg moet. 'Is dat wat je wilt?' vraag ik hardop aan Maarten. 'Moet ik echt weggaan uit ons huis?'

Nu ik het uitspreek besef ik pas wat dat echt betekent. Ons huis, het huis waar Maarten en ik gelukkig waren en een gezin wilden stichten. De keuken waar we uren en uren doorbrachten, pratend over alles. Het bedrijf, Maartens plannen ermee, de toekomst met ons gezin. Drie kinderen wilde hij, of misschien wel vier. Hij zou een paardenstal aanleggen als we meisjes kregen die een pony wilden. Hij zou onze zonen meenemen op de trekker en ze klaarstomen om het bedrijf over te nemen, zoals zijn vader bij hem had gedaan. Of niet, als ze liever iets anders wilden doen. We zouden een boomhut maken in de oude eik in de tuin waar de kinderen konden spelen.

Het geluk van de kinderen zou het belangrijkste in zijn leven worden, zei hij altijd. En mijn geluk. Maar ik was al gelukkig.

Weg uit het huis betekent ook weg uit de slaapkamer waar we onze huwelijksnacht doorbrachten, omdat we onze eigen bruidssuite hadden, zoals Maarten het zei. Weg uit de badkamer waar we tien maanden geleden samen de laatste pillen uit de strip door het toilet spoelden en waar ik nog geen drie weken later een zwangerschapstest deed. Helaas, de misselijkheid die ik aanzag voor een teken van zwangerschap bleek toch het gevolg van een avondje Chinees. Maarten was zo mogelijk nog teleurgestelder dan ik.

Ik loop naar de huiskamer en kijk naar de eikenhouten vloer, waar Maarten en ik meteen verliefd op werden toen we hem in de winkel zagen. De lichte shutters, de grijze bank en de witte buffetkast. De meubels die we samen uitzochten voor ons paleisje, waar we oud en gelukkig zouden worden.

'Wat moet ik doen, liefje?' vraag ik wanhopig aan de foto van Maarten die ik nog geen week na zijn dood boven de bank heb gehangen. Mijn keel is dik, mijn stem raar hoog. 'Ik kan toch niet weggaan? Ik kan niet...'

Ik slik, maar de tranen komen toch. Mijn gezicht vertrekt zich en ergens diep uit mijn keel komt een snik. In mijn hoofd hoor ik de stem van Maarten. Een boer hoort op zijn boerderij te wonen.

Ik loop naar de keuken en open een fles wijn. Het is even na elf uur in de ochtend. Wijn vermengt zich met tranen en smaakt zout als ik een slok neem. Het brandt in mijn keel.

3

MAARTENS LAATSTE WOORDEN WAREN 'DAG LIEF, TOT STRAKS'. Simpele woorden, totaal niet geschikt voor een afscheid voor altijd. Het had iets moeten zijn als 'Ik heb nooit zo veel van iemand gehouden als van jou'. Of: 'Je hebt mijn leven mooier gemaakt'. Maar waarom zou je dat zeggen als je van plan bent een paar uur later weer thuis te zijn?

Op lange avonden en doorwaakte nachten kan ik uren piekeren over hoe het was gelopen als ik Maarten had verteld dat ik van hem hield voor hij wegging. Of nog een kus had gegeven. Of juist geen kus. Die paar seconden die het had gescheeld in het tijdstip van vertrek hadden zijn leven kunnen redden. Als hij een paar seconden eerder of later die trekker was tegengekomen, op net een ander stukje van de weg, was hij niet door de kuil gereden die volgens de politie maakte dat hij de macht over het stuur verloor. Dan had hij de auto keurig een stukje door de verharde berm gestuurd, zoals honderden keren daarvoor. En was hij daarna doorgereden naar de verjaardag en zouden we nooit, maar dan ook nooit hebben vermoed dat hij op het nippertje aan de dood was ontsnapt.

En wat als ik ervoor had gekozen om mee te gaan naar de verjaardag? Niet dat dat de bedoeling was. Het was een bier-en-bitterballen aangelegenheid, en voetbal. Veel voetbal. Maar stel: ik had van voetbal gehouden en ik was samen met Maarten in de auto gestapt. Zouden we later zijn weggegaan? Zou hij dan nog geleefd hebben? Of zou ik ook dood zijn geweest?

Dat laatste voelt niet als de slechtste optie.

Ik kan niet ontkennen dat ik de afgelopen twee maanden met de gedachte heb gespeeld eruit te stappen. Het is gewoon zo veel makkelijker dan doorleven. Doorleven voor wie? Het is zinloos. Ik ben negenentwintig en moet opnieuw beginnen. Het is het laatste wat ik wil, ik heb er de energie niet voor. Ik weet niet eens waar ik moet beginnen.

Ik wil niet beginnen, ik wil doorgaan waar we gebleven zijn. Ik wil niet moeten beslissen waar ik ga wonen. Ik wil niet bedenken wat ik ga doen. Ik wil hier blijven en het leven leven waar ik voor heb getekend toen ik met Maarten trouwde. En ik wil weten waar ik een klacht kan indienen voor alles wat me af is genomen, want dat het oneerlijk is lijkt me nog zacht uitgedrukt.

Maar er is geen instantie waar ik kan aankloppen, en geen bureautje waar ik kan uitleggen dat er iets misgegaan moet zijn. Maarten zei altijd: 'Regel het of houd erover op.' Dat kan nu niet. Ik heb hem gevraagd wat zijn oplossing is, maar een antwoord krijg ik niet.

'Je kunt niet alles aan Maarten blijven vragen', zei mijn moeder vanochtend aan de telefoon, toen ik haar dit vertelde. 'Hij is er niet meer.'

'Dat weet je niet', antwoordde ik fel.

'Nee,' zei mijn moeder, 'dat weet ik niet. Niemand weet het. Maar Maarten is in elk geval niet meer hier, liefje. Hij is niet meer bij je. En je moet je eigen beslissingen gaan nemen. Je moet je leven opnieuw inrichten zonder Maarten. Ik weet hoe moeilijk dat is, maar...'

'Dat weet je helemaal niet!' riep ik. 'Je weet niets! Jij hebt lekker makkelijk praten. Als ik aan Maarten wil vragen wat ik moet doen, dan doe ik dat. En als ik zeg dat Maarten bij mij is, dan is dat zo. Daar hebben jij en de rest van de wereld niets over te zeggen!'

Daarna knalde ik de hoorn erop en begon ik schokkerig en heel hard te huilen. Toen ik daarmee klaar was, zat ik op een van de crèmekleurige fauteuils die Maarten zo mooi vond, voor me uit te kijken. Ik ben erg goed geworden in voor me uit kijken. Ik voelde me schuldig dat ik had opgehangen, maar vond dat mijn moeder degene moest zijn die terugbelde. En ik wist dat ze dat niet zou doen. Niet omdat ze boos was, maar omdat ze mijn moeder is en mijn moeder houdt niet van conflicten. Ze denkt dat als ik even kan afkoelen, ik wel bijdraai. Of ik nou ruzie met Rens heb, of boos ben omdat ze commentaar heeft op mijn gesprekken met mijn verongelukte man.

Maar ik draai niet bij. Ik vind nog steeds dat ze zich niet moet bemoeien met mij en Maarten. Als ik met hem wil praten, dan doe ik dat. Maar het zit me niet lekker dat ik heb opgehangen. Als mijn moeder vanmiddag een ongeluk krijgt, dan zijn haar en mijn laatste woorden tegen elkaar nog veel erger dan Maartens laatste, nietszeggende groet. Dus bel ik haar terug en zeg dat ik spijt heb dat ik tegen haar heb geschreeuwd en dat ik van haar houd. Maar ik zeg niet dat ze gelijk heeft, want dat heeft ze niet.

Als ik heb opgehangen, moet ik weer huilen. Deze keer omdat ik aan de laatste woorden van mijn moeder heb gedacht en ik het niet aankan als ook zij of mijn vader of iemand anders van wie ik houd een ongeluk zou krijgen. Of een hartaanval. Of een ernstige ziekte waardoor diegene binnen drie weken dood is, zoals je weleens leest in tijdschriften. Ik zou het zelfs niet aankunnen als Beer doodgaat, of Sammy, de kat die al jaren in onze schuur woont en weigert om binnen te komen. De enige van wie ik het niet erg zou vinden als die er morgen niet meer zou zijn, ben ik zelf.

's Middags komt Saskia langs, we kennen elkaar al sinds de basisschool. Toen Maarten net dood was, kwam ze bijna elke dag, maar na een week of drie is ze daarmee opgehouden. Nu komt ze nog maximaal eens per week en ik heb de energie niet om naar haar toe te gaan.

'Tilly en Henk willen dat ik wegga uit dit huis', vertel ik haar als we theedrinken in de keuken. Het liefst had ik iets alcoholisch ingeschonken, maar het is pas half twee en ik wil niet dat Saskia tegen mijn moeder zegt dat ik te veel drink. Ik lijk wel zeventien in plaats van negenentwintig, maar ik heb geen zin in gezeur. Ik drink trouwens ook niet te veel. Je kunt niet te veel drinken als je man dood is.

Saskia knikt. 'Dat was wel te verwachten, hè?'

Boos kijk ik haar aan. 'Vind jij ook dat ik hier weg moet?'

'Nou ja, er is een boerenbedrijf te runnen en jij in je eentje kunt dat niet. Dus doet Pieter het en voor hem is het handiger als hij hier woont.'

Ik geef geen antwoord, beledigd dat ze het met Henk en Tilly eens is, al ben ik het zelf niet met ze oneens. Maar Saskia zou moeten zeggen dat het onzin is en dat ik voor altijd in dit huis moet kunnen blijven.

'Weet je al waar je gaat wonen?' vraagt Saskia. Ik schud mijn hoofd.

Ik sta op om nieuwe thee te maken als Saskia zegt: 'Ik moet je iets vertellen, maar ik vind het heel moeilijk.'

Ik blijf met mijn rug naar haar toe staan, mijn gezicht naar het keukenraam. Beer ligt in de tuin te rollen met zijn bal tussen zijn voorpoten. Ik heb nog nooit een andere hond gezien die dat kan.

'Wat dan?' vraag ik als Saskia niet verdergaat.

Ik verwacht iets in de trant van 'je moet je realiseren dat Maarten echt dood is' of een andere variant van wat de laatste tijd voor iedereen een standaardzin geworden lijkt te zijn. Soms vermoed ik dat ze allemaal hetzelfde boek "Hoe om te gaan met een weduwe" hebben gelezen.

Maar Saskia zegt: 'Ik ben zwanger.'

Mijn hele lichaam verstijft. Ik voel geen blijdschap voor haar, of verdriet vanwege mezelf. Het eerste en enige wat ik voel is jaloezie.

Houterig draai ik me om. Saskia zit met een benepen gezicht naar me te kijken. Ik slik langzaam en zeg met een stem die niet als die van mij klinkt: 'Wat leuk voor je. Gefeliciteerd, zeg.'

'Ik vind het moeilijk om je dit te vertellen', herhaalt Saskia. 'Omdat ik weet dat jij en Maarten...'

Ik knik. Ik ben haar kwijt, denk ik egoïstisch. Vanaf nu zal haar leven om de baby draaien. Haar leven dat wel doorgaat. Met haar man die niet dood is.

Saskia legt haar hand op zijn pols. Snel trek ik hem weg en sta ik op om thee te maken. 'Het water kookt', mompel ik.

'Daph...' Saskia's stem begint een beetje wanhopig te klinken.

'Ik vind het heel leuk voor je', zeg ik nog maar een keertje.

'Dat hoeft helemaal niet. Ik begrijp namelijk heel goed dat dit helemaal niet leuk is voor jou. Maar ik was al zwanger toen Maarten... toen het ongeluk gebeurde.'

'Je hoeft je niet te verontschuldigen', zeg ik terwijl ik water over de rand van het kopje schenk. Het vormt een plasje op het donkergrijze aanrechtblad. Ik kijk ernaar, maar veeg het niet weg.

Saskia staat op en komt naast me staan. Ze reddert met een doekje en hangt daarna theezakjes in de kopjes. Als ze niets meer te doen heeft, blijft ze alleen maar staan. Samen kijken we naar Beer, die is opgehouden met rollen en nu naast zijn bal ligt te hijgen.

'Ik weet zeker dat Maarten het ook heel leuk vindt', zeg ik, al weet ik niet waarom. 'Hij gunt het jullie vast ontzettend.'

Saskia kijkt me aan. 'Hoe bedoel je?'

'Zoals ik het zeg, Maarten vindt het heel leuk voor jullie.'

Ik bespeur onzekerheid bij Saskia. 'Daphne, hij is dood', zegt ze, terwijl ze haar hand weer naar me uitsteekt.

'Nietes', zeg ik en ineens klinkt dat heel grappig. 'Nietes!' Ik begin te lachen. En dan steeds harder tot mijn hele lichaam schudt en ik niet meer kan ophouden. Tot er tranen over mijn wangen lopen en mijn schouders beginnen te schokken en ik niet langer lach maar huil. Zelfs lachen kan ik niet meer.

De zolder is al een bende sinds we in dit huis wonen en om iets te doen te hebben besluit ik te gaan opruimen. Maarten wilde een vaste trap naar zolder maken, maar hij kwam er nooit aan toe. Het stond ook op zijn winterlijst voor dit jaar. Ik trek de vlizotrap naar beneden en klauter omhoog naar de vliering. Het ruikt er muf en het is koud. Er staat een straalkacheltje dat meteen warmte afgeeft als ik het aanzet.

In het midden, onder de nok van het dak, kan ik net rechtop staan. Op andere plekken moet ik uitkijken dat ik mijn hoofd niet stoot. Het is stoffig en het dakraam laat maar weinig licht door. Ik knip de tl-balk aan.

Er staat een kastje met spullen van Maarten, dat ik ongemoeid laat. Net als zijn kledingkast op de slaapkamer, trouwens. Zijn moeder bood vorige week aan om te helpen die op
te ruimen, maar dat wil ik niet. Er gaat een soort vertrouwdheid uit van de truien en broeken die nogal slordig door elkaar
liggen, zoals Maarten ze altijd in de kast stouwde. Ik ben niet
van plan die kleding ooit weg te doen.

Ik ga in kleermakerszit op de houten vloer zitten en trek de
eerste doos naar me toe. Er zitten vazen in, sommige zijn gebroken. Waar komen deze dingen vandaan? Misschien zijn ze
van Tilly. Ik schuif de doos richting het trapgat om hem mee te
nemen naar beneden.

De volgende doos blijkt meccano te bevatten, Maartens favoriete speelgoed vroeger. Ik doe meteen het deksel er weer op
en schuif de doos in de ruimte tussen het schuine dak en de
vloer. Daarna kom ik bij een bananendoos met oude school-
spullen van mij. Er zitten schriften in, en werkboeken Frans,
Duits en Engels. Ik blader erdoor. Rijtjes woorden die ik ben
vergeten, grammaticaregels die ik niet zou kunnen opdreu-
nen, hoewel ik altijd erg goed was in talen. Onder in de doos
ligt de spiegel die ik kreeg toen ik de basisschool verliet. Het
logo van de school staat erin gegraveerd.

Ik kijk naar mijn gezicht, doormidden gesneden door een
barst in het glas. Mijn huid is bleek, zoals altijd in de winter-
maanden. Het wit van mijn ogen is een beetje rood, net als
mijn oogleden. Mijn bruine ogen zijn groot en mooi symme-
trisch. Saskia was daar vroeger jaloers op. Haar ogen zijn ongelijk, het linker is veel ronder dan het rechter. Ze probeert het
vaak te verdoezelen door op haar ene oog meer mascara aan te
brengen, maar daarmee maakt ze het alleen maar erger.

Maarten hield van mijn ogen. Ze kunnen niet liegen. Als ik
blij ben, zijn mijn ogen heel blij. Als ik verdrietig ben, vertellen

ze dat meteen. Maar het mooiste vond Maarten ze als ik boos was. 'Dan worden ze nog donkerder en schieten ze vuur', zei hij altijd. Ik kijk naar mijn ogen. Ze zien er voornamelijk vermoeid uit, net als mijn hele gezicht. Ik houd mijn loshangende haar naar achteren, maar dat helpt niet. Ik zie er niet alleen moe uit, ik ben ook moe. 's Ochtends als ik opsta – áls ik die moeite al neem voor het middaguur, want vaak zie ik simpelweg geen reden om uit bed te komen – wil ik maar één ding en dat is zo snel mogelijk terug naar bed. Nog voor ik beneden ben, ben ik kapot, maar als ik 's avonds in bed lig kan ik niet slapen. Of ik word midden in de nacht wakker en lig uren naar de geluiden van het huis te luisteren.

Ik kijk nog één keer naar mezelf in de spiegel en berg het ding dan op in de doos waar ik het uit heb gehaald. Ik vind een oud klasgenotenboekje en sla de eerste bladzijde open. Ik heb er zelf als eerste in geschreven. Wat wil je later worden? Actrice of fotomodel, heb ik met keurige schrijfletters ingevuld. Toen was ik zeven. Een jaar later wilde ik zangeres worden, gevolgd door dolfijnentrainster en "paardrijdster". Later wilde ik in een hotel werken, in een net pakje achter de receptie. Maar nooit, in welk klasgenotenboekje dan ook, vulde ik in dat ik boerin wilde worden.

Ik sla het boekje dicht en blijf ermee in mijn handen zitten. Ik wilde ook geen boerin worden, ik deed het voor Maarten. Maar nu is Maarten er niet meer en ik moet iets anders verzinnen. Misschien heeft mijn moeder gelijk en moet ik door met mijn leven. Actrice zit er niet in, net als fotomodel of zangeres. Het meest logische is de horeca. Ik heb ervoor geleerd en ik vond het altijd leuk. Maar in het enige café in het dorp werkt al vijfendertig jaar maar één man, de eigenaar. Misschien kan ik een baan zoeken is Arnhem of Nijmegen, de dichtstbijzijnde grote steden. Of terug naar het hotel in Zutphen waar ik eerder werkte. Dan kan ik in de buurt blijven wonen, misschien toch wel in het huis van Pieter en Nadine, zoals Tilly en Henk hebben aangeboden. Maar de consequentie is dat ik elke dag langs de boerderij zou rijden waar mijn zwager en schoonzus het leven hebben overgenomen dat Maarten en ik zouden hebben. Dat wil ik niet.

Ik kan teruggaan naar het dorp, veilig in de buurt van mijn familie en vrienden. En elke dag worden herinnerd aan Maarten, al was het maar vanwege de supermarkt waar we samen kwamen, het pleintje waar we voor het eerst zoenden, het huis waar we vier jaar lang woonden. Misschien moet ik inderdaad door. Maar niet hier, met al die herinneringen.

Ik kan verhuizen naar de stad, naar Arnhem bijvoorbeeld. Het is een leuke stad en ik ken er een paar mensen met wie ik mijn opleiding heb gevolgd. Maar verder... Wil ik wel in Arnhem wonen? Wil ik wel in Nijmegen wonen? Vroeger wel, vooral omdat het praktisch was ten opzichte van het dorp en ik redelijk gemakkelijk naar huis zou kunnen. Maar wat is "naar huis" nu nog? De boerderij? Het huis waar ik ben opgegroeid? Heb ik wel een huis, een thuis?

Amsterdam komt in mijn hoofd op. Ik wrijf met mijn vinger over de voorkant van het vriendschapsboekje. Was dat niet wat ik eigenlijk wilde, in de stad wonen? Maarten wilde niet met me mee en dus gaf ik mijn wens op, maar stiekem bleef de stad trekken. De echte stad, Amsterdam of zelfs New York. New York lijkt me niet echt haalbaar, maar Amsterdam...

Ik kijk om me heen op de zolder. Dit huis zal ik sowieso missen, waar ik ook heen ga. Maar ik krijg het niet terug door een paar honderd meter verderop te gaan wonen. Ik krijg Maarten niet terug door hier in de buurt te blijven. Is het dan niet beter, of makkelijker, om het roer rigoureus om te gooien en te vertrekken?

Nee, makkelijk is het niet. Maar makkelijker wel, makkelijker dan blijven en elke dag herinnerd worden aan wat ik niet meer heb. Wat we niet meer hebben. Wanneer ben ik overgegaan van "we" naar "ik"? Ik weet het niet meer. Het moet vanzelf zijn gebeurd.

Ik slik de tranen weg die bij dat idee opkomen. Weggaan is de betere optie. Papa en mama zullen het niet leuk vinden, maar ik moet mijn eigen keus maken.

Ik denk aan Tilly en Henk. Ze zetten me het huis uit, maar ik ben niet boos op ze. Ze kunnen niet anders, en Maarten zou het uiteindelijk met ze eens zijn geweest. Misschien zullen ze het vervelend vinden als ik naar Amsterdam vertrek, misschien niet. Ik weet het niet. Ze zijn best vriendelijk, maar ik heb niet zoveel met ze. Maartens ouders, dat zijn ze voor mij altijd geweest en dat zullen ze ook blijven. Ik zie ze niet als mijn eigen familie. Het is niet zo dat de dood van Maarten ons verbonden heeft. We leven hier niet in een zoetsappige Amerikaanse film.

Ik leg het klasgenotenboekje terug in de doos en sluit het deksel. Met mijn voet schuif ik de doos van me af. Mijn hart klopt hard in mijn keel. Ik durf helemaal niet weg uit mijn vertrouwde omgeving en tegelijkertijd is het opeens wat ik wil.

Denk ik.

'Wat moet ik doen?' vraag ik hardop, zoals zo vaak in de afgelopen twee maanden. 'Wat moet ik doen, liefje?'

Ergens beneden slaat een deur dicht.

'Maarten?' roep ik hoopvol, maar in mijn oren klinkt alleen het gezoem van de stilte.

4

SOMMIGE DINGEN LIJKEN ONTZETTEND ZINLOOS VANAF HET
moment dat je hoort dat je geliefde is overleden. Eten, bijvoorbeeld. Iets in je mond stoppen, kauwen, doorslikken en dan de
volgende hap nemen is, als je erover nadenkt, idioot tijdver-
drijf, vooral als je andere mensen uitnodigt om dit samen met
jou te doen. Vroeger gaven Maarten en ik graag etentjes. Ik
vond het leuk om op zaterdagochtend naar de markt te gaan,
alles vers te kopen en dan de rest van de dag in de keuken door
te brengen. Het was mijn eer te na om een simpel pastaatje op
tafel te zetten, ik putte me bij voorkeur uit in viergangendiners
met een perfect gegaard stuk vlees en zelfgemaakt ijs toe. De
diners duurden uren, er gingen heel wat flessen wijn doorheen
en al die tijd laafde ik me aan de warmte en gezelligheid van
met vrienden of familie bij elkaar zijn.

Tegenwoordig is die gezelligheid ver te zoeken. Eten is iets
noodzakelijks dat ik doe als ik me flauw voel. Dan sta ik voor

de koelkast, die meestal zo goed als leeg is. Wat er wel in staat maakt me vaak al misselijk bij het idee dat ik het zou moeten doorslikken en dus neem ik vaak gewoon niets. Sinds mijn moeder daar achter is gekomen, brengt ze me elke week zeven ingevroren maaltijden, die ik alleen maar hoef te ontdooien.

Vandaag heeft ze voorgesteld dat ik bij haar en papa kom eten. Ze heeft Rens ook uitgenodigd. Ik zie ertegenop, omdat ik heb gemerkt dat thuiskomen moeilijker is dan thuisblijven. Maar mama staat erop dat ik langskom en dus stap ik in de auto. Het is iets na vijven, ik zwaai naar Pieter die net weg wil gaan. Zoals elke dag was hij op weg naar de bijkeukendeur om mij te laten weten dat hij naar huis gaat.

Ik rijd het erf af en sla linksaf. Maarten ging die bewuste avond rechtsaf, omdat de vriend naar wie hij toe ging aan een weg woont die haaks op die van ons staat. En daar ben ik blij om, anders zou ik elke keer als ik naar het dorp wil langs de plek van het ongeluk moeten rijden. Ik ben er één keer geweest en heb me toen voorgenomen daar niet meer terug te keren. Ook niet om bloemen neer te leggen, zoals Tilly of een van Maartens broers weleens doet. Al die rituelen waarvan je zou verwachten dat ze troost bieden, zijn aan mij niet besteed.

Mama staat al in de deuropening als ik aan kom rijden, alsof ze wilde checken dat ik niet thuis ben gebleven. Ik zet mijn auto langs de stoep voor hun vrijstaande woning en loop de oprit op.

'Dag lieverd', zegt mama. Ik krijg een kus op mijn wang en ze trekt me mee naar binnen. 'Gezellig dat je er bent.'

Zo gezellig ben ik de laatste tijd niet, maar ik waardeer het dat ze de moeite neemt het te zeggen.

'Ga lekker bij de open haard zitten, Rens komt er zo aan.'

'Hoi pap.' Ik geef mijn vader een zoen en ga op mijn vaste plek op de bank zitten, het dichtst bij de open haard. Ook al woon ik hier al jaren niet meer, mijn vaste plek is van mij.

Mama schenkt een glas wijn voor zichzelf en voor mij in en geeft papa een biertje. Ze heft haar glas, maar kan geen toost bedenken en neemt dan maar gewoon een slok. Ik doe hetzelfde. En dan nog een. De alcohol doet meteen zijn werk, of misschien verbeeld ik me dat. Ik voel me in elk geval een beetje sloom worden.

'Dus Tilly en Henk willen dat Pieter op de boerderij gaan wonen?' vraagt papa.

Ik knik. 'Hij gaat het bedrijf runnen. Dat zal wel moeten. Er moet veel gebeuren en ik ben geen boerin. Pieter is de aangewezen persoon om het over te nemen.'

'En jij?'

Mijn vader houdt niet van poespas, hij vraagt liever precies wat hij wil weten. Ik kan het wel waarderen dat hij er niet omheen praat.

'Ik mag in Pieters huis, maar dat wil ik niet. Ik overweeg om helemaal weg te gaan uit de omgeving.'

Sinds dat idee in mijn hoofd is ontstaan, gaat het er niet meer uit. Papa trekt even zijn wenkbrauwen op.

'Ik wil naar Amsterdam', zeg ik.

Ik zie dat mijn moeder schrikt, maar mijn vader begint te knikken. 'Dat wilde je altijd al, nietwaar?'

Ik knik langzaam. 'Maar als Maarten nog had geleefd...' Er zakt alweer een brok tranen in mijn keel, maar ik wil niet huilen. Dus slik ik en hef mijn kin. 'Als Maarten nog had geleefd, was dit natuurlijk nooit aan de orde geweest. Maar nu... Als ik dan toch moet verhuizen, waarom niet naar een plek waar ik altijd al wilde wonen?'

'Maar je kent daar niemand', zegt mama zacht.

'En niemand kent mij. Dat lijkt me juist een voordeel.'

'Je hebt toch mensen nodig die weten wat je hebt meegemaakt? Die je kunnen helpen?' Mama neemt een beetje nerveus een slok wijn. 'Niet alleen wij, maar wat dacht je van je vriendinnen? Je kunt niet zomaar even bij Saskia langsgaan als je in Amsterdam woont.'

'Saskia is zwanger', zeg ik en hoewel ik probeer dat niet bitter te laten klinken, is dat precies hoe het mijn mond uitkomt.

'Och lieverd', zegt mijn moeder. Alleen al door haar reactie moet ik toch huilen. Mijn moeder slaat haar armen om me heen en zo blijven we een tijdje zitten, tot het huilen overgaat in snikken en ik me losmaak uit haar armen. Daarna strijkt ze mijn haren uit mijn verhitte gezicht, met precies hetzelfde gebaar als waarmee ze dat vroeger altijd deed.

'Ik begrijp dat je daardoor van slag bent', zegt mama. 'En dat je weg wilt.'

Ik wrijf mijn wangen droog met de manchet van de makkelijke sweater waarin ik tegenwoordig woon. 'Dat is niet de reden. Ik wil weg omdat ik niet naar een ander huis in de buurt wil verhuizen en omdat ik niet op de boerderij kan blijven. Iedereen zegt toch dat ik door moet met mijn leven? Nou, dat is wat ik doe. Ik ga door met mijn leven. Ergens anders.'

Ik zie dat mijn moeder zoekt naar argumenten waarom ik niet naar Amsterdam zou moeten verhuizen, maar ze kan blijkbaar niets verzinnen dat echt hout snijdt. Hoe langer ik het erover heb, hoe meer ik ervan overtuigd raak dat dit echt het beste voor me is.

'Wat wil je daar gaan doen?' vraagt mijn vader, mijn altijd praktische vader.

'Dat weet ik nog niet', antwoord ik naar waarheid. 'Ik denk dat ik er met mijn opleiding wel werk kan vinden in een restaurant of een hotel. En ondertussen kan ik een appartementje huren.'

Ik heb gelukkig wat geld. De verbouwing en de nieuwe meubels hebben bijna al ons spaargeld opgeslokt, maar toen we het huis betrokken en ik mijn baan opzegde om hem te helpen op de boerderij hebben we gelukkig een verzekering afgesloten op elkaars leven. Giechelig, bijna. Dat zouden we toch nooit nodig hebben. En de vijftienduizend euro die uitgekeerd zou worden bij zijn of mijn dood, zou tegen de tijd dat we tachtig waren vast net genoeg zijn om één keer boodschappen van te doen. Maar goed, we hadden de verzekering en dat gaf ons het gevoel dat we erg verantwoord bezig waren. Pas anderhalve week na Maartens dood dacht ik er weer aan. Mijn vader regelde alles en nog geen week later stond het geld al op mijn rekening. Het is niet genoeg om jaren van te leven, maar de eerste paar maanden moet ik het wel kunnen uithouden.

Mijn moeder schudt haar hoofd. 'Zo makkelijk is een appartement volgens mij niet te vinden. Er heerst toch altijd woningnood in Amsterdam? Terwijl je hier in het dorp meteen een huis kan krijgen, van de woningbouw.'

Ik hoor iets bij de achterdeur en vrijwel meteen daarop gaat de deur van de woonkamer open. Rens komt binnen, mijn twee jaar jongere en twee koppen grotere broer.

'Hé Daph', zegt hij. 'Hoe gaat het?' Een beetje ongemakkelijk omhelst hij me. Hij is niet echt een knuffelaar, maar sinds het ongeluk lijkt hij zich verplicht te voelen. Ik waardeer het wel, hij bedoelt het goed.

'Ze wil naar Amsterdam verhuizen', praat mijn moeder hem bij, nog voor Rens op de bank heeft plaatsgenomen.

Hij kijkt me aan. 'Oh ja? Best een goed idee.'

Zelf zou hij er niet aan moeten denken om uit deze omgeving weg te gaan, maar uitgerekend Rens zegt te begrijpen waarom ik dat wel wil. Het komt hem op een gekwetste blik van mijn moeder te staan, die er blijkbaar alles aan gelegen is om mij hier te houden.

'Ik red me wel', zeg ik, terugkomend op het probleem van de woonruimte. 'En als het echt niet lukt, kan ik altijd nog hier in de buurt een huis zoeken en wat langer wachten.'

'Wanneer wil je gaan?' vraagt Rens.

Daar heb ik nog niet echt over nagedacht. Ik vind het een goed plan, maar als ik denk aan de concrete uitvoering, aan de verhuiswagen voor de deur, de spullen die ik moet uitzoeken, de dozen die ik moet inpakken, de kleren van Maarten die niet kunnen blijven liggen... Het klamme zweet breekt me uit. 'Dat weet ik nog niet', zeg ik dus maar. 'Pieter wil in de boerderij trekken, dus echt veel tijd zal ik wel niet meer hebben.'

'Waarom denk je er niet nog wat langer over na?' vraagt mijn moeder. 'Het klinkt als een overhaaste beslissing.'

Misschien is het dat ook wel, overhaast. Maar wat moet ik anders?

Als ik weer thuis ben, ga ik in bed liggen met de laptop van Maarten. Het is koud in de slaapkamer en ik trek het dekbed op tot aan mijn kin. Vroeger mocht ik altijd mijn ijskoude voeten aan Maartens benen opwarmen, hoewel hij gilde als een meisje als ik dat deed. Ik beweeg mijn tenen, maar daardoor worden ze niet warm, dus stap ik uit bed om een paar dikke sokken te pakken.

Als ik weer onder de deken lig, start ik de browser en open Google.nl. Ik weet niet zo goed waar ik moet beginnen. Aan de ene kant wil ik, nu ik mijn beslissing min of meer heb genomen, snel aan de uitvoering ervan beginnen. En aan de andere kant wil ik alles zo lang mogelijk houden zoals het is. Ik krijg al buikpijn bij het idee dat ik het huis moet verlaten waarvan de muren nog Maarten ademen.

Maar dat moet ik toch, of ik nu naar Amsterdam ga of niet. Ik typ in "woonruimte Amsterdam", maar krijg zo veel hits dat ik al snel door de bomen het bos niet meer zie. Moet ik via een makelaar huren of juist niet? Ik zou het aan Stef moeten vragen, Maartens op één na jongste broer. Hij werkt op een makelaarskantoor en hoewel hij de markt in Amsterdam misschien niet kent, zal hij wel weten of het gunstig is om via een makelaar aan een huurhuis te komen. Maar het is bijna elf uur 's avonds en ik kan Stef niet bellen. Bovendien heb ik Tilly en Henk nog niet verteld wat ik van plan ben. Dat schuif ik voor me uit, al weet ik niet waarom. Misschien omdat zij het als verraad aan Maarten zullen zien.

Ik zet de laptop op het nachtkastje en draai me op mijn zij. In mijn borst voel ik een steek, het is bizar dat al die metaforen voor verdriet fysieke verschijnselen blijken te zijn die je pas ontdekt als je echt verdriet hebt. Ik heb regelmatig het gevoel dat mijn maag letterlijk wordt samengeknepen en een paar keer heb ik kokhalzend voor het toilet gezeten. Ik voel steken in mijn buik of in mijn borst en als er een brok in mijn keel zit, lukt het me gewoon niet meer om te slikken tot ik die klont heb weggehuild en ik niet langer het gevoel heb erin te stikken.

Ik knip het licht uit. Dit moment is het ergste van de dag. Het moment dat ik me normaal gesproken omdraaide naar Maarten en tegen hem aan ging liggen, waarbij mijn hoofd precies in het holletje van zijn arm paste. We gingen nooit meteen slapen, maar kletsten nog wat of gingen vrijen. Dat laatste deden we vooral de laatste tijd veel vaker, elke keer hopend dat het tot een zwangerschap zou leiden. Meestal fantaseerden we daarna over de baby die we zouden krijgen, we hadden zelfs al namen. Emma voor een meisje, Floris voor een jongen.

Ergens tijdens onze gesprekken duurde het dan steeds een beetje langer voor we antwoord gaven, vielen onze ogen dicht en sukkelden we in slaap. Dan draaide ik me om en kroop Maarten tegen mij aan, zijn lijf warm tegen mijn rug, zijn arm beschermend om me heen.

Nu is er alleen nog maar zijn lege helft van het bed, en mijn lijf dat ik zelfs in een dikke flanellen pyjama en skisokken niet echt warm krijg. Het is gek dat ik op mijn eigen helft van het bed blijf slapen, al kan ik overdwars liggen als ik dat wil. Ik heb zelfs het boek dat Maarten aan het lezen was niet van het nachtkastje gehaald. Hoe meer ik intact laat, hoe sterker het gevoel dat hij hier nog is.

De eerste keer dat ik me Maartens stem niet kon herinneren was exact vier weken en twee dagen na zijn dood. Ineens wist ik niet meer precies hoe hij klonk, kon ik me niet precies voor de geest halen hoe hij mijn naam uitsprak. Ik raakte ontzettend in paniek en belde zijn mobiele nummer. De telefoon is leeg en ligt beneden in een la, wachtend op het moment dat het abonnement stopt en het nummer naar iemand anders gaat. Maar de voicemail deed het nog. Maartens stem deed iets raars met me. Ik herinnerde me weer hoe hij klonk, maar gek genoeg was het anders dan de stem die ik al weken in mijn hoofd had.

'Moet ik dit wel doen, liefje?' vraag ik in het donker aan Maarten. Ik slik en wacht tot ik hem hoor.

'Liefje?'

De stilte hangt zwaar om me heen. Ik wacht af tot ik antwoord krijg, maar het duurt lang. Zou Maarten vinden dat ik het niet moet doen? Ooit, toen we net op de boerderij woonden en we op een van die lange zomeravonden buiten onder de kastanje zaten, hadden we het over doodgaan. Ik weet niet of het door het knappende vuur in de vuurkorf kwam dat we in zo'n stemming waren, maar opeens zei Maarten: 'Als ik dood zou gaan, zou jij dan met iemand anders trouwen?'

Ik grapte dat hij daar wel op kon rekenen, binnen een maand, maar Maarten lachte niet. Hij was in de stemming voor een serieus gesprek en dus antwoordde ik: 'Ik weet het niet. Misschien. Uiteindelijk. Jij?'

Maarten moest er lang over nadenken. Na de stilte zei hij: 'Ik zou kapot gaan van verdriet als jij doodging, maar ik denk wel dat ik uiteindelijk met iemand anders zou kunnen trouwen. Ik weet alleen niet wanneer. Jaren later, misschien. Maar ik weet niet wat zo'n huwelijk betekent. Het is dan nooit je eerste keus.'

Een tijdlang staarden we allebei in de vlammen. Toen zei Maarten: 'Trouwen is misschien niet eens de grootste stap. Volgens mij gaat het meer om allemaal andere dingen, al die beslissingen die je neemt in je leven. Groot en klein. Waar ga je wonen, maar ook: wat eet je vanavond? Ik denk dat je je schuldig voelt als je iets eet wat de ander heel vies vond. Alsof je van de gelegenheid gebruik maakt.'

'Ik zou alleen nog maar curry eten', zei ik bij wijze van grapje, omdat het gesprek me een ongemakkelijk gevoel gaf. Ik wilde er niet over praten, omdat Maarten zo gelijk had en ik er niet aan moest denken dat hij ooit dood zou kunnen gaan.

Sinds hij dood is, moet ik huilen als ik alleen maar aan curry denk.

Maarten bleef serieus. 'Als ik doodga wil ik dat je alles doet wat je wilt, zonder dat je rekening houdt met mij', zei hij. 'Al trouw je met Schuitema.'

Schuitema is de overbuurman, minstens zestig jaar en verstokt vrijgezel. Wie hem buiten werktijd zoekt, kijkt altijd eerst aan de toog van het dorpscafé. Het waren zijn drinkbroeders die voor de lol een brief stuurden naar Boer zoekt Vrouw, maar helaas had het programma geen interesse.

Ik beloofde Maarten plechtig dat ik dat zou doen, alleen maar om het hem betaald te zetten dat hij het had gewaagd dood te gaan, en daarna begonnen we over iets anders.

Nu zingen zijn woorden rond in mijn hoofd. Ik wil dat je alles doet wat je wilt.

Zou een verhuizing naar Amsterdam daar ook onder vallen? Ik weet het niet.

'Meende je dat?' vraag ik dan hardop, maar nog steeds komt er geen antwoord.

De volgende ochtend bel ik Stef.

'Geen makelaar', is zijn advies als ik hem heb uitgelegd wat ik wil. Ik waardeer het dat hij geen oordeel velt over mijn plan om naar Amsterdam te verhuizen, maar gewoon praktisch advies geeft.

'Waarom niet?'

'Ik ken de markt niet heel goed, maar ik weet wel dat het veel duurder is en dat veel mensen die iets te huur hebben dat perfect zou zijn voor jou, dat niet via een makelaar aanbieden. Je kunt beter een bemiddelingsbureau inschakelen, of anders gewoon eens op internet kijken. Er wordt veel aangeboden via Marktplaats.'

'Ik heb al gekeken, maar ik kom er niet echt uit. Wat is een redelijke prijs voor een appartement?'

Stef moet even nadenken. 'Tja, ik ben bang dat je in Amsterdam al snel naar de achthonderd tot duizend euro per maand gaat voor een twee- of driekamerappartement. En dan woon je echt niet in het centrum.'

Dat is fors, zeker omdat mijn maandelijkse lasten nu juist extreem laag zijn. Het huis is van Henk en Tilly en ze hoeven er geen stuiver huur voor te hebben. De enige vaste lasten zijn gas, water en elektra en wat verzekeringen.

'Als je wilt dat ik met je meekijk, moet je het zeggen', biedt Stef aan. 'Zoals ik al zei, ik ben niet heel goed ingevoerd in de markt, maar ik kan je natuurlijk wel wat advies geven.'

'Dank je.' En dan moet ik het toch vragen. 'Vind je het raar dat ik naar Amsterdam wil?'

'Nee', zegt Stef, en dan is het een tijdje stil. Net als ik adem-haal om iets te gaan zeggen, begint hij weer te praten. 'Soms wil ik zelf weg, weet je. Het maakt niet uit waarheen, maar ge-woon weg. Naar een plek en een leven waarin Maarten nooit een rol heeft gespeeld, zodat het gat dat hij heeft achtergelaten niet zo ontzettend groot lijkt.'

Ik heb nooit eerder op deze manier met Stef gepraat, en ik besef met een licht schuldgevoel dat ik hem of een van zijn broers nooit heb gevraagd hoe zij omgaan met de dood van Maarten.

'Ja,' zeg ik zacht, 'dat is precies de reden dat ik hier weg moet.'

En dan is het moment voorbij en zegt Stef: 'Ga maar eens op internet zoeken en laat het me weten als ik iets voor je kan doen.'

Ik beloof het en hang op. Nog lang blijf ik met de telefoon in mijn hand aan tafel zitten, tot ik Beer in de tuin hoor blaffen en besef dat dat Tilly moet zijn.

Even later komt ze via de bijkeuken de keuken binnen. Ik zie meteen dat ze een slechte dag heeft. Op slechte dagen zijn haar ogen rood en gezwollen en lijkt haar gezicht twintig jaar ou-der. Ik herken het precies, er zijn dagen dat ik het gevoel heb dat mijn ogen nooit meer hun normale kleur zullen krijgen.

Maar toch wil ik haar vandaag vertellen wat mijn plan is, anders hoort ze het van Stef. Dus als ik thee heb gezet en Til-ly net haar mond opendoet om iets te zeggen, ben ik haar voor.

'Jeetje', zegt ze, en daarna valt er een lange stilte. Uiteindelijk kijkt ze me met betraande ogen aan. 'Staat je besluit al vast?'

Door haar tranen komen die van mij ook weer. Terwijl ik ze wegveeg knik ik. 'Ja, eigenlijk wel. Ik ben al naar huizen aan het kijken.'

Tilly kijkt weg, naar buiten waar ze vanaf haar plek de oude bomen in de windsingel kan zien. Maarten zat graag op die plek, hij hield van de bomen.

Uiteindelijk zegt ze: 'Ik begrijp het wel.'

Ze gaat eerder weg dan anders en ik loop met haar mee naar de auto. Als ze het erf af is gereden ga ik niet naar binnen. Het is begin december en koud, maar het is een mooie heldere dag. Laag aan de hemel staat de zon, veel te ver weg om warmte af te kunnen geven, maar toch doet het me goed.

Beer komt kwispelend aangerend met een flostouw in zijn bek. Ik pak het aan en slinger het een eind weg, mijn labrador sjeest erachteraan. Ik zal hem hier moeten laten, hij kan echt niet mee naar Amsterdam. Beer is een boerderijhond, erg gesteld op de ruimte die hij heeft. Op een bovenwoning wordt hij diep ongelukkig.

Als hij met het touw aankomt en het verwachtingsvol voor mijn voeten gooit, raap ik het niet op. In plaats daarvan streel ik hem over zijn kop. Maarten was stapelgek op Beer, hij kon uren met hem spelen. Hoewel dat het moeilijker maakt om Beer achter te laten, weet ik ook dat Maarten kwaad zou zijn geweest als ik zijn grote vriend op een appartementje zou laten wegkwijnen.

'Hé.'

Ik draai me met een ruk om. Pieter staat achter me, ik heb hem helemaal niet horen aankomen. Hij heeft een overall aan met olievlekken, hij is in de schuur bezig de machines klaar te maken voor het volgende seizoen.

'Hé', antwoord ik. Ik heb Pieter nog niet gesproken sinds Henk en Tilly hebben laten weten dat de boerderij voor hem is.

'Sorry', valt hij met de deur in huis. 'Mijn ouders hebben gezegd dat Nadine en ik de boerderij willen, maar...'

Hij maakt zijn zin niet af. Ik kijk hem aan. 'Het is oké. Ik kan hier moeilijk altijd blijven zitten, hè. Tenzij ik de boerderij ga runnen en dat lijkt me niet echt een goed idee.'

Pieter lijkt een beetje verbaasd over mijn reactie. 'Ja, maar toch', zegt hij. 'Het is voor jou niet makkelijk om weg te gaan.'

Ik schud mijn hoofd. 'Nee, maar ik red me wel. Alleen...' Ik kijk naar Beer. 'Als hij maar mag blijven. Ik kan hem niet meenemen naar Amsterdam.'

Pieter kijkt me aan. 'Is dat wat je van plan bent?'

'Ja.' Hoe vaker ik het zeg, hoe meer ik erin geloof dat dit de enige juiste beslissing is.

Pieter richt zijn blik langs me heen, op de akkers, en ik weet dat hij het nooit zal begrijpen. Net zoals Maarten het nooit zou hebben begrepen. Maar hoe erg ook, Maarten is er niet meer. En ik moet door.

5

ALS WE DE RING VERLATEN EN DE STAD BINNENRIJDEN, KRIJG IK een onbestemd gevoel. Stef zit naast me en stuurt, zijn blik beurtelings op de weg en de TomTom gericht. Ik heb drie afspraken voor bezichtigingen gemaakt, in drie verschillende delen van de stad. Eigenlijk ken ik de wijken nauwelijks, het is bijna een jaar geleden dat ik voor het laatst in Amsterdam ben geweest. Zoveel had ik er niet te zoeken en Maarten kreeg ik zelden mee.

Amsterdam-West is de eerste stop. Onderweg hebben Stef en ik het gehad over de huizenmarkt, over huren versus kopen, over de torenhoge huizenprijzen binnen de ring van Amsterdam en de hoge huren die daaruit voortvloeien. We hebben het niet gehad over mijn stap om in Amsterdam te gaan wonen, en dat vind ik niet erg. Nu we de stad inrijden, bekruipt me het gevoel dat ik hier niet thuishoor. Als Stef van baan wisselt omdat we linksaf moeten, wordt er nijdig naar hem getoeterd. Is dit leven wel wat voor mij?

'Hier is het.' Na wat zwijgzame minuten, alleen doorbroken door de staccato aanwijzingen van de TomTom, parkeert Stef de auto in een straat met aan weerszijden oude Amsterdamse huizen. Ik tel vier verdiepingen per huis. Stef haalt een parkeerkaartje uit de automaat en legt het achter de ruit.

'Nummer 324', leest hij dan voor van het papiertje waarop ik de afspraken heb geschreven. 'Dat is daar. Wat is de huur per maand?'

'Negenhonderd euro.' Voor dat geld heb ik wel de beschikking over een woonkamer met open keuken, twee slaapkamers, een badkamer, een balkon en een bergruimte op zolder. Dat laatste is mooi meegenomen, maar ik ben niet van plan veel spullen mee te nemen. Mijn ouders hebben een grote zolder waar ik wat kwijt kan, en meubels die ik niet kan meenemen kan ik altijd nog op Marktplaats zetten.

Stef belt aan. Het duurt even, maar dan klinkt er een zoemer en een klik en kunnen we de voordeur openduwen. Het eerste wat ik zie is een lange, bijzonder steile trap.

'Kom maar naar boven', klinkt een vrouwenstem.

We klimmen omhoog en dan staan we ineens in een kaal appartement, dat veel kleiner is dan ik me had voorgesteld. Ik kijk om me heen. De muren zijn voorzien van afbladderend behang, de keuken is minstens vijftien jaar oud en vertoont hier en daar schimmelvlekken. De vloer bolt op heel veel plaatsen op. Ik zie ook Stefs blik door de ruimte glijden.

'Ik ben Maria', zegt de vrouw, en ik schud haar de hand. Ze neemt me taxerend op. Ik denk niet dat wij vriendinnen zullen worden.

'Daphne.'

'Er zijn veel geïnteresseerden voor dit huis', zegt ze meteen. 'En daarom heb ik de prijs verhoogd naar negenhonderdvijftig euro per maand.'

Ik kijk Stef aan. Hij loopt stoïcijns door de kamer en laat hier en daar zijn hand over een muur of kozijn gaan. 'Is dit geïsoleerd?' vraagt hij, Maria's opmerking over de huurverhoging negerend.

'Het is enkel glas, als je dat bedoelt.'

'Is de huurprijs inclusief?'

Maria laat een hoog lachje horen. 'We zitten hier in Amsterdam-West en dit is een ruim appartement. De huurprijs is zelfs voor exclusief aan de lage kant.' In één adem door vraagt ze: 'Gaan jullie hier samen wonen?'

Ik verstijf. Ik heb geen zin om deze kille tante uit te leggen hoe het zit. Gelukkig zit Stef op en top in zijn rol van makelaar. 'Nee, ik adviseer haar. Ik ben makelaar.'

Het doet Maria duidelijk niets. 'Oké', zegt ze alleen maar. 'Ik zal de rest laten zien.'

Ze geeft ons een pijlsnelle rondleiding door de aftandse badkamer, de twee kleine slaapkamertjes en het balkon. De bergruimte noemt ze niet eens.

Daarna kijkt ze eerst mij en dan Stef afwachtend aan. 'En? Zoals ik al zei, er zijn veel geïnteresseerden. De eerste die hapt, krijgt het. Mits je de borg betaalt en één maand huur vooruit. Cash.'

Ik ben overdonderd en weet niet wat ik moet zeggen. Ik heb me ingelezen en weet dat dit voor Amsterdamse begrippen een redelijk ruim appartement is, maar ik vind het kil en tochtig en ik mis de knusse boerderij nu al.

Stef steekt zijn hand uit naar Maria. 'We denken er even over na.'

'Maar er zijn veel...'

'We weten het, er zijn veel geïnteresseerden. Als we het willen, laten we het snel weten.'

Maria haalt haar schouders op. 'Wat je wilt.'

We dalen de trap weer af en als de deur met een klap achter ons dicht valt, kijk ik Stef aan. Hij schudt zijn hoofd. 'Veel te duur voor wat je krijgt. Ja, het is groot, maar het is een oude bende. Er moet veel aan gebeuren wil die huurprijs gerechtvaardigd zijn. Voor bijna duizend euro mag je op z'n minst dubbele beglazing verwachten, zodat je je in de winter niet arm hoeft te stoken.'

'Oké, we strepen hem weg', zeg ik opgelucht. 'Ik vond het ook geen fijn huis. Zal ik Maria even afbellen?'

Stef haalt zijn schouders op. 'Kun je doen, maar met zo veel geïnteresseerden maakt het haar vast niks uit als ze nooit meer iets van je hoort.'

Ik geef hem gelijk en stap weer in de auto. Stef manoeuvreert door de drukke straten, zo nu en dan fiks remmend voor een fietser die voor ons langs de straat op slingert. Ik weet niet of het door de vele bochten en het voortdurende remmen komt, maar ik voel me een beetje misselijk. Alsof ik wagenziek ben, hoewel ik dat nooit eerder ben geweest.

Misschien komt het doordat we in Amsterdam zijn, misschien wil mijn hele lichaam me waarschuwen dat ik op het punt sta een grote fout te maken. Maar van het alternatief knijpt mijn maag zich nog harder samen en dus negeer ik de signalen en concentreer me op het gesprek met Stef.

'Amsterdam kent een verhuurdersmarkt', zegt hij. 'De verhuurders hebben de macht in handen, er zijn immers huurders genoeg en voor een simpele studentenkamer wordt heel veel geld gevraagd én betaald. Maar dat betekent niet dat je alles hoeft te accepteren. Huurders hebben rechten, en een van die rechten is dat je erop mag rekenen dat de verhuurder het huis in goede staat houdt.'

Ik probeer te luisteren, maar mijn gedachten dwalen af. De radio staat zachtjes aan en speelt *Jersey Girl* van Bruce

Springsteen, een van Maartens lievelingsnummers. Eigenlijk vond hij het maar soft en hield hij meer van het hardere werk van The Boss, maar toch werd hij elke keer weer geraakt door het nummer. Op lange winteravonden zette Maarten altijd Springsteen op en onze meest diepgaande gesprekken voerden we met die muziek op de achtergrond en een glas wijn in onze hand. Even brengt de muziek me terug naar zo'n avond, de avond dat we het hadden over kinderen krijgen. Het was de laatste winter dat we in ons oude huis woonden en we spraken die avond af de pil weg te gooien zodra we getrouwd waren. Uiteindelijk wachtten we wat langer, omdat Maarten het niet handig vond dat het kind – als we het geluk hadden meteen zwanger te worden – midden in de oogsttijd geboren zou worden. Het maakte me niet uit even te wachten, des te langer duurde de voorpret. Helaas hadden we bepaald niet het geluk om meteen in verwachting te raken. Sterker nog, maanden gingen voorbij zonder zwangerschap en toen kwam het ongeluk.

Stef houdt zijn mond. Hij heeft de radio wat harder gezet. Als ik opzij kijk, zie ik dat er tranen in zijn ogen blinken. Ik heb hem alleen zien huilen op Maartens begrafenis. Daarna heb ik hem ook niet veel meer gezien. Had ik vaker moeten bellen? Zo close waren we niet. Dat is na Maartens dood niet veranderd. Zijn broers lijken op Henk. Geen makkelijke praters, en al helemaal geen mannen die hun gevoelens makkelijk tonen.

Pas als het nummer is afgelopen, begint Stef weer te praten. Heel zacht. 'Denk je dat dit zijn manier is om te zeggen dat het oké is?'

Zo heb ik het nog niet bekeken. 'Misschien wel.'

Stef knikt. 'Ja. Misschien wel.'

Hij lijkt een zekere troost te putten uit die conclusie, maar ik blijf met een ander gevoel zitten. Ergens diep vanbinnen begint het en het ontvouwt zich sneller dan ik wil, maar ik heb er geen grip op.

Buiten is het begonnen te regenen en de ruitenwissers zwiepen gestaag heen en weer.

Binnen in de auto ben ik voor het eerst boos op Maarten. Boos dat hij het heeft gewaagd om zomaar dood te gaan en mij achter te laten met een grote puinzooi. En weet hij dan niets beters te verzinnen dan een stom liedje spelen op de radio? Dat waarschijnlijk ook nog eens gewoon door een of andere dj van Sky Radio is ingepland en waar Maarten niet eens invloed op heeft, omdat hij daar veel te dood voor is.

'Hier moet het zijn', zegt Stef als we een rustige straat met statige huizen inrijden. Ik hum wat, niet in staat me over mijn gevoelens heen te zetten. Stef is te druk bezig het juiste huisnummer te vinden om het te merken.

Voor de deur is een plekje vrij en Stef manoeuvreert zijn Volkswagen Golf er handig in. Fileparkeren is niet een van mijn sterkste kanten, maar als ik in de stad ga wonen zal ik er meer bedreven in moeten worden, anders raak ik mijn auto nergens kwijt.

Ik stap uit en kijk omhoog naar het mooie huis. De frisse buitenlucht doet me goed en verdrijft niet alleen de misselijkheid, maar ook mijn gedachten over Maarten. Wat overblijft is een dof gevoel dat inmiddels al zo vertrouwd is dat ik het bijna niet meer merk.

'Mooie buurt', zegt Stef goedkeurend als hij aanbelt. 'Je zit hier echt in het chique Amsterdam-Zuid.'

We zijn net langs het Vondelpark gereden, waar ik een paar keer in mijn leven ben geweest. Alleen op mooie dagen, toen het er druk en gezellig was. De straten rond het park, waar dit er een van is, zijn prachtig. Statige huizen en ik heb al een paar mooie winkels gezien. Als er één buurt in Amsterdam is waar je wilt wonen, is het deze wel.

Stef onderbreekt mijn gedachten. 'Wat is de huur ook alweer?'

'Die valt wel mee, zevenhonderdvijftig euro inclusief gas, water en elektra. Het is ongeveer veertig vierkante meter.'

'Dat is niet duur', vindt Stef. 'Als het er tenminste een beetje netjes uitziet.'

De deur zwaait open en in de deuropening staat een vrouw van begin zestig. Dat moet Judy zijn, ik heb met haar gemaild voor de afspraak. Op een of andere manier had ik haar veel jonger verwacht.

'Hallo Daphne', zegt ze en ze steekt haar hand uit. 'Ik ben Judy Hussen.'

'Daphne', zeg ik nogal overbodig. 'En dit is Stef. Hij eh...'

'Ik help haar met een huis vinden', maakt Stef mijn zin af, als ik dat zelf niet doe.

Judy doet de deur wat verder open en we volgen haar naar binnen. 'Het is op de derde verdieping', vertelt ze terwijl ze voor ons uit de trap op loopt. Ondanks haar hoge leeftijd beweegt ze soepel en tegen de tijd dat we op de derde etage staan loop ik te hijgen en zij niet.

Ze doet de deur open en het eerste wat me opvalt is de lichte eikenhouten vloer die precies lijkt op wat er in de boerderij ligt.

We lopen achter Judy aan naar binnen. Het is lekker warm in het appartement, een heel contrast met Maria's kille huis. De muren zijn zo te zien onlangs nog geverfd in een kleur grijs-bruin die mooi bij de vloer past. Het is niet groot, maar wel gezellig.

'Tja, dit is het', zegt Judy. 'Mijn zoon heeft hier lang gewoond, maar hij is naar Amerika vertrokken en sindsdien staat het leeg. Omdat ik dat zonde vind en omdat het huis eigenlijk ook veel te groot is voor mij alleen, heb ik besloten het appartement op te knappen en te verhuren.'

'Zijn er veel geïnteresseerden?' vraag ik. Terwijl ik hem stel vind ik het een rare vraag, maar het komt door Maria met haar "zo veel geïnteresseerden".

Judy knikt. 'Ja, ik heb veel e-mails gehad, maar ik wil niet iedereen erin. Noem me ouderwets, maar ik heb een beter gevoel bij een vrouw en ik vind dat het wel moet klikken als iemand in mijn huis komt wonen. Dus nodig ik niet iedereen uit.'

Omdat de meest voor de hand liggende vraag nu is of ze mij ziet zitten en ik het stom vind om die te stellen, loop ik naar Stef. Hij bekijkt de muren en ramen en knikt goedkeurend. 'Het is fantastisch geïsoleerd, zeker voor zo'n oud pand.'

Judy legt haar hand op de kozijnen en strijkt erover. 'Ja, daar heb ik een bedrijf voor ingehuurd dat meteen ook mijn eigen etages heeft gedaan. Het was hier 's winters soms zo ontzettend koud, maar dat is nu verleden tijd.' Ze kijkt mij aan. 'Woon je nu ook al in Amsterdam?'

Ik schud mijn hoofd. 'Nee, ik kom uit de Achterhoek. Ik woon nu op een boerderij.'

Judy kijkt me geamuseerd aan. 'Werkelijk? Dat zal dan wel even wennen worden voor je. Waarom wil je naar Amsterdam verhuizen?'

Haar directe vraag overvalt me, ook al is het een logische. Hoewel ik het eigenlijk niet wil, zeg ik: 'Ik wil iets heel anders na de dood van mijn man. Ik kan niet blijven waar ik nu ben. Te veel herinneringen, snap je?'

Ik schrik van mijn eigen openhartigheid en verwacht dat het Judy niet anders zal vergaan, maar ze knikt alleen maar. 'Oh ja, ik snap het helemaal. Toen mijn echtgenoot overleed, wilde ik het liefst in Antarctica gaan wonen. En als er een plaats was geweest die nog verder weg was, had ik die gekozen.' Ze raakt even mijn arm aan. 'Is het lang geleden?'

'Ruim twee maanden.'

Judy knikt en ik kijk weg. Even zeggen we allebei niets en dan verbreekt Stef de stilte. 'Zullen we een rondje door het huis lopen?'

Judy gaat voor en ik volg haar naar de twee kleine slaapkamers en de piepkleine badkamer. Het is allemaal niet heel groot, maar wel goed onderhouden en ruim genoeg voor mij alleen.

Stef loopt overal even langs – van de kranen in de badkamer tot het slot op de balkondeuren – en ik zie aan zijn gezicht dat hij best enthousiast is over dit huis. Terwijl hij met Judy praat over de buurt en de huizenprijzen die tegenwoordig de pan uitrijzen, kijk ik naar het kranige vrouwtje dat tot mijn schouder komt maar duidelijk voor niets en niemand terugdeinst. Met haar moet je geen ruzie krijgen, dat is me nu al duidelijk.

Judy is klaar met het gesprek met Stef en draait zich naar me om. 'Ik moet zeggen dat er wel wat mensen die zijn komen kijken die in de mail of aan de telefoon geschikt leken, maar ik heb nog niemand gevonden bij wie ik een goed gevoel had. Bij jou heb ik dat wel. Als je wilt, is het appartement voor jou.'

Achter haar gaat Stef iets meer rechtop staan, alsof hij me iets duidelijk wil maken. Als ik niet meteen antwoord geef, zegt hij: 'Nou ja, we gaan er even over...'

'Ik neem het', zeg ik, dwars door hem heen.

'Wil je niet nog even dat andere appartement bekijken?' vraagt Stef verbaasd.

Ik schud mijn hoofd. 'Nee, ik neem het. Ik vind het mooi en het is een leuke buurt.' En ik vind Judy leuk, maar dat zeg ik er niet bij.

'Oké', zegt Judy opgetogen. 'Dat is mooi. Ik ben blij dat het appartement je bevalt. Wanneer wil je erin?'

Er valt een stilte. Stef kijkt naar mij en maakt duidelijk dat ik dat zelf moet beslissen. Henk en Tilly hebben geen termijn meegegeven waarop ik de boerderij verlaten moet hebben. Het is begin december en dat betekent dat de meest beladen dagen van het jaar eraan komen, de feestdagen. Wil ik dan nog in de boerderij zitten? Natuurlijk, mijn moeder zal wel zorgen dat ik geen seconde alleen ben, maar toch. Zou het niet fijn zijn om dan al te kunnen terugkeren naar een nieuwe plek?

'Over twee weken', zeg ik, zonder er nog verder over na te denken. 'Als dat kan natuurlijk.'

'Ik vind het prima', knikt Judy. 'Het staat toch leeg. Al wil je er morgen in.'

'Oké, over twee weken dan.'

'Geef je adres maar even, dan stuur ik je het huurcontract op', zegt Judy. 'Ik vraag één maand huur vooruit en één maand huur als borg. Maar dat staat allemaal in het contract.'

Ik knik en kijk nog één keer rond in het appartement. Mijn appartement. Het voelt nog helemaal niet als mijn huis, laat staan als een thuis, maar dat zal vanzelf wel komen.

We nemen afscheid van Judy en staan even later weer buiten. Ik kijk links en rechts de straat in. Tussen de huizen en de straat staat een rij bomen, die nu kaal zijn, maar in de zomer vast een oase van groen. Overal staan mooie auto's en dat herinnert me eraan dat in de advertentie stond dat bij het appartement een parkeervergunning hoort. Dat komt goed uit, want ik wil mijn oude Toyota Starlet niet wegdoen.

'Blij mee?' informeert Stef als we op weg zijn en ik de derde bezichtiging van vandaag heb afgebeld.

Ik knik en ergens voel ik inderdaad wel blijdschap, maar nu we weer in de auto zitten is het opgetogen gevoel van net verdwenen.

'Vind je dat ik te snel heb besloten?' vraag ik.

Hij schudt zijn hoofd. 'Als je een goed gevoel bij dat appartement hebt, moet je het gewoon doen. Het is ook wel een buitenkans. Goed onderhouden, niet duur en Amsterdam-Zuid is natuurlijk een geweldige buurt. En een aardige huisbaas, dat zie je ook niet overal. Ik denk dat je een goede keus hebt gemaakt.'

Dat denk ik zelf ook, maar toch voel ik me onzeker. In gedachten praat ik met Maarten. Ik wil van hem horen dat ik de goede beslissing heb genomen en dat hij het ermee eens is dat ik naar Amsterdam verhuis. Maar hij geeft geen antwoord op mijn vragen en ik voel boosheid opkomen. Alsof ik erom heb gevraagd om in deze positie te zitten. Alsof ik erop zit te wachten huizen uit te zoeken in Amsterdam en ineens moet nadenken over huurprijzen die al dan niet inclusief gas, water en elektra zijn. Alsof ík hiervoor kies. Maar nee, meneer valt gewoon maar een beetje dood neer en laat mij het verder uitzoeken en als ik het dan niet meer weet, als ik heel even advies nodig heb, dan geeft hij doodleuk niet thuis.

Ik staar verongelijkt uit het raam. Stef wisselt van baan en rijdt de A1 op. Vanaf hier is het anderhalf uur naar huis. Het regent nog steeds en de ruitenwissers hebben moeite om het water af te voeren. De radio speelt *Make you feel my love* in de originele uitvoering van Bob Dylan. Ik knipper met mijn ogen en er glijdt één traan over mijn wang naar beneden. Dit liedje werd gedraaid op onze bruiloft en toen moest ik er ook om huilen, maar dan van geluk.

Godverdomme Maarten, schreeuw ik in gedachten. Waar ben je nou?

6

ALS DE MAN VAN HET VERHUISBEDRIJF DE DEUR VAN DE
vrachtwagen dichtslaat en er een klap op geeft, begint mijn
moeder te huilen. Ik kijk in eerste instantie verbaasd. Mijn
moeder is niet zo'n theatraal type, als ze huilt is het meestal
zacht en stil en zo dat niemand het ziet. Maar nu staat ze naast
me met tranen die vrij over haar wangen rollen.

'Wat is er, mam?' vraag ik, hoewel ik het antwoord wel weet.

'Nu is het definitief', snikt ze. 'Je gaat weg.'

'Nou ja,' zeg ik onhandig, 'ik ga niet helemaal weg. Het is
maar anderhalf uur rijden.'

Met haar mouw droogt ze haar wangen, maar er komen
nieuwe tranen. 'Ik weet het', zegt ze, terwijl ze nerveus in haar
zakken naar een tissue zoekt. 'Maar het voelt zo ver weg.'

Ik weet niet echt iets te zeggen en mompel maar wat. Nu
de verhuiswagen is ingeladen en de spullen die niet meekun-
nen naar Amsterdam al door mijn vader met de aanhanger

zijn opgehaald, wordt het wel heel echt. Ik probeer er niet te veel over na te denken. Ik heb mijn keus gemaakt en na de doorwaakte nacht die achter me ligt kan ik maar één conclusie trekken: nee, ik heb geen zin om naar Amsterdam te verhuizen. Maar nog altijd wel meer zin dan ik heb om hier te blijven.

Ik kijk expres niet om naar de boerderij als ik voor in de verhuiswagen stap. Ik kijk vooruit, naar de weg. We gaan zo meteen linksaf, niet rechts, zoals Maarten die avond. Ik weet niet waarom, maar ik vind het een geruststellend idee.

'Tot zo, mam', zeg ik vanuit de cabine van de verhuiswagen. 'Papa komt je zo halen, toch?'

'Ja, ik ga nog even...' Ze maakt een gebaar met haar hand richting de boerderij. Ik weet niet wat ze gaat doen. Schoonmaken ofzo, dat doet ze de hele ochtend al.

'Tot zo', zeg ik nogmaals en dan trek ik de deur van de verhuiswagen dicht. Ik haal diep adem en kijk recht voor me uit. Nu niet huilen.

Ik heb het gevoel dat ik geen tranen meer over heb. De afgelopen twee weken heb ik besteed aan het opruimen van de spullen van Maarten en mij en het inpakken van dozen. Bij elke sok die door mijn handen ging, kwam er weer een brok in mijn keel. Van elke pan, elke handdoek, elk boek kon ik me herinneren waar en wanneer we die gekocht hadden. Ik vind het moeilijk om afscheid te nemen van Maartens kleren, zijn broeken en truien die ik zo goed ken. Die ik zo vaak mopperend in de wasmand heb gegooid, omdat hij ze er weer eens naast had gemikt. Die ik hem zo vaak aan heb zien trekken, die ik zo vaak van zijn lijf heb gestroopt op een koude winteravond of juist een lange, zwoele zomeravond zonder einde. En nu zijn die kledingstukken niet meer dan stukken textiel in een doos op zolder bij zijn ouders.

'Ben je er klaar voor?' vraagt de verhuizer, een vent van rond de eenentwintig. Hij stapt in aan de chauffeurskant en schuift door naar de zitplaats in het midden. Daarna neemt zijn collega plaats achter het stuur. Hij draait het sleuteltje om, de motor begint zwaar te ronken. Ik sluit mijn ogen, haal diep adem en probeer niet te denken aan de zwaarte van dit moment.

In Amsterdam is het regenachtig en grijs en nog een paar graden kouder dan in de Achterhoek. Als ik uitstap slaat de regen me in het gezicht en ik duik heel diep weg in mijn wollen sjaal. Voor de deur van het huis van Judy is een bord geplaatst dat je er niet mag parkeren. Ik vloek zachtjes. Waarom moet dat nou net vandaag? De verhuiswagen zal rondjes moeten rijden tot er een plekje in de buurt vrijkomt, ik ga me eerst maar eens bij Judy melden.

Zodra ik ben uitgestapt, vliegt de voordeur al open. Judy komt naar buiten, gekleed in een wollen parka. 'Kijk eens!' roept ze triomfantelijk. 'Ik heb deze plek laten afzetten.' Terwijl ze praat geeft ze me een hand en raakt ze even mijn arm aan.

'Ja', zeg ik vertwijfeld. 'Maar nu kunnen we er niet meer staan.'

Judy kijkt me aan. 'Dit ís voor de verhuiswagen. In Amsterdam moet je van tevoren toestemming vragen om een hele dag een vrachtwagen voor je huis te zetten, anders heb je kans dat je drie straten verderop moet staan. Dus heb ik dit geregeld.'

'Oh', zeg ik. Ik moet nog veel leren. 'Bedankt.'

Judy kijkt zorgelijk. 'Ik hoop wel dat het past.' Ze loopt naar de verhuiswagen en gebaart naar de chauffeur dat hij op de vrije plek moet parkeren. Het duurt even, maar dan staat de vrachtwagen recht voor de deur van het huis.

'Derde etage!' roept Judy, zodra de twee verhuizers zijn uitgestapt. 'Hebben jullie een lift meegenomen?'

Ik ben blij dat Judy blijkbaar ervaring heeft met verhuizingen, al woont ze al jaren in dit huis. Kwiek loopt ze rond om de verhuizers precies te vertellen waar ze hun lift neer kunnen zetten en bij welk balkon ze moeten zijn. Daarna schiet ze naar boven om de balkondeuren te openen. 'Ja, kom maar!' klinkt haar heldere stem vanaf driehoog. Ik kan me niet geheel aan de indruk onttrekken dat ze hier wel lol in heeft.

Ongeveer een halfuur later komt de oude Saab van mijn vader de straat in gereden. De verhuisauto is al half leeg, en als mijn vader de auto heeft geparkeerd komt hij verbaasd fronsend op me afgelopen. Mijn moeder gaat zenuwachtig op zoek naar een parkeermeter, bang dat je een boete krijgt als je een paar minuten je auto zonder kaartje laat staan. Rens sjokt achter mijn vader aan. Ik heb mijn broer zich nog nooit druk zien maken.

'Dat gaat snel', zegt papa wijzend naar de verhuiswagen. De twee verhuizers tillen net de grote witte buffetkast eruit, die er hier veel groter uitziet dan toen hij thuis in de auto verdween. Er zit sowieso niet zo heel veel in de auto. Zo groot is het appartement niet.

'Ja, ze verwachten over een halfuurtje wel klaar te zijn', zeg ik. 'Maar dan moet ik natuurlijk nog wel gaan uitpakken.'

Mijn moeder komt aangelopen. Ze heeft het laatste wat ik heb gezegd gehoord en vraagt: 'Weet je zeker dat je hier vannacht al wil blijven? Je kan best nog even bij ons logeren en dan morgen pas beginnen.'

Ik schud resoluut mijn hoofd. 'Nee, ik blijf hier.' Het komt er veel vastbeslotener uit dan ik me voel. 'Zal ik jullie het appartement laten zien?' zeg ik dan maar.

Mijn ouders knikken en ik loop voor ze uit naar boven. Daar zijn de verhuizers net bezig de kast van het liftje te pakken. Judy loopt energiek rond. 'Waar wil je deze hebben,

Daphne?' vraagt ze. 'Oh, hallo.' Ze schudt mijn ouders en Rens de hand.

'Zet maar tegen die muur', zeg ik en ik wijs naar de muur naast de keuken. Ik weet niet of dat de juiste plek is, over de inrichting heb ik nog niet nagedacht. Misschien ga ik dat ook wel nooit doen.

Judy kijkt bedenkelijk. 'Dat kan, maar waar wil je dan je eettafel neerzetten? Die kan moeilijk naast de televisie of achter de deur.'

Ik kijk om me heen. Ze heeft gelijk. Judy heeft hier duidelijk veel beter over nagedacht dan ik.

'Ik zou de kast tegenover de keuken neerzetten', zegt ze. 'Dat is toch een muur waar je anders niets aan hebt. En dan kan de deur niet meer helemaal open, maar hoe vaak doe je dat nou?'

'Oké', knik ik. 'Laten we dat doen.'

Judy roept aanwijzigingen naar de verhuizers terwijl ik mijn ouders en Rens een rondleiding geef.

Hoewel ze proberen enthousiasme op te brengen voor mijn nieuwe onderkomen, zie ik ze denken waarom iemand in godsnaam de ruimte van het platteland zou inruilen voor een postzegel van een badkamer. Ineens ben ik daar kwaad over. Alsof ík hiervoor heb gekozen.

Ik laat mijn irritatie niet merken tot mijn vader en Rens op het balkon staan en ik in de slaapkamer alleen ben met mijn moeder. 'Wat is er?' vraag ik bits. 'Waarom heb je een blik in je ogen alsof er een kolonie kakkerlakken in dit huis woont?'

Ze schrikt van mijn vraag. 'Hoezo?'

'Ik zie heus wel dat jullie het helemaal niks vinden.'

'Dat is niet waar, lieverd, ik vind het een prachtig appartement.' De "maar" blijft in de lucht hangen en ik wacht tot mijn moeder haar zin afmaakt. Dat duurt niet lang. 'Maar ik vraag me af of je hier nu echt gelukkig gaat worden.'

Ik denk dat het door het woord "gelukkig" komt dat er ineens een golf van woede door me heen spoelt. 'Gelukkig?' herhaal ik met overslaande stem. 'Gelukkig was ik op de boerderij, samen met Maarten. Maarten, die dood is, weet je nog? Dat was ook niet mijn idee, net zo min als het mijn idee was dat ik een nieuw leven moet beginnen zonder hem. Maar als dat dan toch moet, waarom is het dan zo moeilijk te begrijpen dat ik dat niet kan honderd meter van de plek waar we samen woonden? Waarom snáp je dat niet gewoon?'

De woorden vliegen mijn mond uit en ik voel dat mijn ogen vuur spuwen. Mijn moeder krimpt een beetje ineen onder mijn uitbarsting.

Ik weet niets meer te zeggen en voel me ineens leeg. Ergens vanbinnen klopt een dof gevoel en ik heb zin om te huilen, maar daar schiet ik ook zo weinig mee op. Daarom laat ik me door mijn moeder omarmen. Ze zegt niets en we blijven een tijdje zo staan in mijn kale slaapkamer. Maar dan willen de verhuizers mijn bed erin zetten en lopen we, nog steeds zonder iets te zeggen, naar de huiskamer.

Binnen een uur nadat mijn ouders zijn aangekomen is de verhuiswagen vertrokken. Judy verdwijnt naar beneden en mijn vader begint met het ophangen van wat schilderijtjes en foto's en de flatscreen televisie, geholpen door Rens. Mijn moeder pakt een emmer en haar schoonmaakhandschoenen en gaat de keuken soppen, hoewel die volgens mij brandschoon is. Zelf loop ik van de ene kamer naar de andere en heb werkelijk geen idee waar ik moet beginnen. Uiteindelijk ga ik op het voeteneind van mijn bed zitten en leg mijn bonzende hoofd in mijn handen. Morgen, morgen begin ik met dozen uitpakken. Nu wil ik het liefst helemaal niets meer.

Ik gooi net mijn onaangeroerde cracker weg, afkomstig uit het overlevingspakket dat mijn moeder heeft achtergelaten, als Judy op de deur klopt. 'Hoe gaat het?' informeert ze als ik opendoe. 'Kan ik iets voor je doen?'

Ik schaam me een beetje voor de rotzooi die mijn appartement nog is en blijf expres in de deuropening staan. Ik heb nog geen doos uitgepakt, alleen de hoogstnodige toiletspullen heb ik in de badkamer uitgestald. Ik heb vannacht zelfs onder een kaal dekbed geslapen, omdat ik geen puf had om een overtrek te zoeken. Van slapen kwam toch niet zoveel, elk geluidje hield me wakker en hier in de stad heb je heel wat meer geluiden dan ik thuis gewend was. Het lijkt wel alsof er elke drie minuten een of andere sirene te horen is.

'Het gaat prima', zeg ik tegen Judy. 'Ik worstel me door al die dozen heen.'

'Ja, dat zal nog wel even een klus zijn.' Ze kijkt me aan. 'Eerlijk zeggen als je er niets voor voelt, maar ik wilde je uitnodigen om vanavond bij me te eten. Het minste wat ik kan doen is je een warm welkom geven, ook al is het buiten min zes en laat Amsterdam zich daardoor niet van z'n mooiste kant zien. Ik kan me voorstellen dat je nog geen tijd hebt om boodschappen te doen en daarom wil ik voor je koken. Maar als je geen tijd hebt...'

'Ja, leuk', zeg ik meteen. Gisteren gingen mijn ouders om half vijf weg, en strekte de avond zich lang en leeg voor me uit. Zoiets zie ik niet zitten voor vandaag.

'Oké', zegt Judy opgetogen, 'Leuk! Ik zie je wel verschijnen.'

Ze loopt weer naar beneden en ik sluit de deur achter haar. Het is half elf, nog zeker zes of zeven uur voor ik met goed fatsoen bij Judy aan kan komen. Misschien moet ik inderdaad beginnen met het uitpakken van dozen, of moet ik eerst boodschappen doen. Maar waarom? Mijn moeder heeft een krat achtergelaten met allerhande etenswaren. Dingen die ik vroeger heel lekker vond, zoals bokkenpootjes, maar die me tegenwoordig helemaal niets doen. Het zal er wel mee te maken hebben dat Maarten dood is. Alles heeft ermee te maken dat Maarten dood is.

Ik realiseer me dat ik nog steeds tegen de voordeur sta geleund en dat ik moeilijk zes uur lang zo kan blijven staan. Er is hier genoeg te doen en bovendien moet ik de deur nog uit op zoek naar een bloemist die op zondag open is. Dat is zoiets handigs aan de stad, heb ik op internet gelezen: avondwinkels en winkels die op zondag open zijn. Elk moment van de dag, de hele week lang, kun je inkopen doen. Maar goed ook, want ik kan niet met lege handen bij Judy aankomen. Ze heeft gisteren zo veel voor me gedaan en ze heeft zelfs mijn parkeervergunning aangevraagd. Die komt over ongeveer een week, zodat ik na kerst met de auto terug naar Amsterdam kan rijden en geen fortuin kwijt ben aan parkeerkosten. Het minste wat ik kan doen is een bloemetje voor haar meenemen.

Misschien moet ik dat eerst maar eens regelen. Ik vind mijn jas op een stapel verhuisdozen in de woonkamer. Die staat voor mijn bank, zodat ik de dozen eerst zal moeten uitpakken voor ik kan gaan zitten. Ik vraag me af of mijn moeder dat de verhuizers heeft ingefluisterd. Ze denkt sowieso dat ik de komende weken niets zal uitpakken – waar ze misschien best eens gelijk in zou kunnen hebben – en heeft aangeboden vandaag weer te komen, maar dat aanbod heb ik afgeslagen omdat ik dacht dat ik alleen wilde zijn. Inmiddels begin ik daar spijt van te krijgen. Henk en Tilly hebben zich ook opgeworpen als hulp, maar ik heb hun gevraagd langs te komen als ik alles heb ingericht. Om een of andere reden wil ik niet dat zij door mijn spullen gaan en zien wat ik van Maarten heb meegenomen. Hoewel ik het volste recht heb op zijn lievelingstrui en babyfoto's, ben ik bang dat Tilly ze wil hebben. Het is veel veiliger wanneer ze komen als ik die spullen netjes in een kast heb opgeborgen.

Ik trek mijn winterjas aan, sla mijn sjaal een paar keer om mijn nek en pak mijn tas. Bijna vergeet ik mijn huissleutel en dan heb ik wel een probleem, want de deur valt achter je dicht en er is geen klink. Vanwege de veiligheid, heeft Judy me uitgelegd. Daar zal ik nog even aan moeten wennen. De deur van de boerderij deden we zelden op slot, al helemaal niet overdag.

Ik loop de trap af, de straat op en sla linksaf. Deze straat kruist zo een andere, waar ik winkels heb gezien. Ik meen ook een bloemist. Voor het gemak ga ik ervan uit dat die vandaag gewoon open is. Dit is Amsterdam, hier doen ze toch niet aan weekend?

Voor het eerst voel ik een sprankje van iets onbestemds in mijn borst. Is het trots? Ik, Daphne Draaisma-van der Voert, woon dus gewoon in Amsterdam. De grote "maar" die erachteraan komt, negeer ik voor zover dat lukt. Want aan "maar daarvoor moest wel mijn man doodgaan" kan ik niet wennen.

Op de kruising kijk ik links en rechts de straat in. Cornelis Schuytstraat, lees ik op het straatnaambordje. Die naam komt me bekend voor, maar ik weet niet waarvan.

Ik loop een stukje de straat in en kom dan de winkel tegen die ik gisteren in het voorbijgaan al heb gezien. Menno Kroon, staat er op de gevel. Hij is dicht.

Ik kijk door het raam naar binnen en zie de meest prachtige bloemstukken staan. Dit is heel iets anders dan De Bloemenvaas, het bloemenwinkeltje dat sinds jaar en dag op het plein in het dorp zit en dat al dertig jaar wordt gerund door de dochter van de oorspronkelijke eigenaresse. Ik zie geen prijzen staan bij de creaties in de winkel, maar ze zullen wel duur zijn.

Omdat ik met een dichte bloemenwinkel niet zoveel opschiet, loop ik verder de straat in. Er zitten allemaal leuke, kleine winkels, maar alles is gesloten. Uiteindelijk kom ik uit op een wat bredere straat waar een tramlijn doorheen loopt. De Lairessestraat, staat er op een bordje.

Ik besluit maar eens aan iemand hulp te vragen. Er komen net twee vrouwen van middelbare leeftijd aangelopen. 'Sorry,' zeg ik verontschuldigend, 'mag ik misschien iets vragen?'

Ze nemen me van onder tot boven op in de tijdspanne van een paar seconden. Daarna zegt een van de twee nogal uit de hoogte: 'Ja?'

'Ik ben op zoek naar een bloemenwinkel.'

'Dan moet je bij Menno Kroon zijn', zegt de ander. 'Die zit hier in de Cornelis Schuyt.'

Haar vriendin stoot haar aan. 'Dat lijkt me niet. Menno heeft alleen maar kwaliteit.'

Ik ben nog bezig me af te vragen of ze met die opmerking bedoelt wat ik denk dat ze ermee bedoelt als de ander zegt: 'Oh ja, en ik bedenk net dat Menno natuurlijk dicht is.'

'Zit er geen supermarkt in de buurt?' vraag ik schuchterder dan ik eigenlijk ben. Ik voel me ineens ontzettend dom en totaal niet op mijn plaats.

'Supermarkt? Je zocht toch een bloemenwinkel?'

'Ja, nou ja, ik dacht: supermarkten hebben meestal ook wel bloemen.'

Ik maak het blijkbaar alleen maar erger, want nu wisselen de vrouwen een blik van nauwelijks verholen minachting. 'Aha', zegt een van hen. 'Nou, in dat geval moet je maar naar het Museumplein gaan. De Albert Heijn daar is altijd open. Het is die kant op.' Ze gebaart naar links. 'Goedendag.'

Daarna lopen ze met z'n tweeën verder. Ik kijk ze verbijsterd na. Heb ik iets verkeerds gezegd?

Ik loop in de richting die de vrouw heeft gewezen en bedenk dat ik echt een kaart van Amsterdam moet kopen. Of in elk geval een kaart van mijn eigen buurt, want ik zie het niet zitten om elke keer de weg te moeten vragen. Zeker niet als hier alleen maar types zoals dat koude tweetal van net wonen. Ik heb zin om achter ze aan te gaan en hun flink de waarheid te zeggen, maar ik loop stug door in de richting van de Albert Heijn. Pas als ik op de hoek kom en me realiseer dat ik naast het Concertgebouw sta, klaart mijn humeur wat op.

Als kind gingen we soms naar het Concertgebouw, als mijn ouders een aanval hadden van "we moeten onze kinderen meer cultuur bijbrengen". Meestal werden die bezoekjes meteen gecombineerd met een bezoek aan het Rijksmuseum of het Van Goghmuseum, want als we toch in Amsterdam waren moesten we het maximale eruit slepen. De voorstellingen begonnen vaak laat en meestal waren Rens en ik in slaap gevallen voor het eind ervan, maar dat deed er niets aan af dat ik het een magische beleving vond om in het Concertgebouw te zijn. De statige deuren die toegang gaven tot de prachtige grote zaal, die voor een kind natuurlijk nog veel groter leek dan hij in werkelijkheid is. En dan zo'n heel orkest met glimmende instrumenten en een dirigent van wie ik nooit begreep wat hij precies deed. Maar het mooiste vond ik dat gigantische orgel, waar ik naar moest blijven kijken, zo fascinerend was het.

Maarten en ik zouden altijd nog een keer naar het Concertgebouw gaan. Hij was er nog nooit geweest en om een of andere reden vond ik het belangrijk dat hij dat eens zou meemaken.

Ik neem me ter plekke voor om binnen een maand een concert bij te wonen, alleen maar omdat Maarten dat niet meer kan. Er is een voorstelling bezig en de deuren zijn open, dus wip ik even naar binnen om wat folders mee te nemen. Er is heel veel en ik wil niet te lang binnen blijven, omdat ik het gevoel heb dat dat ongepast is. Alsof ik stiekem wil komen luisteren. Dus stop ik een hele stapel folders in mijn handtas en loop snel weer naar buiten. Ondanks de kou heb ik een warmer gevoel van binnen. Iets vertrouwds in de stad, al is het dan zo gemeengoed als het Concertgebouw.

Snel loop ik naar de Albert Heijn en scoor een bloemetje voor Judy. Ik hoef de winkel niet in, ik kan de bloemen afrekenen bij de sigarettenbalie, maar als ik een blik op de groenteafdeling werp, heb ik ineens ontzettend zin in avocado's. Zo veel zin dat ik er zelf verbaasd over sta. Het is weken, zo niet maanden geleden dat ik voor het laatst een avocado heb gegeten. Sowieso heb ik de laatste tijd niet echt iets met groenten.

Misschien is dit een teken van mijn lichaam dat ik beter voor mezelf moet zorgen, iets wat mijn moeder al tijden zegt. Ik loop de winkel in, koop twee eetrijpe avocado's en sta even later weer op straat. Het is gaan miezeren en de regen voelt aan als kleine ijsnaaldjes op mijn gezicht, dus loop ik snel terug naar huis. Tegen de tijd dat ik daar aankom, is de stoep glad en ben ik al twee keer bijna onderuit gegaan.

Het eerste wat ik doe als ik boven ben, is een mes zoeken in de doos waar "keukenbenodigdheden" op staat, de avocado's schillen en in stukjes snijden. Daarna lepel ik de stukjes met hetzelfde mes naar binnen, te lui om een vork te zoeken.

Na twee avocado's voel ik me vol en opgeblazen, maar wel goed. Ik kijk naar de stapel dozen bij de kast. Het moet er toch een keer van komen.

Net als ik de bovenste heb geopend en tijdschriftcassettes met de meest uiteenlopende bladen aan het inruimen ben, gaat mijn mobiel. Het slaat helemaal nergens op, maar nog steeds als mijn telefoon gaat, kan ik ineens denken dat het Maarten is.

Maar het is mijn moeder, die wil weten of ik goed heb geslapen en me al een beetje thuis voel. Ik zeg ja, hoewel het antwoord op de eerste vraag een heel grote nee is en op de tweede een iets minder stellige. Maar zeker geen ja.

Na het gesprek ga ik verder met de kast inruimen. Haast ongemerkt verdwijnt de ene doos na de andere en voor ik het weet is de kast vol en is het kwart voor vijf. Verbaasd kijk ik op het digitale klokje van de magnetron, en dan op dat van mijn mobiel, maar het is echt zo.

Via het trappenhuis loop ik naar buiten en in het portiek bel ik aan bij Judy's voordeur. Ik kan ook binnendoor naar haar huis – zowel op de begane grond als op de eerste verdieping is er een deur – maar die deuren hebben geen bel. Volgens mij zijn ze ook van binnenuit op slot gedraaid, maar dat weet ik eigenlijk niet zeker.

Terwijl Judy me naar binnen trekt, laat ze weten dat ze me een sleutel van haar deur gaat geven, omdat het ook zo raar is als ik elke keer moet aanbellen.

Ik denk dat het nog veel raarder is als ik dat niet doe, maar dat zeg ik niet. Ik volg Judy naar haar huiskamer en kijk mijn ogen uit. Ik dacht dat mijn appartement mooi was, maar dat van Judy wint het op alle fronten. Ze heeft een houten vloer en meubels die zowel peperduur als heel erg stijlvol zijn, en die combinatie is niet altijd een logische. De houten kasten rijken tot het plafond en zijn gevuld met boeken in allerlei talen, vooral Engels. Ze heeft gedrapeerde gordijnen van ivoorkleurig fluweel en een zwarte bank met gekrulde pootjes.

'Laten we in de keuken gaan zitten', zegt ze. 'Daar zit ik altijd het liefst.'

Langs de open trap lopen we naar de suitedeuren die toegang geven tot de keuken. Vanuit de keuken kun je via openslaande deuren naar de tuin. De keuken zelf is uitgevoerd in wit hoogglans met een donkerbruin blad. Ik zie een steamer, een grote oven en een Amerikaanse koelkast met ijsblokjesmaker. Het lijkt wel een professionele keuken.

'Ik hou van koken', zegt Judy, die mijn blik volgt en blijkbaar de bewondering ziet. 'Daarom heb ik niet bespaard op mijn keuken.'

Er is een open haard waarin een gezellig knapperend vuur een behaaglijke warmte afgeeft. Op de grote kookplaat staat iets te borrelen dat heel lekker ruikt. Ik til het deksel van de gietijzeren pan op en besef te laat dat dat best onbeleefd is.

'Je mag wel kijken, hoor', lacht Judy als ik het deksel snel neer probeer te leggen, waardoor het hard op de pan knalt. 'Ik heb een stoofpotje gemaakt, dat leek me met dit weer wel gepast. Niets bijzonders, gewoon stoofvlees en wat groenten en kruiden. Houd je van koken?'

Ik knik en besef dat mijn maag voor het eerst sinds lange tijd weer rammelt. Echt rammelt, van de trek. Nu ik dat gevoel heb, besef ik hoe lang het geleden is.

'Ja, ik hou heel erg van koken', zeg ik, terwijl aan de lange houten eettafel plaatsneem en Judy een fles rode wijn en twee glazen op tafel zet. 'Ik vond niets leuker om mensen uit te nodigen om te komen eten en dan eerst de hele middag in de keuken te staan.'

'Vond?'

'Nou ja, toen Maarten nog leefde.'

Judy ontkurkt de fles en schenkt mijn glas vol. 'Alles lijkt zo zinloos, hè', zegt ze, en daarmee brengt ze precies mijn gevoelens onder woorden.

Ik knik, maar ik wil er niet verder over praten en dus vraag ik: 'Is het lang geleden dat je man overleed?'

'Bijna vierendertig jaar.' Ze lijkt ineens in gedachten verzonken en neemt een slok van haar wijn. 'Ik kan soms niet eens geloven dat er al zo veel tijd verstreken is. Het lijkt wel gisteren dat we het hoorden.' Judy schudt haar hoofd. 'Hij heeft na de diagnose nog maar vijf weken geleefd.'

'Kanker?' raad ik. Ze knikt.

We drinken zwijgend van onze wijn. Het enige geluid komt van het pannendeksel dat zachtjes kleppert. Dan haalt Judy diep adem en kijkt mij aan: 'Waaraan is Maarten overleden?'

'Een auto-ongeluk. Hij wilde uitwijken voor een trekker, reed door een kuil en knalde tegen een boom. Op weg naar het ziekenhuis overleed hij. Ik zat thuis en keek naar een of andere talentenshow op televisie.'

'Daarmee kun je jezelf helemaal gek maken', zegt Judy. 'Met dat soort details. Toen Harry was overleden heb ik eens een lijst gemaakt van alle ruzies die ik me kon herinneren en de tijd die we daaraan hebben verspild. Spijt dat ik had. Dat was tijd die we samen hadden, waarom hebben we die in godsnaam besteed aan ruziemaken? Maar dat is allemaal achteraf gepraat. Je verwacht het gewoon nooit, ook al weet je dat er veel mensen zijn die niet de kans krijgen om samen oud te worden.'

Ik knik en weet niets te zeggen. Voor het eerst heb ik het gevoel dat ik met iemand praat die echt weet hoe ik me voel. Misschien had ik toch bij zo'n praatgroep moeten gaan waar iedereen me in wilde hebben. Het voelt bevrijdend, alsof ik heel lang tegen de golven in heb moeten zwemmen en me nu kan laten meevoeren. Ik hoef niet meer zo hard te proberen om begrepen te worden.

'Maar goed.' Judy staat op om even in de pan te roeren. Als ze weer gaat zitten, heeft de trieste trek op haar gezicht weer plaatsgemaakt voor levenslust. 'Neem maar van mij aan dat dit gevoel voorbij gaat', zegt ze. 'Ook al klinkt het als een vreselijk cliché. Er komt een dag dat je weer van het leven gaat genieten.' Dan maakt ze een gebaar met haar hand en zegt ze: 'Nee, vergeet wat ik heb gezegd. Dat vond ik na de dood van Harry het ergste: mensen die allerlei clichés op me afvuurden waar ik niets mee kon. En zo kan jij niets met wat ik zeg. It sucks, laten we het daar maar op houden.'

'Ben je Engels van oorsprong?' vraag ik, gezien haar naam en Judy's neiging af en toe Engelse uitdrukkingen te gebruiken.

Ze schudt haar hoofd. 'Amerikaans. Na mijn highschool ging ik een jaar door Europa trekken en ik ben nooit meer weggegaan.'

'Vanwege Harry?'

'Oh nee, die ontmoette ik pas later. Vanwege de mensen, de cultuur, de mentaliteit. Ik werd verliefd op Parijs, op de sfeer van de stad en heb er vijf jaar gewoond. Toen ontdekte ik Amsterdam. Een stad die zelfs maar in de buurt komt van Amsterdam bestaat niet in Amerika. Ik ging hier wonen en ontmoette Harry op het Leidseplein toen we zij aan zij zaten op een overvol terras. We waren op de dag af zes jaar bij elkaar toen hij overleed.'

'En je zoon?'

'Van hem. Ik heb na Harry nooit een andere man gehad. Noem me crazy, maar er kwam simpelweg niemand voorbij die leuk genoeg was. En ik had genoeg aan mijn leven met Daniël. Toen Harry overleed was hij pas één.'

'Waar is hij nu?'

'In New York. Hij kreeg een geweldige kans om een hotel uit de Hilton-groep te gaan leiden en hij heeft ja gezegd. Onder zware druk van mij, dat moet gezegd. Ik vind het een geweldige mogelijkheid voor hem. Maar ik heb wel gezegd dat hij niet voor altijd in Amerika mag blijven. Hij heeft het niet beloofd.' Ze grinnikt. 'Hij heeft het naar zijn zin en dat is het belangrijkste. Ben je al buiten geweest?'

Ik knipper met mijn ogen. Judy verandert wel heel snel van onderwerp. 'Eh... ja. Even. Om de bloemen te halen.'

'Oh god, de bloemen.' Ze veert overeind en gaat op zoek naar een vaas in een van de vele keukenkastjes. Ondertussen staat haar mond geen moment stil. 'En, wat vond je van de buurt? Het is nu niet echt mooi met die kale bomen en grauwe straten, maar in de zomer is het hier prachtig. En in de lente trouwens ook, als de bomen weer uitlopen en de eerste blaadjes eraan komen. Niet alleen hier in de straat, maar ook in het Vondelpark. Maar nu is het net niks, eigenlijk.'

'Ik heb ook al kennis gemaakt met twee buurtbewoonsters', zeg ik.

'Oh echt? Wie?'

Ik glimlach. 'Geen idee, maar ze vonden duidelijk dat ik hier niet thuishoor.'

'Hoezo?'

'Ik vroeg naar een bloemist en kreeg de naam van Menno Kroon, maar toen kwamen ze met z'n tweeën toch tot de conclusie dat dat niets voor mij was, omdat die alleen maar kwaliteit verkoopt.'

Judy trekt een afkeurend gezicht. 'Daar moet je je echt niets van aantrekken. Zulke vrouwen wonen inderdaad ook hier in Zuid, maar over het algemeen hebben ze niets bereikt in hun leven en ontlenen ze hun air aan het geld van hun man.' Ze grinnikt. 'Niet dat ik niet heb geprofiteerd van Harry's geld, maar ik wist tenminste dat dat zo was. Heb je werk?'

Ik moet echt nog even wennen aan Judy's supersnelle wissels. 'Nee', zeg ik. 'Nog niet. Ik zal een baantje moeten gaan zoeken.'

'Wat wil je gaan doen?'

'Iets in de horeca. Ik heb een opleiding tot gastvrouw gedaan en ik zou het leuk vinden om in een hotel te werken. Achter de receptie, bijvoorbeeld. Maar als dat moeilijk te vinden is, kan ik ook tijdelijk serveerster worden.'

'Was dat wat je deed in je vorige woonplaats?'

Ik schud mijn hoofd. 'Nee, ik was juist niet zo lang voor Maartens dood gestopt met mijn baan, omdat we samen de boerderij wilden runnen. Ik deed de administratie.'

Judy knikt. 'Ik weet niet of het iets voor je is, maar twee straten verderop zit een heel leuk lunchcafeetje. Het is ook een koffiebar en ze serveren er by far de beste koffie van de buurt. Ik was er eergisteren nog en ik zag dat ze personeel zoeken.'

Serveerster worden is niet mijn eerste keus, maar dat het dichtbij is spreekt me wel aan. Al is het maar voor tijdelijk. 'Klinkt goed', zeg ik. 'Ik zal er morgen eens heen lopen. Waar zit het precies?'

Judy schrijft het adres voor me op en tekent hoe ik moet lopen. Daarna dekt ze de tafel en haalt de zware pan van het vuur. Als ze twee borden heeft opgeschept en wijn heeft bijgeschonken, heft ze haar glas. 'Op je komst naar Amsterdam. Je gaat het wel redden, Daphne.'

Ik knik en slik en heb het gevoel alsof ik haar al jaren ken. Die vertrouwdheid maakt dat ik me lichter voel dan de afgelopen maanden het geval is geweest.

7

'HOI, KAN IK JE HELPEN?'

Een nogal hip type met kort, geblondeerd haar en drie oor-
bellen per oor houdt haar pas in als ze voorbij loopt met vier
koffiekopjes in één hand.

Ik knik een beetje aarzelend. 'Ik zag dat jullie personeel zoeken.'

'Momentje.' Ze stuift verder en levert de koffiekopjes af op
de juiste tafel. Dan staat ze weer voor mijn neus. 'Loop maar
mee.'

Ik volg haar naar achteren, voorbij een toonbank met allerlei taartjes en broodjes waarachter zich een enorme, glimmende koffiemachine bevindt. In het kantoortje achter de zaak is
het een chaos van jewelste, overal liggen mappen en blaadjes
en te midden van dat alles bevindt zich een nogal corpulen-
te figuur van rond de zestig jaar, met aan weerszijden van zijn
hoofd een pluk haar.

'Onno', zegt de blonde serveerster. 'Ik heb iemand die wil solliciteren.'

'Hè?' De man kijkt verward om, ziet mij staan en veert dan soepeler overeind dan je van iemand met zo'n figuur zou verwachten. Zijn ogen zijn een beetje rood, zie ik.

Ik schud zijn sponzige hand. 'Ik ben Daphne.'

'Wanneer kun je beginnen?'

Ik lach beleefd om zijn grapje, maar dan zie ik dat hij helemaal niet lacht en het serieus meent. 'Oh, eh... Morgen?'

'Perfect! Ik zit echt te springen om goed personeel. Heb je ervaring?'

'Ja, ik heb jaren...'

'Fantastisch. Vul dit in.' Hij zoekt even in de vele bakjes en haalt dan een paar formulieren tevoorschijn. Hij geeft me een pen en wijst naar een stoel. Ik schuif wat mappen aan de kant en vul de formulieren in.

'Ik betaal twaalf euro per uur', zegt Onno ondertussen. 'Bruto, uiteraard. Het is voor vier dagen per week, op vrijdag en in het weekend heb ik weekendhulpen. Je begint 's ochtends om zeven uur en we gaan om vier uur dicht. We serveren ontbijt en lunch en we verkopen koffie, pastry's en sandwiches voor takeaway. Je werkt samen met Liz, die je net hebt ontmoet. En oh ja, je krijgt bedrijfskleding. Wat is je maat?'

'Eh... M.' Het gaat me allemaal een beetje te snel, maar ik zeg niets. Ik kijk naar de deur. Ik kan nu nog terug. Maar aan de andere kant, het is op zich wel een leuk restaurantje, de werktijden spreken me aan en als ik het niets vind, kan ik altijd morgen weer opzeggen.

'Ben zo terug', zegt Onno en hij sloft weg.

'Let maar niet op hem.' Ik kijk om en zie Liz staan, deze keer met een hele stapel vieze borden op haar arm. Ze steekt haar andere hand naar me uit. 'Hai, ik ben Liz.'

'Daphne. Je nieuwe collega. Blijkbaar.'

'Onno is dolblij dat er überhaupt iemand solliciteert', verklaart Liz. 'Daarom doet hij zo. Als je het niets vindt, moet je nu wegrennen.'

Ik sla mijn blik neer om haar niet te laten merken dat dat precies ik wat ik net nog heb overwogen. 'Nee joh', zeg ik. 'Ik kom hier graag werken.'

Liz maakt een beweging en de borden wankelen vervaarlijk. 'Gelukkig maar, want de vorige kracht heeft drie maanden geleden opgezegd en sindsdien moet ik het in mijn eentje doen.' Ze draait zich om en knikt naar een gast die haar roept. 'Ik moet door.'

Ze dumpt de borden achter de balie en haast zich naar het tafeltje. Ik tel snel de andere tafels. Er zijn er zeventien en ze zijn allemaal bezet. Het is net één uur, topdrukte tijdens de lunch. En dat op maandag.

'Hier.' Onno komt terug met een stapeltje in plastic verpakte kleding. 'Drie bloezen en drie sloven. Je moet zelf voor een zwarte broek zorgen. Ik ga ervan uit dat je de kleding zelf wast en strijkt.'

Ik knik en pak de donkergrijze bloezen en zwarte sloven met het logo van de brasserie erop aan, terwijl Liz voorbij stuift.

'Drie keer clubsandwich, Jeffrey!' roept ze naar iemand in de keuken. Daarna draaft ze door naar de bar en ramt op de knop van de sinaasappelpers.

'Loop mee', zegt Onno. Hij gaat me voor naar een klein keukentje, waar twee koks een hele serie broodjes en salades bereiden. Vooral veel salades.

'Onze specialiteit', zegt Onno als ik er een opmerking over maak. 'Sinds al die antikoolhydraatdiëten in zijn, moeten we wel. De ene helft van onze clientèle eet salade, de andere niets. Maar goed, daar verkopen we dan weer lekker veel champagne aan.' Hij grinnikt om zijn eigen grap en ik lach verplicht mee.

Ik schud de koks de hand, ze blijken beiden Jeffrey te heten. Volgens Onno is dat handig, je hoeft maar één keer te roepen en ze luisteren allebei. De Jeffreys zijn te druk om me meer dan één blik waardig te keuren en dus loop ik achter Onno aan, terug naar het kantoortje.

'Is de zaak van jou?' vraag ik hem.

Hij knikt. 'Daarom heet het ook Brasserie Dijckhuys. Dat is mijn naam. Al spel je die met alleen een k en u-i-s. Maar ik vond dit chiquer.'

'Zit je hier al lang?'

'Bijna een jaar. Het kostte moeite om de tent op de kaart te krijgen, maar nu gaat het wel goed.' Hij begint te hijgen en zinkt neer op een stoel. 'Sorry, soms ben ik wat kortademig.'

'Gaat het?' informeer ik. Onno loopt rood aan.

'Ja, prima prima.' Hij wuift mijn bezorgdheid weg. 'Ik moet even rustig aan doen. Morgenochtend, zeven uur. Zorg dat je je bedrijfskleding aan hebt.'

Ik beloof het en loop door de zaak naar de uitgang. 'Tot morgen!' roept Liz in het voorbijgaan. Ik antwoord iets soortgelijks, maar ze is alweer verder gelopen.

Buiten slaat de kou me in het gezicht. Er dwarrelt wat natte sneeuw naar beneden, maar het blijft niet liggen. Ik heb geen zin om naar huis te gaan en de rest van de dag in het appartement te zitten.

Ik sla rechtsaf en kom terecht in een straat die, als ik het goed heb onthouden, parallel loopt aan die waar Judy's huis staat. Als ik doorloop kom ik weer op de Cornelis Schuytstraat uit, waar ik gisteren ook al was. Maar nu is het maandag, even na het middaguur. Er moeten toch wel wat winkels open zijn.

Ik heb geen zin om kleren te kopen, ook al zijn de eerste zes winkels die ik tegenkom alleen maar kledingwinkels en hangen er prachtige dingen in de etalage. Ik zie een rokje van goudkleurige crêpe met een brede ceintuur. Heel even blijf ik staan, maar dan valt mijn oog op het prijskaartje. 895 euro.

Een diep in haar bontkraag weggedoken figuur komt haastig op me af gelopen als ik mijn weg vervolg. Ik kan nog net aan de kant springen. 'Hé, kijk uit!' roep ik als haar mouw de mijne raakt.

Ze kijkt om. 'Oh, sorry.'

Ik kijk haar na. Ze heeft een bekend gezicht. En dan ineens hap ik naar adem. Jezus, dat is Estelle Gullit! Ik ken haar uit de bladen die Lianne, sinds jaar en dag mijn kapster, altijd heeft liggen.

Ik kan niet geloven dat ik net bijna over haar ben gestruikeld. Geen idee wat ze tegenwoordig doet, behalve de-vrouw-van zijn, maar bekend is ze wel.

Verbaasd loop ik verder. Natuurlijk wist ik wel dat bekende mensen ook in Amsterdam-Zuid wonen, maar dat je ze zomaar op straat kan tegenkomen...

Nou ja, waarom ook niet. Ik denk niet dat Estelle iemand in dienst heeft om haar boodschappen te doen. Of misschien ook wel. Ze heeft geld zat. Maar wat moet ze dan zelf de hele dag doen?

Winkelen, waarschijnlijk. Rokjes kopen voor een bedrag waarvoor ik omgerekend vijfenzeventig uur moet werken. Dat is dus meer dan twee weken.

Ik zet Estelle en het überdure rokje uit mijn hoofd en loop een groenteboer binnen. Misschien moet ik vanavond maar eens mijn best doen om zelf iets te koken, nu ik niet langer kan rekenen op de maaltijden van mijn moeder. En als ik dan toch bezig ben, kan ik er net zo goed iets wat neigt naar gezond in verwerken.

'Ik was verdorie meer dan dertig euro kwijt! Voor wat groenten.'

Judy heeft me overgehaald een glas wijn met haar te drinken en we zitten in haar keuken. De tas van de groenteboer ligt voor me op tafel. Wat worteltjes, een komkommer, een paar tomaten en verder alleen wat simpele sla en een aubergine. Tweeëndertig euro en zestig cent.

'Ah, de groentejuwelier', zegt Judy opgewekt. 'Wat hij voor een doodnormale wortel durft te vragen is echt belachelijk. Maar bekakt Amsterdam-Zuid denkt dat zijn wortels stukken beter zijn dan die van de groenteman aan de andere kant van de De Lairessestraat die ze voor de helft van de prijs verkoopt, en dus lacht die afzetter zich dood. Dat is trouwens sowieso een beetje booming tegenwoordig.'

'Wat?'

'Dat het pas goed is als het duur is.'

'Volgens mij is dat alleen de tendens in dure wijken zoals deze.'

Judy knikt. 'Vroeger was Oud-Zuid heel anders. Toen woonden er nog niet zoveel van die nouveau riche-types als nu. En ook geen tv-sterren en acteurs die je nergens van kent, behalve uit de bladen. Maar juist dat soort types willen iets exclusief als ze een groentewinkel binnenlopen. Die kopen pas een wortel als zo'n ding een biologische, oranje grondbiet heet en minimaal een tientje per pond kost. Omdat ze zich anders zo gewoontjes voelen.'

Ik moet lachen om haar relaas. 'Dit is toch niet zo'n vroeger-was-alles-beter-verhaal?'

'Vroeger wás het beter', zegt Judy gedecideerd. 'Ten eerste zaten er naast dure winkels ook enigszins normale in de buurt, en ten tweede struikelde je niet over de fotografen die een kiekje willen schieten van een of ander soapsterretje van het soort dat als paddenstoelen uit de grond schiet. Ze spelen allemaal in Onderweg naar Slechte Tijden, of hoe die series ook mogen heten. Not my cup of tea.'

Ik grinnik. 'Goede Tijden, Slechte Tijden, bedoel je. En Onderweg naar Morgen.'

'Het zal wel. Waar het om gaat is dat het tegenwoordig hipper dan hip is om in deze buurt te wonen en iedereen die hier een huis kan betalen, vindt zichzelf beter dan de gewone sterveling. Nou, weet je voor wie ik pas bewondering heb?'

'Nou?' vraag ik als ze haar zin niet afmaakt.

'Voor de vuilnisman die zichzelf kan motiveren elke dag uit bed te komen om het afval van anderen op te halen. Als alle vuilnismannen van de stad morgen hun werk neer zouden leggen, zou het hier heel onaangenaam worden. Maar als alle soapsterretjes en andere over het paard getilde types ineens zouden staken, zou ik het niet eens merken.'

Ik neem een slok van mijn wijn. 'Maar ik wel, want ik heb een baantje gevonden in de brasserie waar jij het over had, en volgens mij moeten we het daar hebben van die hippe types.'

'Oh, je bent erheen gegaan?' vraagt Judy verheugd. 'En? Hoe was het?'

'Het lijkt me wel een leuke tent', zeg ik. 'Ze zitten echt te springen om personeel. Ik kan morgen al beginnen.'

'Dat is lekker snel. Heb je er zin in?'

Ik aarzel. Heb ik er zin in? Ik denk het niet. Ik denk dat het lang geleden is dat ik voor het laatst ergens zin in had, ik weet niet eens meer hoe het voelt om ergens zin in te hebben. Sinds Maarten er niet meer is, lijkt alles juist zinloos.

Judy knijpt even in mijn arm. 'Het komt wel goed', zegt ze warm, en ik ben blij dat ik niets hoef uit te leggen.

Even later sta ik met mijn overprijsde groenten in mijn eigen keuken. Ik doe de wortels in een pan, snijd de aubergine in repen die ik in een grillpan gooi en meng daarna de rest door elkaar bij wijze van salade. Er zit geen enkel idee achter deze maaltijd en ik realiseer me dat ik langs de supermarkt had moeten gaan om er iets van vlees of vis bij te kopen, maar eigenlijk kan het me ook niet schelen.

Ik zet de televisie aan en zap langs de kanalen, maar ik vind niets leuks en zet de tv maar weer uit. Vervolgens is het zo stil in de kamer dat het me beangstigt en dus zet ik de tv weer aan, maar de spelshow die verschijnt irriteert me. Domme kandidaten die nog dommere vragen niet weten te beantwoorden en in staat zijn zo ongelooflijk verbaasd te kijken als ze het antwoord horen, dat ik acuut mijn vertrouwen in de toekomst van de mensheid opgeef bij het idee dat ook deze mensen kinderen krijgen. Sterker nog, een van de kandidaten is zwanger en biecht op dat ze niet weet wie de vader is en dat het ook niet uitmaakt. Want bij de vorige zwangerschap was het precies hetzelfde.

Ik zucht diep en zap weg. Daardoor val ik midden in het achtuurjournaal. Het item gaat over een aanslag in een stad ergens in het Midden-Oosten, waarbij zestien mensen om het leven zijn gekomen. Zestien mensen die 's avonds niet thuis komen bij hun partner, zestien partners die alleen achterblijven en moeten proberen om hun leven weer op te bouwen. Zestien mensen zoals ik. Zestien mensen die daar net als ik waarschijnlijk voor geen meter in gaan slagen, want er is nou eenmaal geen zak aan om je leven op te bouwen als je er in de eerste plaats nooit om hebt gevraagd dat het verwoest is.

Boos zet ik de tv uit en om dat gebaar nog wat extra kracht bij te zetten, smijt ik de afstandsbediening op de tafel. Hij schuift door en klettert op de grond, waardoor de batterijen los springen en precies onder een kastje rollen.

'Godverdomme!' roep ik hard en ik geef een trap tegen de tafel.

Ineens ben ik woest. Woest omdat de afstandsbediening natúúrlijk op de grond valt, en niet gewoon op het randje van de tafel blijft liggen. Woest omdat ik me door de verhuizing niet instant gelukkiger ben gaan voelen, woest omdat niemand me vertelt wat ik moet doen om me dan wel gelukkiger te voelen en ik het allemaal zelf schijn te moeten uitzoeken. En boven alles ben ik woest omdat ik nog zo woest kan worden, maar het toch allemaal geen jota verandert aan de situatie.

'Godverdomme!' roep ik nog een keer heel hard, en dan breekt mijn stem en kan ik niets anders doen dan heel hard huilen.

'En dit is dan onze geïmproviseerde afwaskeuken.' Liz doet een deur open en de stoom slaat me in het gezicht. Vanachter een afwasmachine die het kleine hokje vult, zwaait een jongen naar me. Ik zwaai terug, maar zet geen stap de ruimte in. Liz doet snel de deur weer dicht.

'Het enige wat wij hoeven te doen is zorgen dat de karren met vuil serviesgoed hier op de gang komen te staan en dan zorgt Jonas ervoor dat het allemaal wordt afgewassen. Niemand anders houdt het langer dan een paar minuten uit in dat hok, maar hij vindt het er prima.'

'Serieus?' Ik kijk om naar de dichte deur. 'Dat hij niet flauwvalt.'

'Snap ik ook niet', zegt Liz schouderophalend. 'Er kan maar één minuscuul raampje open. Maar goed, naar de afwas hoef je dus niet om te kijken. Het enige wat wij moeten doen is ervoor zorgen dat mensen niet lang hoeven te wachten tot ze geholpen worden, want ze wanen zich hier allemaal de koningin en je kunt ze niet dieper beledigen dan ze langer dan twee minuten op hun beurt te laten wachten.'

Ik kijk Liz onderzoekend aan. Maakt ze nou een grapje?

'Echt', benadrukt ze als ze mijn blik ziet. 'Dat ga je nog wel merken. Veel van onze klanten hebben geen zak te doen, want ze leven van het geld van hun man, maar o wee als ze even op bediening moeten wachten. Dan krijg je te horen dat ze in hun drukke leven geen tijd hebben te wachten tot onbeduidende serveerstertjes eindelijk een keer naar hun tafel komen om hun driedubbel opgeschuimde sojamacchiato af te leveren.'

Nu weet ik zeker dat ze een grapje maakt en ik schiet in de lach.

'Wat is er?' vraagt Liz.

'Driedubbel opgeschuimde sojamacchiato?'

'Hebben we.' Ze duwt een kaart onder mijn neus en mijn mond valt open bij alle verschillende soorten koffie die hier worden geserveerd. Sojamacchiato blijkt nog een relatief eenvoudig kopje te zijn. 'Caffè freddo met geitenmelk en biologisch cacaostrooisel', lees ik. Ik zou niet weten wat te verwachten als je dat bestelt.

'Je leert het snel genoeg', zegt Liz als ik er een opmerking over maak. 'Ik stel voor dat jij vandaag de koffiebar draaiende houdt, dan doe ik de bediening in de brasserie. Aan het eind van de dag ken je al die koffiesoorten uit je hoofd, dat weet ik zeker.'

Een beetje bevreesd kijk ik naar de kaart. In mijn vorige baan was het al heel wat als iemand een cappuccino met magere melk bestelde. 'Maar hoe maak ik dat allemaal dan?'

'Heel simpel', zegt Liz, en daarna komt ze met een uitleg waarvan het me begint te duizelen. Ze trekt de koelkast open, waar maar liefst acht verschillende soorten melk staan. Daarna laat Liz de diverse soorten koffie zien, gevolgd door alle siropen die we in huis hebben om smaakjes als mokka of vanille aan de koffie te geven. Tegen de tijd dat ze klaar is, ben ik alles alweer vergeten.

'Bestelt iemand hier weleens een gewone koffie?' vraag ik.

Liz knikt. 'Zeker wel, maar dat noemen ze natuurlijk niet zo. Als iemand om een americano vraagt, dan bedoelt hij gewone koffie. Dat maken we door espresso te zetten en de beker aan te vullen met heet water.'

In moordend tempo laat Liz me zien hoe ik bonen maal, pis⁻ tons vul en die vervolgens onder het koffieapparaat draai. Ze geeft me een map waarin precies staat hoe alle verschillende soorten koffie gemaakt moeten worden, maar ik heb geen tijd om die door te lezen, want de eerste klanten komen binnen. Het is nog maar net zeven uur.

'Mag ik een caramel latte met een extra shot espresso?' vraagt een nerveus uitziende vrouw van mijn leeftijd, die gekleed gaat in een strak mantelpak en voortbeweegt op duizelingwekkend hoge hakken. 'Skinny milk.'

Ik sla de map open op de pagina 'Latte' en ga aan de slag. Het ongeduldige getik van de naaldhak van mijn klant op de grond maakt me zenuwachtig. Honderdvijftig milliliter melk, lees ik. En dan één espresso erbij. Oh nee, wacht, twee, want ze wilde er eentje extra. Een shot. Is dat hetzelfde als een kopje?

'Kun je even opschieten? Ik sta dubbel geparkeerd', klinkt het snibbig.

'Kom maar.' Liz pakt de piston uit mijn hand en vult het ding handig met bonen. Daarna draait ze hem onder het koffieapparaat, drukt zonder te kijken op een knop en rekent ondertussen de koffie af met de vrouw. Vervolgens gooit ze alles bij elkaar in een beker, mengt er wat siroop doorheen en maakt het af met een laagje schuim. Ik sta vol bewondering toe te kijken.

'Kwestie van oefenen', zegt ze opgeruimd als de vrouw de zaak heeft verlaten. 'Over een paar dagen kun jij dit ook.'

Daar ben ik allerminst zeker van.

8

HET HELE IDEE VAN VERHUIZEN NAAR AMSTERDAM WAS DAT
ik afstand kon nemen van wat er was gebeurd, van mijn herinneringen, en dat ik een nieuw leven kon beginnen. Dat ik weer
kon opbloeien en me beter kon voelen en dat Maarten weliswaar nooit weg zou zijn, maar dat ik in staat zou zijn verder te
leven en ook nog redelijk gelukkig te worden, zonder hem. Althans, dat las ik in een of ander boek over rouwen, dat je je uiteindelijk zo zou moeten voelen.

Dus waarom voel ik me dan zo verdomd beroerd?

Ik woon hier nu vier weken en ik kan nog niet bepaald zeggen dat ik zo lekker veel afstand heb genomen of zo ontzettend ben opgebloeid. Natuurlijk, ik heb mijn momenten, maar
ze duren verdomd kort en ze worden ontzettend hard afge-
straft door de momenten die daarna komen. De momenten dat
ik een liedje hoor dat Maarten mooi vond, een tv-programma
zie waar hij om had moeten lachen of een geur ruik die me te-

rug doet denken aan de tijd dat hij er nog was. En dan voel ik me niet alleen kut omdat hij er niet meer is, maar ook nog eens schuldig dat ik me daarvoor beter voelde.

Een fase, noemt Judy het. Dat zal best, maar wanneer gaat die fase eindelijk eens voorbij? Want ik word er knap moe van.

Over moe gesproken, het is half twaalf en ik heb nog niet de energie gevonden om uit bed te komen. En dat terwijl ik er gisteravond om half negen in ging. Het gekke is dat ik hooguit drie, vier uurtjes per nacht slaap omdat ik dan niet moe ben, maar tegen de tijd dat ik er eigenlijk uit zou moeten, ben ik opeens zo ontzettend vermoeid dat mijn bed twee kilometer hoog lijkt en ik geen mogelijkheid zie om het te verlaten. En geen reden, trouwens. Behalve dat ik nu werk heb, maar dat lijkt echt een slechte reden zolang ik hier lig en mijn dekbed me warm houdt en ik weet dat het buiten dit bed een graad of twintig kouder is. En dat ik vandaag vrij ben.

De telefoon gaat, maar ik heb geen zin om op te nemen. Het is vast mijn moeder, of iemand anders die wil weten hoe het met me gaat. Ik weet niet eens wat ik moet zeggen? Fan-tás-tisch?

De beller geeft niet zomaar op en ik pak mijn mobiel, die naast mijn bed op de grond ligt. Het levert me een koude hand op. Ik had gelijk, het is mijn moeder.

Ik wacht tot de voicemail het gesprek opneemt en leg mijn telefoon dan terug. Mama belt niet opnieuw.

Ik weet dat ze langs wil komen en ik begrijp zelf niet waarom ik haar niet bel om te zeggen dat ik dat ook graag wil. Het is ruim twee weken geleden dat ik haar heb gezien, met oud en nieuw. Op vakanties na zijn er weinig momenten in mijn leven geweest dat ik mijn moeder twee weken niet heb gezien. Met oud en nieuw was ze ontzettend lief voor me, net als de week ervoor met kerst. Het liefst was ik in bed blijven liggen, met mijn deken tot over mijn hoofd opgetrokken, ontkennend dat het een dag was waarop heel de wereld gezellig met de hele familie bij elkaar zat. Ontkennend dat die familie voor mij nooit meer compleet zal zijn. Maar ik kon niet blijven liggen, want ik lag in de logeerkamer van mijn ouders en nog voor half negen stond mijn moeder al naast mijn bed. Met een stukje kerstbrood op een schoteltje, de amandelspijs uitgesmeerd en daarna voorzien van een laag boter. Zo eet ik kerst- en paasbrood al zolang ik me kan herinneren. Maarten moest erom lachen, zo vies vond hij het.

Ik raakte het brood met geen vinger aan. De rest van de twee kerstdagen gingen een beetje in een roes aan me voorbij. Voor het diner op eerste kerstdag had mijn moeder oom Chris en tante Ursula uitgenodigd, haar broer en zijn vrouw. Ze hadden mijn neef meegenomen, die op zijn beurt zijn nieuwe vriendinnetje had meegesleept. Een nogal muizig kind met haar dat de hele tijd voor haar ogen viel. Ze keek schichtig naar me, duidelijk geïnstrueerd niets verkeerds te zeggen. Of om helemaal niets te zeggen en als dat zo was, hield ze zich er goed aan. Mijn oom en tante behandelden me voorzichtig en probeerden uit alle macht het niet over Maarten te hebben, waardoor mijn oom zijn naam juist een paar keer liet vallen, wat hem op een elleboogstoot en een boze blik van mijn tante kwam te staan. Raar, want ik wilde juist niets liever dan het over Maarten hebben en toen ik inging op de opmerking van mijn oom dat Maarten altijd best een hekel aan kerst had gehad, werd de sfeer eindelijk wat meer ontspannen.

Het was waar, Maarten had het niet zo op de feestdagen. Dat verplichte gezellig doen was niets voor hem, hij vond het veel leuker om op een dinsdagavond bij zijn ouders binnen te vallen en een vorkje mee te prikken. Gewoon in zijn overal of oude spijkerbroek. Met kerst moest hij van mij een nette blouse aan en voelde hij zich net een pinguïn, zei hij altijd.

Op Tweede Kerstdag organiseerde Tilly haar jaarlijkse brunch, aan die traditie was door de dood van haar zoon niets veranderd. Subtiel had ze een stoel minder aan tafel gezet, maar de lege plek werd er niet minder leeg door. Ik was blij toen ik me rond vieren uit de voeten kon maken.

Ik pak mijn telefoon opnieuw en scroll door de sms'jes. Er zijn erbij van mijn ouders, van Rens en van mijn schoonfamilie. En van vriendinnen, wat langer geleden. Met kerst kreeg ik nog een paar berichtjes, en wat kerstkaarten die op mijn oude adres werden bezorgd. Mensen wensten me sterkte, alsof het met de feestdagen erger is om geen man meer te hebben dan op andere dagen.

Dat is niet waar. Met de feestdagen is het behoorlijk klote, maar dan is er iedereen heel wat aan gelegen om ervoor te zorgen dat je geen seconde alleen bent. Want dat is zielig. Dus zit er van 's ochtends vroeg tot 's avonds laat altijd wel iemand naast je. Het zijn niet de feestdagen, of verjaardagen, of andere mijlpalen. Het zijn de regenachtige zondagmiddagen in november of nu in januari, als het om half drie al donker wordt en je weet dat iedereen gezellig met elkaar op de bank of aan tafel zit. Lekker kletsen, samen eten.

Ik kom een sms'je tegen van Saskia, het laatste dat ik van haar kreeg. Net nadat ik hiernaartoe was verhuisd. Ze beloofde snel langs te komen. Maar ze komt natuurlijk niet, daar is ze veel te zwanger voor. Het moet allemaal om haar draaien. Egoïst.

Ik trek een boos gezicht tegen het berichtje en laat mijn telefoon weer op de grond glijden. Ik doe mijn ogen dicht, maar ik kan niet meer slapen.

Misschien moet ik toch overwegen om op te staan. Ik zou boodschappen kunnen gaan doen, al heb ik nergens trek in. Ik verbaas me erover dat ik niet ben afgevallen, ook al eet ik nauwelijks iets. Er is gewoon maar weinig waar ik geen kokhalsneigingen van krijg.

Ik sla mijn deken een stukje terug en zet één voet op de grond. Daarna de tweede en heel langzaam kom ik overeind. Hoewel ik meer dan twaalf uur in bed heb gelegen, heb ik het gevoel dat ik een lege batterij ben die het laatste restje energie gebruikt voor het extreem langzaam afspelen van een liedje op mijn walkman. Waardoor het liedje langgerekt en vreemd wordt, iets waar Rens en ik vroeger altijd ontzettend om moesten lachen.

Maar de walkman bestaat natuurlijk allang niet meer, en ik ben geen batterij. Maar ik voel me wel leeg.

Uiteindelijk zit ik rillend op de bedrand. Ik sta op en loop snel naar de woonkamer om de verwarming hoger te draaien, en daarna in één lijn door naar de badkamer om de douche aan te zetten. Pas als ik onder het warme water sta, voel ik me iets beter.

Zodra ik onder de douche vandaan kom, hoor ik mijn telefoon opnieuw gaan. Hoewel ik niet in de stemming ben om iemand te spreken, loop ik druipend naar de slaapkamer om te kijken wie het is.

Liz.

Ik neem toch maar op. 'Hoi.'

'Help', klink haar gestreste stem. Liz is niet snel gestrest.

'Wat is er?'

'Ben je thuis?'

'Ja. Hoezo?'

'Kun je alsjeblieft even komen helpen? Jonas is uitgegleden in de afwaskeuken en is nu met een dikke enkel naar de dokter, Onno belde vanochtend om te zeggen dat hij echt niet kan komen, de vrijdaghulp is niet komen opdagen en als klap op de vuurpijl is Jeffrey ziek.'

'Welke?'

'Weet ik veel, ik heb niet eens tijd om in de keuken te kijken wie er eigenlijk staat. De brasserie zit vol, de rij van de koffiebar reikt tot de stoep en iedereen wil iets van me. Ik heb je hulp nodig.'

Ik aarzel even. 'Oké', zeg ik dan. 'Ik kom eraan. Geef me vijf minuten.'

'Je bent een held.'

Ik droog me snel af en trek een werkblouse aan. Mijn zwarte broeken zitten allebei in de was, dus kies ik voor een donkere jeans die voor vandaag maar even moet volstaan. Onno is er toch niet. En al was hij er wel, dan zou hij niet eens opmerken wat ik draag, want ik ben er inmiddels achter dat hij er een sport van maakt zo veel mogelijk op kantoor te zitten. Volgens Liz heeft hij een drankprobleem en sinds ik erop ben gaan letten, is het me wel opgevallen dat hij er aan het begin van de week vaker is dan richting het weekend, maar ik weet niet of dat een teken van een alcoholverslaving is. Wel zijn zijn ogen vrijwel constant rood en ruikt hij soms 's ochtends al een beetje naar alcohol, maar dat kan ook van de avond ervoor zijn. Sowieso zorgt Onno ervoor dat hij er met name 's ochtends zo min mogelijk is. Ik vraag me soms af waarom hij überhaupt een brasserie is begonnen als hij niet bijster veel interesse in zijn gasten lijkt te hebben.

Hij laat de boel maar al te graag aan Liz en mij over. Dat betekent dat we hard moeten werken, maar het voordeel is dat we door onze nauwe samenwerking elkaar de afgelopen vier weken goed hebben leren kennen. Zo weet ik alles over Liz' verbroken relatie, nu drie maanden geleden. De eerste keer dat haar hart echt brak, noemt ze het pathetisch, maar binnen twee weken was ze er wel overheen, met dank aan haar alles-overheersende motto dat je nooit lang om een man moet treuren. Van die regel ben ik trouwens uitgezonderd, benadrukte ze. Andersom heb ik haar verteld over Maarten. Ze luisterde alleen maar, probeerde niet om het hardst haar medelijden te tonen, een reactie die ik bij veel andere mensen wel zie. Toen ik daar een opmerking over maakte, zei ze simpelweg dat ze niet zag hoe dat mij zou opvrolijken. Dat was het moment dat ik besloot dat haar heel graag mag.

Precies vijf minuten later sta ik in de brasserie, waar het inderdaad een gekkenhuis is. Ik zwaai heel even naar Liz en neem dan plaats achter de koffiebar om de eerste in een lange rij van ontevreden klanten te helpen.

'Een mokkasojafrappuccino', bestelt hij. 'En mijn taxi wacht op me.'

'Komt eraan.' Ik trek melk uit de koelkast, vul met één hand de piston en typ met de andere de bestelling in op de kassa. Daarna gooi ik de koffie samen met ijs in de blender en neem tegelijkertijd het kleingeld in ontvangst. Binnen een halve minuut de klant de zaak uit. Een nieuw record, stel ik tevreden vast.

'Hebben jullie low-fat frambozenmuffins?' vraagt de volgende klant.

Ik schud mijn hoofd. 'Wel bosbessen.'

Ze kijkt me vol afschuw aan. 'Ik vroeg om frambozen.'

'Ja, maar die hebben we niet.'

'Doe dan maar een caffè latte met een dubbel shot skinny melk.'

Als ik één ding heb geleerd in de afgelopen vier weken is het dat klanten soms zelf niet eens weten wat ze bestellen. Een dosis koffie in een dubbele dosis melk is niet terug te vinden, en dus kan ik deze troela net zo goed een bekertje warme melk geven, maar dat is niet waar ze om vraagt. Dus laat ik het tweede shot melk weg, geef haar een gewone latte en even later verlaat ze toch redelijk tevreden de zaak.

Er komt geen eind aan de rij en als ik even tijd heb om op te klok te kijken, is het al na drieën. Liz rent zich rot tussen de brasserie en de spoelkeuken en slaagt erin toch te blijven glimlachen tegen de gasten.

Eindelijk, als het net half vier is geweest, wordt het iets rustiger in de zaak. De laatste lunchgasten gaan weg, en voor de counter staan nog maar twee mensen, die er niet uitkomen wat ze moeten nemen. Uiteindelijk gaan ze allebei voor een cappuccino, wat ze uitspreken als kapoezjieno, omdat ze blijkbaar vinden dat dat zo lekker Italiaans klinkt. Als ze weg zijn draait Liz de deur op slot en blijft er met een diepe zucht even tegenaan geleund staan. 'Pff, dat halfuur dat we officieel nog open zijn, geloof ik vandaag wel. Niet te filmen, wat een dag. Ik heb je nog niet eens bedankt dat je zo snel bent gekomen.'

'Dat is toch logisch', wuif ik haar bedankje weg. 'Ik woon in de buurt en zo veel heb ik nou ook weer niet te doen.'

Liz kijkt me onderzoekend aan. 'Toch is dit best een leuke buurt om te wonen, of niet?'

Ik knik. 'Het is prima. Alles wat ik nodig heb is dichtbij en ik heb een fijn huis.'

Er blijft een "maar" tussen ons in hangen. Liz is degene die het uitspreekt. 'Maar...' zegt ze vragend. 'Heb je het wel naar je zin in Amsterdam? Of denk je alsnog de hele dag aan Maarten?'

Nu ze het zo direct vraagt, ben ik niet in staat om haar iets op te mouw te spelden. Maar ik wil niet huilen, dus haal ik mijn schouders op, pak een doekje en begin het koffieapparaat schoon te maken. Het voelt alsof Liz met haar vraag precies

die ene plek heeft geraakt waar je niet aan moet komen, omdat ik nog steeds door het plafond schiet van de pijn. Ik probeer me te vermannen, maar er glijdt een traan over mijn wang
naar beneden.

Liz komt op me af, pakt het doekje uit mijn handen en maakt
voor ons allebei een caffè latte met extra veel caramelsiroop. Ik
heb vandaag geen zin in koffie, en het zoete van de siroop staat
me tegen, maar ik laat me door Liz naar een tafeltje voeren en
op een stoel zetten.

'Zo, en nu ga je me eens vertellen hoe het echt met je gaat',
zegt ze.

Ik probeer toch om haar iets op de mouw te spelden. 'Het
gaat prima.'

'Maak dat de kat wijs. Ik ken je nu vier weken en als je mijn
eerlijke oordeel wil weten, zag je er vier weken geleden floris-
santer uit dan nu. Heb je jezelf de laatste tijd weleens in de
spiegel bekeken?'

'Vanochtend nog.'

'Echt bekeken, bedoel ik. Niet alleen om je mascara op te
doen. Je ziet er belabberd uit, Daphne.'

'Dat komt gewoon door de winter', mompel ik. 'Dan word ik
altijd zo wit als een spook.'

Maar daarmee laat Liz zich niet afschepen. 'Wat jij nodig hebt, is een sociaal leven', zegt ze. Liz heeft zelf tiental-
len vrienden en is overtuigd van het standpunt dat vrienden
het enige is wat je leven leuk maakt. Het liefst spreekt ze elke
avond met iemand af.

'Ik had een sociaal leven', werp ik tegen, omdat ik mezelf nu
wel heel zielig bij haar af vind steken. 'Maar dat is anderhalf
uur rijden hier vandaan.'

En eigenlijk is daar ook maar weinig van over, maar dat zeg
ik niet tegen Liz. Het is ingewikkeld. Ik ben waarschijnlijk niet

echt leuk gezelschap, waardoor mijn vrienden na een paar weken van medelijden en begrip inmiddels liever bij me uit de buurt blijven. En als ze dan bellen, heb ik geen zin om leuk te doen, waardoor ze de volgende keer weer iets langer wachten met dat telefoontje en inmiddels is er te veel tijd verstreken sinds ik bijvoorbeeld Saskia voor het laatst heb gezien.

'Precies, dat is dus te ver', zegt Liz opgeruimd. 'Waarom ga je vanavond niet mee? Ik ga uit eten met twee vriendinnen die ik al ken sinds de middelbare school. Ik weet zeker dat je ze leuk vindt.'

Leuk doen tegen mensen die ik niet ken en uitleggen wat ik in Amsterdam kom doen. Bij de gedachte alleen al krijg ik rillingen. Ik had gepland om vanavond voor negen uur in bed te liggen en een boek te lezen.

'Ik voel me niet zo lekker', zeg ik, en daar is geen woord aan gelogen, want ik merk nu pas dat ik me echt niet goed voel. Misschien komt het doordat ik nog niet heb ontbeten, maar de koffie maakt me misselijk. 'Ik moet even iets eten, denk ik.'

Als ik opsta, begint de zaak om me heen te draaien. Mijn mond wordt droog en ik heb het gevoel dat ik of zo meteen neerval of ontzettend moet overgeven. Ik probeer me vast te houden aan de rand van de tafel, maar ik grijp mis en het volgende moment lig ik op de grond.

'Jezus!' Liz springt overeind.

Ze gaat op haar knieën naast me zitten en pakt mijn arm vast. 'Gaat het?'

Nu ik lig staat de zaak weer stil en ik knipper een paar keer met mijn ogen. De misselijkheid zakt een beetje. 'Ja', zeg ik uiteindelijk. 'Het gaat prima.'

'Hou eens op met je "prima".' Liz klinkt nu geïrriteerd. 'Je valt zomaar neer, natuurlijk gaat het niet prima met je. Je bent sinds je hier werkt zes tinten bleker geworden en omdat je moeder zo ver weg woont, gedraag ik me even als haar. Ga naar de dokter!'

'Doe normaal, ik heb gewoon te weinig gegeten. En trouwens, ik heb niet eens een dokter.'

'Ik wel. Mijn huisarts is een vriendin van me. En ik eis dat je gaat, want een andere vriendin van mij had zo'n beetje wat jij hebt, en die bleek dus wel mooi een hersentumor te hebben.'

Ik vermoed dat bij andere mensen dit soort mededelingen zou moeten inslaan als een bom, of dat ze op z'n minst een paar seconden "oh help, als ik maar niet..." zouden moeten denken, maar ik blijf Liz slechts onbewogen aankijken.

'Oké, dat doet jou natuurlijk niets, omdat je in gedachten al een hemelse hereniging met je man voor je ziet, maar een hersentumor is echt niet fijn, hoor.'

Ik weet eigenlijk nog niet of ik Liz' eigenschap om alles, maar dan ook alles wat door haar gedachten gaat hardop uit te spreken, kan waarderen.

'Sorry', zegt ze als ze mijn geschokte blik ziet. 'Dat van die hemelse hereniging had ik niet moeten zeggen.'

Het vervelende is dat ze wel gelijk had, maar goed. 'Ik heb echt geen hersentumor', zeg ik, als ik langzaam overeind kom. Meteen begint het me weer te duizelen en ik zak terug naar de grond.

'Ik pak iets te eten', zegt Liz en ze loopt naar de counter. 'Wat wil je? Een tosti?'

'Doe maar.' Het maakt me niet uit, als ik me er maar beter door voel. Uiteindelijk kom ik toch overeind en hijs me op een stoel. Alles draait meteen om me heen en ik laat mijn hoofd in mijn handen steunen.

Liz pakt een voorverpakte tosti en gooit hem even onder de grill. Daarna doet ze hem in een papieren zakje en legt hem voor me neer. Voor zichzelf zet ze nog meer koffie.

Ik pak de tosti en hoewel ik er niet minder beroerd van word, neem ik toch een hap. Gek dat ik totaal geen honger heb, terwijl ik niets heb gegeten. Onder de strenge blik van Liz werk ik de hele tosti naar binnen.

Daarna kijkt ze me vorsend aan. 'En? Voel je je beter?'

'Ja', antwoord ik braaf, maar het is niet waar. Ik voel me hooguit wat minder misselijk, maar het lichte gevoel in mijn hoofd blijft en ik voel dat mijn knieën van elastiek zijn, ook al zit ik op een stoel.

'Hoe is je bloeddruk?' Liz kijkt me aan alsof zij de dokter is.

'Weet ik veel. Meet jij die ooit?'

'Nee, maar ik ben ook niet degene die hier tegen de grond gaat. Ik denk dat je een te lage bloeddruk hebt.'

'Sorry, maar dat slaat echt nergens op. Hoezo zou ik van de ene op de andere dag een te lage bloeddruk hebben?' Ik vind het leuk dat Liz de medische encyclopedie uit haar hoofd heeft geleerd, maar ze overdrijft schromelijk. Er is niets aan de hand met me. Een beetje moe, hooguit.

'Een lage bloeddruk kan heel gevaarlijk zijn', waarschuwt Liz, mijn vraag straal negerend. 'Bovendien kan het een teken zijn van allerlei andere enge ziektes. Het is vandaag vrijdag, nu kun je nog gewoon naar de huisarts. Wat als je van het weekend heel ziek wordt?'

'Huisartsenpost?' stel ik voor, maar Liz schudt haar hoofd. Ze pakt haar telefoon uit haar tas.

'Ik bel mijn vriendin wel even.'

'Welke?'

'Die ene die huisarts is', zegt Liz op een toon alsof ze het tegen een zesjarige heeft.

Ik wil nog iets zeggen in de trant van 'dat is nergens voor nodig', maar Liz steekt haar hand op als teken dat ik mijn mond moet houden. Als protest en om te laten zien dat er niets aan de hand is, sta ik op.

Maar dat had ik beter niet kunnen doen. Meteen zie ik witte flitsen en begint alles opnieuw te draaien. Ik ga snel weer zitten, maar niet snel genoeg, want Liz heeft het allang gezien. Zelfs als ik zit, voel ik me nog licht in mijn hoofd. Misschien heeft Liz gelijk, misschien heb ik een lage bloeddruk, al zou ik niet weten hoe ik daar ineens aan kom. Of hoe ik eraf kom.

'Oké.' Liz knikt een paar keer. 'Juist... Ja, dat zei ik al... Oké, tot zo.'

Ze hangt op en kijkt me aan. 'We kunnen langskomen.'

Ik schud mijn hoofd, met als gevolg dat ik weer duizelig word maar dat laat ik niet aan Liz merken. 'Ik vind het echt niet nodig. Een keertje vroeg naar bed en ik ben weer helemaal de oude.'

'Met je gezondheid kun je niet voorzichtig genoeg zijn', meent ze. 'Dus wacht hier, ik haal mijn auto even.'

Liz woont aan de Stadionkade, op tien minuten fietsen. Met de auto duurt het ongeveer net zo lang en dus staat ze twintig minuten later weer voor mijn neus. Ze is nog een beetje bezweet, blijkbaar heeft ze behoorlijk doorgetrapt. Ik voel me bezwaard dat ze dit voor me doet, terwijl er niets aan de hand is.

'Kom, ik help je.' Zorgzaam houdt ze mijn arm vast, terwijl ik naar de auto loop. Ik voel me al beter, mijn hoofd doet niet meer zo raar. Maar ik weet al wat Liz zegt als ik dat uitspreek en dus houd ik mijn mond maar. Als het haar geruststelt dat ik naar de dokter ga, dan moet het maar even.

Ik neem me voor haar binnenkort te vragen waar haar bezorgdheid vandaan komt. Misschien heeft het te maken met de vriendin met de hersentumor. Daar zal ze wel van geschrokken zijn. Maar om nou meteen iedereen die een beetje duizelig is naar de dokter te slepen...

Het kost een kwartier om bij de huisarts te komen die praktijk houdt bij Liz in de buurt. Voor de deur is een plekje vrij en Liz manoeuvreert haar oude Peugeotje er behendig in. Daarna helpt ze me uit de auto en naar binnen.

'Hai schat.' Liz geeft een slanke vrouw van begin dertig drie zoenen en maakt daarna een armzwaai naar mij.

'Daphne, Bianca. Bianca, Daphne. Bedankt dat we even mogen langskomen, Bianc.'

We schudden elkaar de hand.

'Natuurlijk, geen probleem. Ik heb vanmiddag toch geen spreekuur en je leidt me af van wat extreem saai administratiewerk. Dus eigenlijk ben ik wel blij.' Ze kijkt me aan. 'Maar niet voor jou natuurlijk, want als ik Liz hoorde voel je je behoorlijk beroerd. Kom even mee naar mijn spreekkamer.'

We volgen haar naar een gezellige kamer met hoge ramen, die uitzicht geven op een mooie binnentuin. Ik voel me meteen thuis. Heel anders dan bij mijn oude huisarts, een man van rond de vijfenvijftig die zelfs nog in een witte jas loopt. Ik ken hem al mijn hele leven, en heb me nooit op mijn gemak gevoeld bij hem.

Maar Bianca lijkt helemaal niet op een huisarts. Ze gaat achter haar bureau zitten, Liz en ik nemen op de twee stoelen ervoor plaats. Dan kijkt ze me met een schuin hoofd aan. 'Vertel.'

'Nou ja, volgens mij is er niet zo veel aan de hand, maar Liz maakte zich zorgen en dus zijn we even gekomen.'

'Dat zegt ze de hele tijd, maar ondertussen ging ze wel mooi out net', zegt Liz. 'Ze stond op en ging zó tegen de grond. Dus heb ik wat te eten gemaakt, maar dat hielp ook niet echt. Als je het mij vraagt, is haar bloeddruk gewoon te laag.'

Bianca schiet in de lach. 'Jij had wel dokter kunnen worden. Maar je hebt gelijk, het kan een lage bloeddruk zijn. Ik zal eens even meten.'

Ze staat op en haalt een apparaat uit de kast dat ik nog ken van toen mijn oma een keer in het ziekenhuis lag. Elk kwartier kwamen ze met zo'n zelfde apparaat langs en oma vond het allemaal maar wat interessant. Sowieso had oma diep respect voor alles wat een witte jas droeg.

Bianca schuift een band om mijn arm en pompt die op. Daarna leest ze iets af en begint te knikken. 'Je had gelijk', zegt ze tegen Liz. 'De bloeddruk is inderdaad behoorlijk laag.'

Ik trek mijn wenkbrauwen op. 'Hoe kan dat nou? Daar heb ik nog nooit last van gehad.'

'Heb je iets veranderd in je levensstijl?'

Ik denk na. Maaltijden vervangen door wijn, is dat een verandering in je levensstijl? Twee uur per nacht slapen, maar wel zo lang mogelijk in bed liggen, misschien?

'Daphne is vorige maand naar de stad verhuisd', zegt Liz in mijn plaats. 'Vanaf het platteland.'

Ze spreekt het uit alsof ze bedoelt "vanuit de middeleeuwen". Liz heeft me toevertrouwd dat ze hartkloppingen krijgt als ze buiten de Ring komt, zo dol is ze op de stad.

Bianca knikt. 'Aha. En bevalt het je hier?'

'Op zich wel. Ik heb een leuk appartement gevonden.'

'Maar?' vraagt Bianca, die jammer genoeg doorheeft dat het probleem schuilt in 'op zich'.

'Haar man is overleden', zegt Liz zacht. 'En daarom is ze verhuisd.'

'Oh, dat spijt me.' Bianca kijkt me meelevend aan. 'Dat moet een enorme klap voor je geweest zijn.'

Ik knik, en geef geen antwoord.

Even zeggen we alle drie niets, dan neemt Bianca het woord. 'Het kan zijn dat je bloeddruk door alle stress is veranderd, maar dan zou het logischer zijn als je juist een hoge bloeddruk had gekregen.'

'Is het erg?'

Bianca schudt haar hoofd. 'Nee, maar het is wel raar dat je er plotseling last van krijgt. Het lijkt me goed om verder te zoeken naar de oorzaak. En ik wil even je ijzergehalte laten controleren.'

'Is dat allemaal nodig?' Ik wil gewoon naar huis en in bed kruipen.

'Ja', antwoordt Liz in mijn plaats. 'Bloedonderzoek in het ziekenhuis?'

Bianca knikt. 'Ja, dan kunnen er meteen een aantal zaken onderzocht worden. We moeten gewoon een paar dingen uitsluiten.' Ze aarzelt even. 'Ik vind het vervelend om dit te vragen, maar je bent niet zwanger, toch?'

Ik kijk haar even aan en sla dan mijn blik neer. 'Nee', zeg ik schor.

Bianca trekt haar la open en haalt er een formulier uit. 'Ik geef je dit mee voor in het ziekenhuis. Je kunt er tot zes uur terecht om bloed te laten prikken. De uitslag heb ik na het weekend. Kun je maandag langskomen?'

Ik wil dit helemaal niet, zo'n bloedonderzoek. Dat hele circus omdat ik een beetje duizelig ben, het slaat echt nergens op. 'Sorry, maar ik wil gewoon naar huis', zeg ik. 'Er is niets met me aan de hand, ik heb gewoon niet goed gegeten.'

'Daarvan word je bloeddruk niet zo laag als die van jou', zegt Bianca. 'Ik wil je niet bang maken, maar er kunnen veel oorzaken voor zijn en ze zijn niet allemaal onschuldig. Het lijkt me beter voor jezelf als je toch even laat onderzoeken wat er aan de hand is.'

Ik zucht en geef me dan over. 'Oké, ik zal het bloedonderzoek laten doen. Maar moet het per se vandaag?'

'Het kan ook maandag, of een andere dag volgende week', zegt Bianca geruststellend. 'Zo veel haast heeft het nou ook weer niet.'

Ik knik. 'Oké. Goed. Geef me dat formulier maar.'

Ik wil inderdaad ergens volgende week gaan, maar Liz heeft andere plannen. Zodra we buiten staan, duwt ze me weer de auto in en rijdt naar het ziekenhuis. 'Dan ben je er maar vanaf', is haar redenering. Ik leg mijn hoofd tegen de steun en haal diep adem. In godsnaam dan maar.

9

'HOEZO?'

'Omdat ik denk dat het goed is als ik je even zie.'

'Is het ernstig?'

Aan de andere kant van de lijn zegt Bianca niets. Het is maandagmiddag en ik ben net thuis van de brasserie. Ik weet zeker dat ze eerst aan Liz heeft gevraagd tot hoe laat ik moest werken.

'Nee, niet ernstig. Maar toch heb ik liever dat je even hier naartoe komt.'

Ik ga nog liever naakt een rondje zwemmen in de vijver in het Vondelpark, ook al is het min twee. 'Als het niet ernstig is, dan kan het toch ook wel telefonisch?'

Ik vrees dat ze me aan mijn bloeduitslag wel afgelezen zal hebben dat ik de laatste tijd niet als het goede voorbeeld in een gezondheidsblaadje gekund zou hebben, maar sorry hoor, ik heb een reden. En op een preek dat het beter is om zestien stuks fruit per dag te eten en een soort structuur in mijn leven aan te brengen zit ik niet bepaald te wachten. Dan maar een lage bloeddruk. Ik weet trouwens niet eens of dat daar wel mee te maken kan hebben.

Maar Bianca blijft aandringen en dus zeg ik: 'Oké, ik kom wel even langs. Ergens deze week?'

'Wat dacht je van: nu? Ik heb geen patiënten meer vanmiddag. Ik kan ook naar jou toekomen, als je dat prettiger vindt.'

Ik kijk naar buiten, waar het net weer begonnen is te sneeuwen. Als Bianca zo graag wil afspreken, mag zij inderdaad degene zijn die de moeite neemt om zich door dit pokkeweer hiernaartoe te begeven. 'Ja, graag.'

Ik geef haar mijn adres en ze belooft er meteen aan te komen. In gedachten vervloek ik Liz. Wat een paniek om niks.

Bianca is er binnen een kwartier. Ik kijk naar beneden en zie haar van de auto naar het portiek glibberen. Ze komt naar boven met sneeuwvlokjes in haar haar en op haar jas.

'Jemig, wat is het koud, zeg', is het eerste wat ze zegt. En dan: 'Hoi Daphne. Hoe is het met je?'

Ik overweeg "goed", maar zeg: 'Dat weet jij beter dan ik, geloof ik.'

Als Bianca haar jas heeft uitgetrokken en ik haar thee heb aangeboden die ze, enigszins tot mijn spijt, niet heeft afgeslagen, gaat ze op de bank zitten en kijkt rond in mijn appartement. Ik heb opgeruimd. Een hele stap, al zeg ik het zelf. Niet omdat ik last had van de rommel, maar omdat mijn moeder aankondigde morgen langs te willen komen en ook maar meteen mee te zullen eten. Ik moet werken, maar ze komt pas daarna. Dat betekent dat ik vandaag nog naar de supermarkt zal moeten om iets te eten te versieren, want het diner van chips en cola light dat ik gisteren nuttigde en dat ik eigenlijk voor vandaag ook op het programma heb staan, zal haar wel niet bevallen.

'Je woont leuk', onderbreekt Bianca mijn gedachten, terwijl ik wacht tot het water kookt. 'Hoe ben je hieraan gekomen?'

'Via Marktplaats. Judy, de vrouw die hier beneden woont, vond het huis te groot voor haar alleen en wilde daarom dit appartement wel verhuren.'

'En jij wilde naar de stad verhuizen', zegt Bianca knikkend. Ik weet waar ze het gesprek op wil brengen, maar ik heb geen behoefte aan een hulpverlenerige kijk op mijn verhuizing. Het zal wel iets worden met vluchten, en dat dat niet kan.

Dus knik ik alleen maar.

'Vertel eens over je man', zegt ze.

'Maarten.' Ik pak de waterkoker en schenk twee kopjes vol. Tegelijkertijd wijs ik met mijn hoofd in de richting van de ingelijste foto die naast de bank staat. 'Hij heette Maarten. We waren bijna een jaar getrouwd en toen verongelukte hij.' Het is gek. Uren en uren kan ik over Maarten praten, maar nu kan ik niets anders verzinnen dan dit.

Ik zet de thee voor Bianca neer en ga zelf in een fauteuil zitten. 'Maar wat is er aan de hand? Waarom wilde je me per se zien?'

Ze pakt het kopje en warmt haar handen eraan. Daarna kijkt ze me aan. 'Uit het bloedonderzoek is een verklaring naar voren gekomen voor je lage bloeddruk', zegt ze. Ze kijkt er heel serieus bij en even denk ik dat het toch ernstig is. Maar hoeveel kun je nou helemaal aflezen aan alleen een bloedonderzoek?

'Wat dan?'

Uiterst langzaam zet Bianca haar kopje terug op tafel. Dan zegt ze: 'Eerst konden ze niets vinden, maar toen heb ik het bloed op een paar aanvullende dingen laten testen. Ik verwachtte zelf niet dat er iets uit zou komen, maar...'

Ik kijk haar aan. Wat moet ik met al deze informatie?

'Daphne,' zegt Bianca zacht, 'je bent zwanger.'

Mijn oren beginnen te suizen en ik denk dat ik het niet goed heb verstaan. 'Eh... Wat?'

Maar Bianca herhaalt: 'Je bent zwanger.'

'Oh.' Veel meer kan ik niet uitbrengen. 'Maar...' Ik schud mijn hoofd. Dat kan helemaal niet. Maarten is al maanden dood en ik heb niets gemerkt. Er moet een fout zijn gemaakt in het ziekenhuis. En anders... Nee, het kan gewoon niet. Dit is een fout, dat moet het zijn. Er zijn vast twee buisjes bloed verwisseld, dat hoor je zo vaak. Nou ja, ík hoor dat niet heel vaak, maar het gebeurt vast aan de lopende band. Er gaat een hoop bloed doorheen in zo'n laboratorium, en dit is natuurlijk het gevolg van hoge werkdruk ofzo. Of wachtlijsten. Of weet ik veel.

'Dat... Dat kan helemaal niet', zeg ik uiteindelijk met een stem die helemaal niet klinkt als die van mezelf. Hoog en schor. 'Ik begrijp het niet.'

'Wanneer ben je voor het laatst ongesteld geweest?' vraagt Bianca nu.

Jemig, daar vraagt ze me wat. Vorige maand? Twee maanden geleden? Ik kan het me met geen mogelijkheid herinneren. Voor hetzelfde geld is het maanden geleden, dit is echt het laatste waarmee ik me de laatste tijd heb beziggehouden. Toen Maarten nog leefde niet, toen wist ik zo'n beetje tot op het uur nauwkeurig wanneer ik vruchtbaar was. Maar na zijn dood...

'Bén je de laatste tijd wel ongesteld geweest?' vraagt Bianca.

Ze stelt een hoop vragen, die Bianca. Daar zal ze wel dokter voor zijn. Maar ik kan haar de antwoorden niet geven. Weet ze eigenlijk wel waar je in terecht komt als je man dood is?

'Ik weet het niet', zeg ik uiteindelijk naar waarheid. 'Ik ben er niet mee bezig geweest. Ik denk...' Ik graaf in mijn geheugen, maar mijn geheugen lijkt verdwenen. Weken geleden? Maanden? 'Nee, ik weet het echt niet.'

'Wanneer is je man overleden?' vraagt Bianca.

'September.'

'Dan moeten we er dus vanuit gaan dat je al een paar maanden zwanger bent. Tenzij je in de tussentijd...'

In de tussentijd wát? Het duurt even voor het kwartje valt.

'Natuurlijk niet!' roep ik fel.

'Sorry', zegt Bianca. Ze kijkt naar de grond. 'Ik moet dat nou eenmaal vragen.'

Bianca wacht tot ik iets zeg, maar ik heb geen woorden. Het zweet breekt me ineens uit en ik krijg visioenen van baby's, lief slapend, gewikkeld in een witte doek. En dan van krijsende baby's en hysterische moeders, en dan weer van Maarten. Maar zonder baby. Er klopt geen jota van.

'Je bent dus minstens vier maanden zwanger', zegt Bianca.

Ik knik, me maar half bewust van wat dat betekent. Ik wrijf met mijn handen over mijn gezicht. Had ik het niet eerder moeten merken? De momenten dat ik te misselijk was om te eten, vooral 's ochtends. Of de buikpijn die ik af en toe had. Ik dacht dat het bij het rouwproces hoorde.

Bianca probeert me aan te kijken, maar ik richt mijn blik op de muur.

'Heb je iets gemerkt?' vraagt ze. 'Misselijkheid? Buikpijn? Ben je de afgelopen maanden aangekomen?'

Ik schud mijn hoofd. 'Nee, maar ook niet afgevallen. Terwijl ik niet veel heb gegeten.'

'De eerste paar maanden kom je toch niet heel veel aan, dus het is heel goed mogelijk dat je er niets van hebt gemerkt. Heb je gedronken?'

'Alcohol?'

Stomme vraag. Bianca knikt. Ik denk aan mijn alcoholgebruik van de afgelopen maanden en voel me acuut schuldig. Een slechter moment om in mijn buik te zitten had de baby niet kunnen uitkiezen.

Dat laatste spreek ik een beetje beschaamd uit. 'Het hielp', voeg ik er een beetje verontschuldigend aan toe. 'Alcohol verdooft. Ik heb ook kalmerende pillen geslikt.'

Ze lijkt het te begrijpen en veroordeelt me in elk geval niet. En waarom zou ze ook? Alsof ik wist dat ik zwanger was. Ben. Zwanger ben. Ik herhaal de woorden in mijn hoofd, maar ze klinken alsof ze uit een andere wereld komen.

Ik zou een moord doen voor een glas wijn.

Als Bianca weg is, lig op mijn rug op de bank en staar naar het plafond. Mijn hand ligt op mijn buik. Ik voel niets.

Natuurlijk niet. Dat is na vier maanden ook nog wat vroeg, heeft Bianca uitgelegd. Ze heeft heel veel uitgelegd, maar ik ben bijna alles vergeten. Dat maakte niet uit, zei ze, ze zou het allemaal nog weleens vertellen. Maar ze drukte me wel op het hart om een verloskundige te zoeken. Daar kan ze me wel bij helpen, maar uiteindelijk moet ik zelf de keus maken. Ik weet niet eens waar ik moet beginnen met zoeken.

Google?

Bianca heeft me laten beloven meteen te stoppen met drinken. En roken, maar dat deed ik gelukkig toch al niet. Een hele zwik voedingsmiddelen mag ik niet meer hebben, waaronder filet americain – dat ik sowieso heel smerig vind – en rauwmelkse kazen die je volgens Bianca eigenlijk alleen maar bij de kaasboer kunt krijgen en daar ben ik al heel lang niet meer geweest. Ik kan me überhaupt niet herinneren wanneer ik voor het laatst kaas heb gegeten.

Blijft over: alcohol. De hoeveelheden die ik de laatste tijd tot me heb genomen zijn al echt heel slecht voor mij geweest, laat staan voor zo'n klompje cellen dat probeert een baby te worden.

Een baby. Ineens breekt het zweet me uit. Ik stop mijn handen tussen mijn knieën om het trillen tegen te gaan, maar het helpt niet. Mijn handen, mijn benen, mijn hele lijf trilt. Een baby?! Hoe moet ik daar in vredesnaam voor zorgen? Ik kan niet eens voor mezelf zorgen, ben niet in staat om een normaal dagritme te vinden of om gezond te koken. Hoe moet ik een kind opvoeden zonder het compleet en volledig te verpesten?

En hoe moet ik zorgen dat er genoeg geld is voor ons allebei? Met wat ik nu verdien kan ik mezelf onderhouden, maar een crèche kost handenvol geld en dat heb ik niet. Om het nog maar niet te hebben over kleertjes, luiers, kinderwagens en alles wat je nodig hebt voor een baby. Moet ik terug verhuizen naar het dorp? Dan kan mijn moeder of Tilly oppassen. Ik schud ferm mijn hoofd. Ik ben net een nieuw leven begonnen, ik kan niet terug naar mijn oude leven. Maar wat als het de enige optie is?

Ik sta op en begin obsessief door de kamer te ijsberen. In de keuken blijf ik even stilstaan. Ik grijp me vast aan het aanrechtblad, knijp tot mijn vingers er wit van zien. Daarna loop ik naar het raam, maar het is al donker en ik zie niets. Met een woest gebaar trek ik het gordijn dicht. Ik heb het gevoel alsof ik tegen een muur op knal. Met honderdtwintig kilometer per uur, bam! Ik voel me lamgeslagen en tegelijkertijd raast er een storm in mij die me doet beven over mijn hele lijf. Ik kan geen baby krijgen, het is gewoon niet mogelijk. Ik ben bezig de brokstukken van mijn leven bij elkaar te vegen en er iets acceptabels van te lijmen. Daarin is geen plaats voor een baby. Ik kan een kind niet opzadelen met een gelijmd leven, zonder vader.

Ineens voel ik me opgesloten en ik ruk het gordijn weer open. Wat als ik deze baby niet wil? Dáár heeft Bianca met al haar vragen dan weer niets over gezegd.

Ik draai me wild om en laat me op de bank vallen. Met mijn vuist bonk ik tegen mijn hoofd om die gedachte te verjagen. Als ik deze baby niet wil? Waarom denk ik dit soort dingen? Dit is een stukje van Maarten, iets tastbaars, zo veel meer dan ik ooit had durven hopen dat hij me heeft nagelaten. Waarom komt in godsnaam de mogelijkheid in me op dat ik het niet wíl?

Ik word een klein beetje rustiger. Ja, ik wil dit. Ik moet alleen zo ontzettend hard gaan bedenken hoe ik het allemaal ga doen. Waar een wil is, is een weg – een cliché waar mijn moeder nogal dol op is. Is het waar? Ik kan niets anders doen dan hier op de bank zitten en heel, heel erg hopen dat het zo is. Als er geen weg is, ben ik verloren.

Ik kom half overeind en neem een slokje thee. Het is bijna zeven uur, ik zou een maaltijd moeten koken. Niet voor mezelf, zo hield Bianca me voor toen ik zei dat ik dat zelden deed, maar voor mijn baby.

Ik ben moe, maar kom toch overeind en loop naar de keuken. Door alle commotie ben ik er niet aan toegekomen om naar de supermarkt te gaan en als ik de koelkast opendoe is de score een verlepte wortel en wat achtergebleven blaadjes sla die ik niet heb opgeruimd toen ik de in staat van ontbinding verkerende krop in de vuilnisbak mieterde. Er staat wel een fles chardonnay.

Ik sta net in dubio of ik naar de Albert Heijn zal lopen of dat ik iets zal bestellen, als er iemand op mijn deur klopt.

'Stoor ik?' vraagt Judy als ik opendoe.

Ik staar haar aan alsof ze een spook is, iemand uit een andere wereld. Alles lijkt ineens uit een andere wereld.

Judy kijkt me onderzoekend aan. 'Gaat het?'

Ik kom bij mijn positieven en zet een stap opzij. 'Ja. Ja natuurlijk. Ik wilde net gaan koken.'

'Oh, ik vroeg me alleen af of jij de gemeente nog hebt gebeld over de parkeervergunning, want je hebt nu een tijdelijke vergunning, maar die loopt af en... What's up?' Ze lijkt dwars door me heen te kijken.

Ik slik en zeg: 'Niks, hoor.'

Maar Judy heeft een scherpe blik en ik word weer duizelig nu ik te lang niet gegeten heb. Mijn te lage bloeddruk zal volgens Bianca ook nog wel even aanhouden.

'Een beetje licht in mijn hoofd', geef ik toe als Judy nogmaals vraagt hoe het gaat. 'Zal wel door het late eten komen.'

'Ga even zitten.' Ze pakt me bij mijn arm en leidt me naar een eettafelstoel. Daarna kijkt ze me vorsend aan. 'Wat was je van plan te gaan maken? Dan maak ik het voor je.'

'Ik eh... moest nog boodschappen doen', val ik genadeloos door de mand. 'Ik wilde net gaan.'

Judy kijkt op haar horloge. 'Geen wonder dat je bijna neervalt. Wacht maar, ik heb way too much pastasaus gemaakt. Het staat in de koelkast.'

Even later is Judy terug met een grote pan pastasaus, een pak verse pasta en een fles rode wijn. Ze pakt twee glazen, zet die op tafel en wil inschenken. Ik moet iets zeggen.

'Niet voor mij.'

Judy kijkt me verbaasd aan. 'Echt niet?'

'Nee, ik...' Ik kan geen smoes verzinnen. Of misschien wil ik geen smoes verzinnen. Ik moet het met iemand delen, het uitspreken alsof ik mezelf ervan moet overtuigen dat het echt waar is.

En dus zeg ik plompverloren: 'Ik ben zwanger.'

Judy's hand blijft met fles en al in de lucht zweven en ze kijkt me aan alsof ik krankzinnig ben. 'Zwánger?'

'Ja. Ik weet het ook nog maar net.'

'Maar...' Judy kan geen woord uitbrengen.

'Ik bleek een te lage bloeddruk te hebben en dus heb ik bloed laten prikken in het ziekenhuis', leg ik uit. 'Daar kwam uit naar voren dat ik zwanger ben. Ik vind het zelf ook best bizar.'

'Maar...' Ik heb het nog niet meegemaakt dat Judy echt niet weet wat ze moet zeggen, maar nu is het zover. Uiteindelijk schudt ze haar hoofd. 'Is het van...'

'Natuurlijk!' roep ik fel. 'Hij is nog niet eens een halfjaar dood. Je denkt toch niet dat ik al een ander...' Ik maak mijn zin niet af, Judy begrijpt het zo ook wel.

Ineens begint ze breed te glimlachen. 'Dit is geweldig! Dit is een geschenk uit de hemel. Letterlijk.'

'Hoe bedoel je?'

'Een geschenk dat Maarten voor je heeft achtergelaten. Een stukje van hem dat doorleeft.'

Ik staar haar aan. Judy ziet het helemaal zitten. 'Ik weet zeker dat je zo gelukkig gaat worden, samen met je baby. Alsof je Maarten altijd een beetje bij je kan houden.'

Ze gooit de pasta in het water, dat inmiddels kookt, en roert in de pan. Ze is ontzettend opgetogen. 'Van die kleine studeerkamer kun je een babykamer maken, volgens mij is dat groot genoeg. En dan kun je...' Ze kijkt naar mij en houdt haar hoofd schuin. 'Hé, wat is er?'

Ik zit voor me uit te kijken en hoor Judy aan, en terwijl ik weet dat ik hetzelfde enthousiasme zou moeten opbrengen, wordt de brok in mijn keel steeds groter. Ik knipper met mijn ogen en er glijdt een traan naar beneden. Meteen zit Judy naast me.

'Jeetje, ik zit maar te raaskallen. Ben je er eigenlijk wel blij mee?' vraagt ze lief.

Die vraag is de druppel. Ik haal mijn schouders op en begin ineens heel hard te huilen. Dat is dus precies het probleem. Ik ben geschrokken, bezorgd, in twijfel en behoorlijk van de kaart. Ik voel me raar en schuldig en alsof ik in een soort droom zit, maar blij... Nee, ik heb me nog niet blij gevoeld.

Of uitzinnig van vreugde, wat ik ongetwijfeld geweest zou zijn als Maarten nog had geleefd. En nu, terwijl ik het kind krijgt dat hij me heeft achtergelaten, kan er niet eens een klein beetje blijdschap vanaf. Ik heb het gevoel dat ik hem genadeloos in de steek laat.

'Ik begrijp het', zegt Judy als ik dat zo'n beetje onder woorden probeer te brengen. Het is nogal een warrig verhaal volgens mij, maar toch knikt ze. 'Die blijdschap, die komt vanzelf. Je weet het nog maar net, natuurlijk ben je in de war. Ik weet zeker dat je een fantastische moeder wordt, de moeder op wie Maarten heel erg trots op geweest zou zijn.'

'Maar wat moet ik nu?' vraag ik, opnieuw voel ik paniek opkomen. 'Volgens de huisarts moet ik een verloskundige zoeken, maar waar vind je zo iemand? Ik moet vast van alles in huis halen, maar ik weet niet wat. En ik heb nog nooit een baby in bad gedaan. Ik moet zo veel leren en ik heb maar vijf maanden. En straks heb ik mijn eigen kind vergiftigd met mijn alcoholgebruik. Maartens kind. Straks heb ik Maartens kind vergiftigd, het enige wat ik nog van hem heb.'

'Stop', zegt Judy streng. 'Zo moet je niet redeneren. Het kind heeft dat alcoholgebruik van jou glansrijk overleefd, en aangezien je er nu meteen mee gaat stoppen, is er nog tijd zat om de schade te herstellen.'

Ik heb geen idee of dat waar is, maar het klinkt wel geruststellend en dus knik ik. 'Maar ik weet toch helemaal niet hoe ik voor een baby moet zorgen?'

Judy schudt haar hoofd. 'Dat weet bijna geen enkele moeder voor ze een kind krijgt. Daarom heb je ook niet pats boem een baby, maar duurt het een maand of negen. Vijf, in jouw geval. Die tijd kun je gebruiken om uit te vinden hoe je met je baby moet omgaan, en wat je allemaal nodig hebt. Denk je dat ik de eerste tijd met Daniël wist wat ik met hem aan moest? Ik deed maar wat, en ik deed waarschijnlijk alles fout, maar hij is toch best goed terecht gekomen. Liefde, dat is het belangrijkste. Als je je kind liefde geeft, ben je al een heel eind op weg.'

Ik denk aan wat er nu in mijn buik zit, en heb eigenlijk geen idee hoe het eruit ziet. Maar dan denk ik aan een klein, roze, frummelig baby'tje, gewikkeld in een doek, de oogjes dichtge- knepen. Ik voel me raar licht. Is dat liefde?

'Hier, eet.' Judy zet een bord pasta voor me neer met haar zelfgemaakte tomatensaus. Ondanks alles heb ik erge honger, ik val meteen aan. Judy haalt de wijnglazen weg en vervangt ze door twee glazen water. Terwijl ik eet zeggen we een tijdje al- lebei niets.

'Heb je het al aan je familie verteld?' vraagt Judy uiteindelijk.

Ik schud mijn hoofd. 'Ik heb het aan niemand verteld, behal- ve aan jou. Mijn moeder komt morgen.'

'Is het haar eerste kleinkind?'

Jemig, daar heb ik al helemaal nog niet aan gedacht. Een kleinkind. 'Ja, voor haar wel', zeg ik. 'Maartens moeder heeft al een kleinkind.'

Eerlijk gezegd vond ik het behoorlijk jammer dat Maarten en ik niet beide kanten van de familie het eerste kleinkind zou- den bezorgen. Ik wist zelf niet eens waarom ik me er druk om maakte, maar dat deed ik wel. Nu had ik juist liever gehad dat mijn ouders al een kleinkind hadden gehad om zich op uit te leven. Hun eerste zal op anderhalf uur rijden wonen, en dat zullen ze niet heel leuk vinden.

'Ga je verhuizen?' Het lijkt wel alsof Judy mijn gedachten raadt. Daarna schudt ze haar hoofd. 'Ach, ik moet je ook niet lastig vallen met die vragen. Dat is natuurlijk nog helemaal niet on your mind.'

'Nee.'

'Dat hoeft natuurlijk ook niet. Je hebt nog tijd zat om beslissingen te nemen.'

Ik schud mijn hoofd. 'Ik bedoel: nee, ik ga niet verhuizen', zeg ik. Dat is nou eens een van de weinige dingen die ik zeker weet. Wat heb ik eraan om daar te gaan wonen? Zou ik Maarten dan minder missen?

Niet dus.

Maar een kind krijgen in Amsterdam is een gedachte waar ik nog wel even aan moet wennen. Met mijn familie op anderhalf uur rijden heb ik nou niet bepaald een oppas om de hoek. En kinderopvang wordt alleen maar duurder, heb ik gelezen. 'Ik weet niet of ik kan blijven werken', spreek ik mijn gedachten uit.'En of ik kinderopvang kan krijgen. Ik verdien niet echt veel, ik heb geen idee of ik het daarvan kan betalen.'

Judy ziet er geen probleem in. 'Je krijgt toch allerlei toeslagen? Volgens mij kost kinderopvang bijna niets als je een laag inkomen hebt.'

'Echt waar?' Ik pak een schrijfblok dat in de lege fruitschaal ligt en zet een sterretje boven aan een wit vel. Daarachter schrijf ik: "kinderopvang, toeslag checken".

Het doet me goed om praktische zaken op te schrijven die ik moet uitzoeken. Alsof ik houvast heb. Dus schrijf ik ook op "verloskundige zoeken", "verzekeringspapieren regelen" en "informatie opzoeken". Ik weet niet wat ik met dat laatste precies bedoel, maar ik moet in elk geval eens goed op internet kijken wat nou eigenlijk wel en niet goed is voor de baby. Ik heb de komende vijf maanden behoorlijk wat te compenseren.

Judy geeft me nog wat tips en adviezen en pakt dan haar lege sauspan. 'Ik laat je alleen. Je zult wel moe zijn van al die opwinding. Goed slapen is heel belangrijk als je zwanger bent. Als ik jou was, zou ik morgen vrij nemen om alles even rustig op een rijtje te zetten.'

Ik knik. Het idee dat ik morgen niet hoef te werken spreekt

me wel aan. Zodra Judy weg is, sms ik Liz dat ik het allemaal nog uitleg, maar dat ik morgen niet kan komen. Vrijwel meteen stuurt ze terug dat ze wel iemand anders probeert te regelen. Haar vraag of er iets uit het bloedonderzoek is gekomen, laat ik nog maar even onbeantwoord.

Ik ben inderdaad moe en hoewel het nog geen half negen is, trek ik mijn pyjama aan, poets mijn tanden en kruip in bed. Daar lig ik met open ogen in het donker te staren.

'Ik ben zwanger, liefje', zeg ik hardop tegen Maarten. 'We krijgen een baby. Samen.' Ineens realiseer ik me dat het al een paar weken geleden is dat ik voor het laatst met Maarten heb gepraat. Door de verhuizing naar Amsterdam ben ik ermee opgehouden, zonder het zelf te merken. Het voelt goed om weer tegen hem te praten. 'Vind je het niet ontzettend bizar?'

In mijn oren klinkt niets anders dan het gezoem van de stilte. Maarten is in de verste verte niet in mijn hoofd te bekennen. Ik probeer me voor te stellen hoe hij gereageerd zou hebben. Zou hij door het dolle heen zijn geweest? Misschien een beetje van slag, maar hij zou het ook geweldig hebben gevonden. Ik kan me zijn trotse gezicht bijna voor de geest halen.

Bijna.

De vorm van zijn gezicht, zijn ogen, zijn mond, zijn lach – ik weet het precies, alsof ik hem gisteren heb gezien. Maar ik realiseer me ineens dat het de omtrekken zijn, en de kleuren. Ik voel iets van paniek opkomen. Waarom weet ik niet meer precies hoe de lachrimpels rond zijn ogen eruitzagen? Het kuiltje in zijn kin? Ik zie het niet meer voor me.

In paniek sla ik het dekbed van me af en loop op blote voeten naar de woonkamer. Ik ril van de kou, maar merk het nauwelijks. Ik gun mezelf geen tijd om het licht aan te doen, maar hol naar de boekenkast waar ik op de onderste plank de fotoboeken bewaar. Mijn schoonmoeder zei altijd dat je fotoboeken nooit op de onderste plank van je boekenkast moet bewaren omdat ze dan beschadigen als je eens wateroverlast hebt, maar hier op driehoog ben ik daar niet zo bang voor.

Ik trek een boek uit de kast en neem het mee naar de eettafel. Dan knip ik het licht aan en blader snel door de foto's. Vakantiefoto's zijn het, van een van onze laatste vakanties samen. Ik zoek één foto, die ik op het strand heb gemaakt. Een foto waarop alleen Maartens gezicht staat, inclusief kuiltjes en rimpeltjes.

Mijn vingers schieten door het boek heen, ik sla in een steeds hoger tempo bladzijden om. Ik zie ons wachten op het vliegtuig, wachten op het busje dat ons naar het hotel brengt, nippend aan een cocktail en dan heel veel foto's aan tafeltjes in diverse restaurants. Ik zie Maarten in zijn boxershort op het bed liggen, lachend naar de camera, maar zijn gezicht is veraf en bovendien onscherp. Ik zie mezelf op het strand, mijn lichaam in een rare pose omdat ik het nogal koude water trotseer. In gedachten hoor ik mezelf nog gillen toen Maarten, even nadat deze foto was gemaakt, achter me aan kwam en me nat spatte. Daarna duwde hij me om en moest ik naar adem happen omdat het water echt heel fris was. Ik was pissig, maar moest tegelijk lachen en toen Maarten me in het koude water in zijn armen nam en kuste, vergaf ik hem meteen.

En dan ineens heb ik hem. Een zonverbrande Maarten lacht me vanaf het beeld toe. Zijn haar is een beetje lang en krult in zijn nek. De zon heeft het wat opgelicht. Zijn Ray-Ban staat op zijn hoofd.

Opeens weet ik het weer. De kleine rimpeltjes rond zijn ogen, de kuiltjes aan weerszijden van zijn mond als hij lachte. Het staat me weer helder voor de geest. Ik laat mijn wijsvinger over zijn gezicht glijden, zijn voorhoofd, zijn neus, zijn lachende mond. En dan over zijn nek naar zijn borst en daar stopt de foto.

Er drupt een traan op het perkamentachtige papier dat de bladzijden van elkaar scheidt. Een nat rondje blijft achter. Ik ben verdrietig, maar toch ook weer niet. Ik heb een raar gevoel in mijn buik en ik weet dat Maarten, lachrimpel of niet, altijd bij me zal zijn.

10

'WAT IS ER AAN DE HAND?' IK BEN AAN DE LATE KANT, MAAR hoewel we over tien minuten open moeten, is de brasserie leeg en zit Liz met Onno aan een tafeltje.

'Goed dat je er bent', zegt Onno. 'Kom even zitten.'

Ik wissel een vragende blik met Liz. Ze haalt haar schouders op, zij weet blijkbaar ook niet waar dit allemaal goed voor is.'

'Koffie?' vraagt Onno. Hij staat op en sloft naar de automaat. Het verbaast me dat hij weet hoe het werkt.

Als ik ga zitten, vraagt Liz: 'Hoe voel je je?'

'Prima.'

Ik heb Liz gisteren verteld over de zwangerschap. Ze was verbijsterd en daarna door het dolle heen. Mijn moeder, die eergisteren bij me was, reageerde op een soortgelijke manier. Daarna belde ik mijn schoonouders die allebei moesten huilen, maar het een troost vinden dat een stukje van Maarten zal voortleven. Dat vind ik ook een mooi idee, maar het zijn allemaal van die zinnen die zo uit zweverige cadeauboekjes gekopieerd hadden kunnen zijn en waar je misschien even een goed gevoel van krijgt, maar die je uiteindelijk geen steek verder helpen.

Maar goed, een goed gevoel is nooit weg. Vooral omdat mijn andere gevoelens de afgelopen dagen stuiterballetjes lijken te zijn die voortdurend alle kanten op vliegen. Het ene moment ben ik blij met de zwangerschap, door het dolle heen, ronduit uitzinnig. Om vervolgens op de bank ineen te duiken en heel diep weg te kruipen voor al die vragen waarop ik geen antwoord heb. Met als grootste en meest onbeantwoorde: kan ik dit wel?

Onno komt terug met drie koppen koffie. Hij is de suiker en melk vergeten, maar het maakt niet uit, want het lijkt wel alsof ik sinds ik weet dat ik zwanger ben ineens een afkeer van bepaalde voedingsmiddelen heb. En koffie is daar een van. Ik schuif het kopje bij me vandaan en leun een beetje achterover om aan de geur te ontsnappen.

Onno gaat zitten en zet zijn ellebogen op tafel. Met de toppen van zijn vingers prikt hij in zijn nogal kwabberige kin. Dan zegt hij: 'Het zal jullie wel opgevallen zijn dat ik er de afgelopen twee dagen niet was.'

Ik graaf in mijn geheugen. Was hij er niet? Het zou heel goed kunnen, maar ik heb niets gemerkt. Volgens mij geldt dat ook voor Liz. Ik kijk haar niet aan, ik weet dat we hetzelfde denken.

'Daar was een reden voor', gaat Onno verder als we allebei niet reageren. 'Ik was bij onze accountant.'

'Oh', zegt Liz.

'Aha', vul ik aan. Ik wist niet dat er een accountant was.

'De administratie.' Onno kijkt er bijzonder ernstig bij. 'Het is een beetje een...'

Puinhoop, wil ik zeggen als ik denk aan de talloze losse mappen en rondslingerende papieren in het kantoortje, maar ik houd mijn mond.

'Het gaat niet zo goed met de zaak', maakt Onno zijn zin dan af. 'We maken al een jaar alleen maar verlies.'

'Doe normaal', zegt Liz. 'We draaien als een dolle.'

'Ja, maar de kosten zijn ook hoog. De huur alleen al.'

'Het zit hier elke dag vol', doe ik een duit in het zakje. 'Hoe kunnen we nou verlies maken? De mensen betalen vijf keer zo veel voor een kopje koffie als dat het kost.'

Onno knikt, maar alleen om zich een houding te geven.

'En nu?' vraag ik.

Onno richt zijn blik op mij. Hij fronst een beetje. 'De zaak is failliet. Het faillissement is aangevraagd en we moeten met onmiddellijke ingang de deuren sluiten.'

'Hè?' roept Liz verbijsterd. 'Hoe bedoel je?'

'Zoals ik het zeg. De brasserie is niet meer te redden. De schulden zijn veel te hoog en de bank wil niet...'

Hij begint een verhaal over wat hij allemaal geprobeerd heeft, maar het gaat langs me heen.

Dicht? Ben ik dan mijn baan kwijt? Net nu ik het naar mijn zin begon te krijgen? En ook net nu ik het werk harder nodig heb dan ooit.

Liz discussieert op felle toon met Onno. Maar het is te laat. De beslissing is al genomen.

'Het spijt me echt, hoor,' zegt Onno schuldbewust, maar ik kan niets voor jullie doen. Er zijn vast genoeg zaken hier in de buurt die om personeel lopen te springen.'

'Tuurlijk', schampert Liz. Ze schuift bruusk haar stoel naar achteren en springt op. 'Kom, Daphne. We gooien de zaak open. Onze vaste klanten wachten. Die laten het echt niet gebeuren dat de zaak dichtgaat.'

Onno staat op en loopt naar achteren. Ik volg Liz' voorbeeld en ga achter de counter staan. Binnen een paar minuten hebben we met z'n tweeën de voorverpakte broodjes erin gelegd en heeft Liz de koeken die we vers afbakken in de oven gestopt.

Ik draai het bordje aan de deur om en haal de deur van het slot. De eerste klant die binnenkomt is Robbert, een beginnende advocaat die altijd om zeven uur een kop koffie komt halen en me weleens heeft toevertrouwd dat hij zelden voor elf uur 's avonds thuis is, maar dat dat nou eenmaal het lot van een advocaat is. Er staat een uurloon tegenover waar ik twee dagen voor moet werken, dus medelijden hoef ik niet te hebben. Liz kent Robbert al veel langer dan ik.

'Ik heb je hulp nodig', zegt ze plompverloren als hij voor de counter staat. 'Onno heeft de zaak failliet laten gaan en als we niets doen, kun jij hier geen koffie meer halen.'

Robbert kijkt verbluft. 'Dat meen je niet! Jemig, zit hier een ander tentje in de buurt?'

Het is maar goed dat Liz' vernietigende blik richting het koffieapparaat gaat.

Zo vergaat het ons het eerste uur. We proberen vaste gasten te mobiliseren om in actie te komen en de sluiting tegen te houden, maar hoewel iedereen het jammer vindt, is er niemand die echt bereid is iets te doen.

Na een uur vindt Onno het blijkbaar genoeg geweest. Zonder iets te zeggen beent hij naar de deur, draait het bordje naar "gesloten", werkt twee gasten de zaak uit en doet de deur op slot. 'Het is voorbij', zegt hij alleen maar en dan is hij weer verdwenen. Ik voel me leeg en ook Liz heeft niet langer de energie om iets te doen. Zonder op te ruimen of zelfs maar het koffieapparaat uit te zetten gaan we naar huis. Ik sla de deur met kracht achter me dicht, wat natuurlijk ook geen barst helpt.

'Ik ga met je mee', zegt Liz vastbesloten door de telefoon. 'Ik laat je echt niet in je eentje gaan. Het is zo'n bijzonder moment, dat wil je toch met iemand delen?'

Pas nu ze het zo uitspreekt, begin ik er spijt van te krijgen dat ik het aanbod van mijn moeder om mee te gaan niet heb geaccepteerd. Voor het eerst naar de verloskundige. Misschien heb ik de mijlpaal een beetje onderschat. Maar het is al over een halfuur en mijn moeder kan nu niet meer komen.

'Tja...' zeg ik. 'Heb je tijd?'

'Het is niet dat ik nou zo veel te doen heb', zegt Liz een beetje bitter. Twee dagen geleden heeft Onno de zaak gesloten en we zijn er allebei bepaald nog niet overheen.

'Waar is het?' informeert Liz.

De verloskundigenpraktijk die Judy me na het raadplegen van mensen die ze kent heeft aangeraden, is twee straten bij me vandaan. Vijfentwintig minuten later sta ik voor de deur. Liz komt aangefietst, ze is naar de kapper geweest en haar toch al korte haar is nu hooguit een centimeter lang. Vroeger had ze lang haar, heeft ze me verteld. En daar werd ze stapelgek van. Voor Liz nooit meer iets anders dan zo'n kort koppie, en ik geef haar gelijk omdat ze een van de weinige vrouwen is bij wie dat heel mooi staat.

We gaan naar binnen en nemen plaats in de wachtkamer. Om ons heen zie ik de ene bolle buik na de andere binnenkomen en weggaan. Vrouwen die stralen van geluk, of die eruit zien alsof ze elk moment kunnen neervallen. Buiken die uit elkaar lijken te knappen. Ik zie Liz' blik naar een vrouw gaan die een buik heeft waarmee ze niet zijwaarts door de deur zou passen. We hebben allebei dezelfde blik van afschuw op ons gezicht. Ga ik er straks ook zo uitzien?

'Tweeling', verklaart de vrouw als ze gaat zitten naast een andere, hoogzwangere dame met een vragende blik. 'Ik moet eigenlijk naar de gynaecoloog, maar soms kom ik hier nog even langs omdat de verloskundige zo'n schat is. Maar nee, ik loop al weken bij de gyn. Het begon ermee dat...'

Ze begint een heel verhaal waarin haar complete medische dossier voorbijkomt. Ik probeer niet te luisteren, ik zit niet te wachten op een gedetailleerde beschrijving van elke mogelijke zwangerschapscomplicatie. Ik vind de zwangerschap op zich al opwindend genoeg, laat staan dat ik wil weten welke risico's en ellende er allemaal bij kunnen komen kijken.

Even later zitten we in de spreekkamer van de verloskundige, Ellen. Ze heeft een blaadje voor zich liggen met mijn naam, adres en geboortedatum erop en wil de rest van de gegevens invullen.

'De eh...' Ze kijkt naar Liz en dan naar mij. 'Tja, de vader?'

Ik kijk naar mijn handen. 'Die is overleden', zeg ik, en ik slik.

'Oh, het spijt me', zegt Ellen. Ze vult iets in op het blaadje, terwijl ik bedenk dat het eigenlijk raar is dat mensen dat altijd zeggen. Het spijt me. Alsof zij er iets aan kan doen, ze kende Maarten niet eens. Wat spijt haar dan eigenlijk? Het is gewoon een stomme opmerking en ik heb zin om die verloskundige eens even de waarheid te zeggen, maar ik houd me in. Want uiteindelijk kan zij er ook niet zo veel aan doen. Maar het zou wel opluchten.

Ellen kijkt op. 'Wat erg voor je. Wat is er gebeurd?'

'Hij is verongelukt.'

'Hoe lang is dat geleden?'

'Vier maanden.'

'Dus je bent al wat verder in je zwangerschap?'

'Ja, maar ik weet het nog maar net.'

'Oké', zegt Ellen langgerekt. 'Wat is de datum van je laatste menstruatie?'

Ik noem een moment, een week of twee voor Maartens dood. Zeker weet ik het niet meer, maar het moet rond die tijd zijn geweest. Ellen vult het in op haar papiertje.

'En heb je in de tussentijd gerookt of alcohol gedronken?'
'Eh... ja', moet ik toegeven. 'Niet gerookt, wel alcohol.'

Weer een aantekening. Ellen heeft nog een hele serie vragen voor me in petto, die ik zo goed mogelijk probeer te beantwoorden. Liz houdt de hele tijd haar mond dicht, maar toch ben ik blij dat ze er is. Ze had gelijk, dit is niet iets om alleen te doen.

Uiteindelijk heeft Ellen blijkbaar al haar informatie binnen en vraagt ze me om op een soort bank te gaan liggen. 'Ik ga een echo maken om te zien hoe ver je al bent', legt ze uit. 'En dan kan ik ook zeggen wanneer je bent uitgerekend.'

Ik ga liggen. Ellen schuift mijn shirt omhoog en spuit gel op mijn buik. Daarna zet ze er een apparaatje op en wekt met een druk op de knop het scherm voor haar tot leven. Liz buigt voorover en kijkt met open mond naar het beeld. 'Ik zie helemaal niets', zegt ze. 'Een heel slechte zwart-witfoto, daar lijkt het nog het meest op.'

'Dat komt omdat ik de baby nog niet in beeld heb', lacht Ellen. 'Wacht even.'

Ze laat het apparaatje over mijn buik glijden, wat een raar, kietelig gevoel geeft. 'Ah, kijk. Daar hebben hem. Of haar, natuurlijk.'

Ik tuur naar het scherm en zie donkere en lichte vlakken, maar kan met geen mogelijkheid de vorm van een baby onderscheiden.

Ellen wel. 'Hier zit het hoofdje', wijst ze. Een donker vlak. Ik probeer iets van een neus te ontdekken. 'Hij ligt met zijn gezicht omhoog. Hier zit zijn kin, zijn mond, zijn neus.' Ze laat haar vinger over het scherm glijden.

En dan ineens zie ik het. Een heel klein neusje, en een heel groot voorhoofd. Net een grote komma.

'Wauw', zeg ik ademloos. Ik kan bijna niet geloven dat we

kijken naar iets wat ik mijn buik zit. En dat dat iets leeft en groeit en eruitziet als een baby.

'Mooi hè?' zegt Ellen. 'Hier zie je het hartje kloppen.'

Ik kijk gebiologeerd toe. Liz zit bijna met haar neus tegen het scherm. 'Het is een jongen!' roept ze enthousiast uit. 'Ik weet het zeker!'

'Hoe zie je dat dan?' vraagt Ellen geamuseerd.

'Hier.' Liz wijst iets aan op het scherm. 'Duidelijk een jongen, lijkt me.'

'Dat is een vinger', zegt Ellen droog. Ze kijkt naar mij. 'Wil je weten wat het wordt?'

Ik heb daar nog niet eens over nagedacht. 'Kun je dat al zien dan?' vraag ik weifelend.

'Wacht even.' Ellen drukt op wat toetsen en er gebeurt van alles in het beeld. 'Te oordelen naar de grootte van je baby ben je negentien weken zwanger', zegt ze dan. 'In principe kunnen we bij twintig weken het geslacht bepalen, maar ik kan het natuurlijk wel proberen. Als je het wilt weten, tenminste.'

Ik kijk Liz aan. 'Zal ik dat doen?'

Liz, die normaal gesproken over bijna alles een uitgesproken mening heeft, aarzelt. 'Je moet het alleen doen als je het zelf echt wilt', zegt ze. 'Als je het eenmaal weet, kun je niet meer terug. Dan is de verrassing eraf.'

Daar denk ik even over na. Vind ik dat erg? Is de baby op zich niet al verrassend genoeg?

'Denk er maar even over na', zegt Ellen. 'Ik ga eerst wel even de uitgerekende datum bepalen.'

Starend naar het scherm bedenk ik wat Maarten gezegd zou hebben. Dat is lastig, want over dit soort dingen hebben we het nog nooit gehad. Deze materie was voor later, waarom zouden we voor er überhaupt sprake was van een zwangerschap al bedacht hebben of we halverwege die zwangerschap wilden weten of ons kind een jongen of een meisje zou worden?

Maarten hield wel van verrassingen, maar vooral in de categorie onverwacht avondje weg of romantisch verrassingsdinertje voor twee. Misschien is het geslacht van de baby meer te vergelijken met een lastminutevakantie. Je weet dat je op vakantie gaat en wanneer, maar nog niet waarheen.

Maarten had een grondige hekel aan lastminutes. Liever bepaalde hij een jaar van tevoren waar we heen gingen.

'Ik wil het weten', zeg ik vastbesloten.

Liz kijkt me verwonderd aan. 'Weet je het zeker?'

'Ja. De baby zelf is al een grote verrassing en bovendien hield Maarten niet van lastminutevakanties.'

Liz knikt alsof ze het helemaal begrijpt. 'Cool', zegt ze. 'Ik ben eigenlijk ook wel heel erg benieuwd.'

'Oké, dan ga ik kijken.' Ellen beweegt het apparaat over mijn buik en tuurt naar het scherm. Ik probeer mee te kijken, maar ik ben het zicht op de baby alweer kwijt. Als ik denk een handje te zien, verandert dat het volgende moment in een buik en dan in gewoon een zwarte vlek zonder vorm of betekenis.

'Ik zie het', zegt Ellen. Ze klinkt zelf opgetogen. 'Het is een meisje.'

'Wauw', zucht Liz.

Ik knipper alleen maar. 'Echt?' vraag ik uiteindelijk. 'Echt een meisje?'

'Ja, echt een meisje', zegt Ellen. 'En je kunt haar rond 6 juni verwachten.'

6 juni, precies een maand voor Maartens verjaardag.

Maarten.

Maartje.

H1

'ALS HIJ GEWETEN HAD DAT HIJ VADER WERD, ZOU HIJ VAST niet verongelukt zijn', zeg ik.

Judy kijkt me met opgetrokken wenkbrauwen aan. 'Hoezo?'

'Omdat hij dan voorzichtiger zou hebben gedaan.'

'Kwam het ongeluk dan door onvoorzichtigheid?'

Ik neem een slok van mijn cola light en denk na. 'Niet direct', zeg ik dan. 'Maar als hij langzamer had gereden, was hij die trekker op een ander punt tegengekomen en dan had hij wel gewoon kunnen passeren.'

'Waarom zou hij langzamer hebben gereden als hij had geweten dat je zwanger was?'

'Omdat hij misschien later weg was gegaan. Misschien had hij nog iets gezegd over de baby, of hadden we een andere gesprek gehad waardoor hij later was vertrokken.'

'Ja', zegt Judy. 'Of niet. Je kunt jezelf gek maken hiermee, maar het heeft geen zin.'

Ze heeft heus wel gelijk, maar toch lukt het me niet om mijn gedachten stil te zetten. Het is maandag, ik weet precies een week dat ik zwanger ben. Judy blijft me maar verwennen met fruit en lekkere sapjes en wil geen nee horen. Ze heeft aangeboden de huur tijdelijk te verlagen, zodat ik niet de stress heb van het vinden van nieuw werk, maar dat wil ik niet. Ik wil geen misbruik maken van Judy's goedheid.

Maar aan de andere kant, als ik eraan denk een nieuwe baan te moeten zoeken, heb ik het gevoel dat ik een muur van zes kilometer hoog over moet.

'Nog een beetje?' vraagt Judy. Ze wacht niet op het antwoord, maar pakt een nieuw blikje cola uit de koelkast en zet het voor me neer.

'Dank je wel.' Ik maak het blikje open. Judy heeft zich de afgelopen dagen opgeworpen als de moeder die ik wel heb, maar die ver weg woont. En die best vaak belt, maar altijd om meer of minder subtiel duidelijk te maken dat het toch wel erg gewaardeerd zou worden als ik met kind en al terug zou verhuizen.

'Je bent echt te goed voor me', zeg ik in een opwelling. 'Het enige wat ik doe is tegen je aan leuteren over mezelf. Ik vraag niet eens hoe het met jou gaat.'

Judy schiet in de lach. 'Doe even normaal. Ik maak heel wat minder mee dan jij, hoor. Het gaat prima met me. Zo, nu weer over jou.' Ze krijgt een serieuze blik in haar ogen en houdt haar hoofd schuin als ze me aankijkt. 'Hoe gaat het nu echt met je, Daphne?'

Ik schiet ineens in een soort kramp. Ik wil zeggen dat het goed gaat, maar Judy weet te goed wat ik meemaak om dat te geloven. En als ik dan het eerlijke antwoord moet geven, dan weet ik het niet. Ik voel mijn lip trillen en bijt erop om het tegen te gaan, maar daarmee kan ik niet verhinderen dat er tranen over mijn wangen druppen.

Judy schuift haar stoel naar de mijne toe en slaat haar arm om me heen. 'Huil maar', zegt ze zacht. 'Het is oké. Natuurlijk mag je huilen om deze grote mess.'

Ik huil een tijdje tegen haar schouder, tot die nat is en mijn gezicht warm en klam aanvoelt. Dan staat Judy op en geeft me een tissue. 'Dank je wel', zeg ik met een waterig glimlachje. 'Sorry daarvoor.'

Judy kijkt me streng aan. 'Ik wil niet dat je daar sorry voor zegt. Je hebt het volste recht om te huilen, al doe je het de hele dag. It sucks big time! Eerst gaat je man dood, en dan moet je er ook nog eens mee dealen dat je in je eentje een kind krijgt. Wat je op zichzelf heel leuk moet vinden, want het is een deel van Maarten dat bij je blijft, maar uiteindelijk ben je straks wel een moeder die het in haar eentje moet doen.'

Ik staar haar aan. In twee zinnen omschrijft ze precies mijn gevoel.

'Ik weet wat je doormaakt, lieverd', zegt ze, als ik dat uit-spreek. 'Toen Harry doodging, was het precies hetzelfde. Nou ja, Daniël was er toen al, maar mensen zeiden tegen me dat het toch wel erg fijn was dat ik in elk geval Harry's kind nog had. Terwijl ik hem het liefst voor adoptie opgegeven zou hebben om te zorgen dat hij in elk geval met een moeder én een vader zou opgroeien. Niet voor mezelf, natuurlijk, maar voor hem. Het idee dat hij zijn vader nooit echt zou leren kennen vond ik onverdraaglijk.'

Ik knik. 'Dat is precies wat ik voel. Mijn kind zal nooit haar vader kennen, en dat terwijl ze zo'n geweldige vader heeft. Of had. Of hoe je dat nu ook moet noemen.'

'Heeft', zegt Judy gedecideerd. 'Hij is er niet meer, maar hij zal altijd haar vader blijven.'

'Wat heeft ze eraan als ze hem niet zal meemaken?' vraag ik. Ik voel alweer een nieuw brok in mijn keel, maar ik slik het weg. Desondanks glijden er een paar tranen over mijn wangen. 'En dan heeft ze een moeder die alleen maar loopt te huilen en bovendien geen idee heeft hoe ze een kind moet opvoeden. Ik kán het gewoon niet in mijn eentje.'

Judy put zich niet uit in ontkenningen, maar knikt rustig. Ik kan nu niet langer slikken, ik begin weer te huilen. Als ik weer een beetje op adem ben gekomen zeg ik: 'Wat doe ik mijn kind aan?'

Er valt een stilte na mijn vraag. Judy vult hem niet op. Pas na een paar minuten waarin we allebei nadenken zegt ze: 'Ik begrijp zo goed hoe je je voelt. En ik weet ook dat je je hier nu nog niets bij kunt voorstellen, maar echt, neem het aan van iemand die het helaas weten kan: je komt hier doorheen. Er komt een moment dat je gaat voelen dat je het in je eentje kunt. En dat je een manier zult vinden om de herinnering aan Maarten voor altijd levend te houden. Voor jezelf, maar vooral voor je dochter. Ze zal weten hoe geweldig hij was, en dat zal ze van jou horen. Ze zal van hem houden, net zoveel als hij van haar zou hebben gehouden als hij er nog was geweest. En daar ga jij voor zorgen, Daphne. Dat kun je, en dat doe je.' Ze knijpt even in mijn hand. 'Ook al verklaar je me nu voor gek en ben je ervan overtuigd dat er nooit een moment zal komen dat je je realiseert dat je het kunt. Ik weet het, ik heb op hetzelfde punt gestaan en werd boos als mensen dit tegen me zeiden. Dus als je boos op me wilt worden, ga gerust je gang.'

Ondanks alles moet ik glimlachen. Judy is zo lief voor me, hoe kan ik nou boos op haar worden? Ik vind het knap van haar dat zij op het punt terecht is gekomen dat ze blijkbaar besefte dat ze het best in haar eentje kon. Echt heel knap. Ik weet zeker dat ík daar simpelweg niet sterk genoeg voor ben.

Ik wil het onderwerp afsluiten en zeg bij wijze van grapje: 'Nu weet ik nog steeds niet hoe het met jou is.'

'Ik verbied je om die vraag nog langer te stellen', grinnikt Judy. 'Laten we afspreken dat het met mij gewoon goed gaat en dat je de eerste bent die het hoort als daar verandering in komt.'

Maar daar ben ik het niet mee eens. 'Ik wil niet zo'n egoïstische zeur worden, die het alleen maar over haar eigen sores heeft. Ik waardeer het ontzettend dat je zo lief voor me bent en ik wil iets terug doen voor je.' Er komt een plan in me op. 'Weet je wat, laat me vanavond voor je koken.'

'Dat is toch nergens voor nodig', zegt Judy.

'Nee, serieus. Ik vind het leuk om te koken, en ik heb het al heel lang niet meer gedaan. Niet meer echt, in elk geval. Ik heb er echt zin in.' Tot mijn eigen verbazing merk ik dat het waar is. Het is tijden geleden dat ik voor het laatst een maaltijd op tafel heb gezet waar ik echt tijd in heb gestoken, en waar ik echt zin in had. Volgens Ellen is de zwangerschapsmisselijkheid die ik in de eerste maanden voelde, maar niet als zodanig herkende, nu hoogstwaarschijnlijk wel van de baan en daar heeft ze gelijk in. Bovendien vind ik het leuk om weer eens mooie dingen te kopen, in de keuken te staan en mensen te zien genieten van wat ik heb gemaakt. Ik weet dat Judy het kan waarderen, niet voor niets staat ze zelf graag in de keuken.

'Nou, in dat geval: leuk', zegt ze opgetogen. 'Maar vanavond heb ik een vriendin over de vloer.'

'Heb je alles al in huis?'

'Nee, ik moet nog boodschappen doen.

'Mooi, dan kook ik voor jullie allebei. Is ze vegetariër?'

Judy lijkt het wel vermakelijk te vinden. 'Nee, ze eet alles. Maar je moet niet te veel moeite doen, hoor, want...'

'Laat je verrassen', onderbreek ik haar. Ik klok mijn cola achterover en sta op. 'Half zeven aan tafel?'

'Prima', lacht Judy. 'See you later. En ik regel de wijn!'

Ik haast me naar boven. Het is half twee, ik heb vijf uur om boodschappen te doen en een maaltijd in elkaar te draaien. Ik heb mijn kookboeken niet eens ingeruimd, maar vind ze in een van de drie onuitgepakte dozen in het werkkamertje.

'Donna Hay', zeg ik zacht. 'Perfect.'

Ik blader door een van Hays kookboeken, waar ik al veel succesrecepten uit heb gehaald. Judy heeft een ingebouwde grillplaat, was me al eens opgevallen. Zo'n ding neem je niet voor niets, dat doe je alleen als je zelfs in de winter eigenlijk het liefst zou willen barbecuen. Daar moet ik iets mee doen. Gelukkig grossiert Donna in de grill-gerechten. Ik kies voor T-bone steaks met porcinizout. Deels omdat het lekker is, en deels omdat ik er niet al te veel aan kan verpesten. Snel draai ik een boodschappenlijstje in elkaar. Ik google op een goede slager en vind er eentje twee straten verderop. Die kan mij vast helpen aan drie mooie T-bones. Ik moet terug naar de groentejuwelier voor de porcini en salade en een paar grote aardappels waar ik frites van ga maken. Hopelijk heeft Judy een frituurpan en anders bak ik ze wel in de koekenpan.

Ik trek mijn jas aan, stop het boodschappenlijstje in mijn zak en loop de trap af.

'En nu is ze zwanger en ontslagen', zegt Judy, en ze neemt nog een slok wijn.

Om mezelf een houding te geven, nip ik van mijn water. Judy heeft net een paar zinnen mijn levensverhaal uit de doeken gedaan tegenover Anneke, haar vriendin. Zo achter elkaar klinkt het allemaal niet echt rooskleurig.

Anneke kijkt me vol medelijden aan. 'Wat erg, zeg. Zo jong en dan al weduwe. Wist je man dat je zwanger was?'

Ik schud mijn hoofd. 'Nee, ik weet het zelf nog maar net, ook al ben ik al bijna twintig weken.'

'Huh?' Anneke kijkt me vol ongeloof aan. 'Heb je helemaal niets gemerkt? Ik wist het bij mijn zwangerschappen alle vier de keren vanaf de eerste dag.'

'Tja...' Ik haal mijn schouders op. 'Achteraf gezien ben ik weleens misselijk geweest of heb ik weleens een pijntje gehad, maar ja, ik heb er geen moment bij stilgestaan dat het een zwangerschap zou kunnen zijn. Ik had andere dingen aan mijn hoofd.'

'Ja, natuurlijk', zegt Anneke. 'Dat begrijp ik.'

'Annekes man is ook overleden', zegt Judy. 'We kennen elkaar van het rouwverwerkingsgroepje.'

Ik kijk haar onderzoekend aan om te zien of ze een grapje maakt, maar ze lijkt bloedserieus. Op een of andere manier had ik Judy niet ingeschat als het type dat naar een rouwverwerkingsgroepje zou gaan.

'Grapje', grijnst ze na een paar seconden. 'Haar jongste was bevriend met Daniël. Die twee spreken elkaar al jaren niet meer, maar Anneke en ik zijn altijd vriendinnen gebleven. Haar man is trouwens wel echt overleden.'

Ik neem de laatste slok van mijn water. Het is half zes, ik moet echt iets gaan doen. 'Ik ga aan de slag, anders krijg ik het eten niet om half zeven op tafel.'

Terwijl Judy en Anneke het over hun kinderen hebben, haal ik alles uit de koelkast wat ik vanmiddag heb gekocht. Met een tevreden gezicht stal ik de T-bones uit op het aanrecht, naast het zeezout van de delicatessenwinkel dat een rib uit mijn lijf kostte, maar wel smaakt zoals zeezout hoort te smaken. Uit een papieren zakje schud ik de porcini. Ik denk dat je bij de groenteman in het dorp van mijn ouders ook best eekhoorntjesbrood zou kunnen krijgen, als je het op tijd bestelt en geduld hebt als het een keer, of twee keer, niet op het gewenste moment wordt geleverd. Althans, zo ging het wel met de morilles die ik er ooit bestelde. Maar hier in Amsterdam-Zuid loop je gewoon de groenteman binnen, en twee minuten later sta je buiten met een zakje paddenstoelen in je hand. Het kost wat, maar goed. Ik begin Amsterdam steeds leuker te vinden.

Een halfuurtje later staat het eten op tafel. 'Dit is goddelijk.' Anneke legt haar mes en vork aan weerszijden van haar bord en kijkt me bijna bewonderend aan. 'Ik weet niet hoe je dit hebt gemaakt, maar jij hebt echt talent.'

'Nou ja, talent...' lach ik. 'Dat valt ook wel weer mee.'

Maar Judy valt haar vriendin bij. 'Nee echt, Anneke heeft gelijk. Je hebt talent. En volgens mij vind je het ook leuk om te koken, of heb ik het verkeerd gezien?'

'Ja,' zeg ik, 'ik houd inderdaad wel van koken.'

'Ga er wat mee doen!' roept Judy uit. 'Je moet niet in de bediening staan, jij hoort in de keuken thuis.'

'Sta je in de bediening?' vraagt Anneke verwonderd. 'Waar?'

'Nu even nergens. Ik werkte bij Brasserie Dijckhuys, maar die is net gesloten.'

'Ben je op zoek naar iets anders?' vraagt Anneke, die haar bestek weer oppakt, nog wat porcinizout over haar T-bone strooit en verder eet. Ik volg haar voorbeeld.

Judy kijkt me aan. 'Ik meen het wel, Daphne. Ik zou niet langer in de bediening gaan werken als ik jou was. Waarom zou je niet kiezen voor de keuken? Je vindt het leuk en je hebt er echt aanleg voor.'

'Maar daar moet je toch een opleiding voor hebben?'

Judy schudt enthousiast haar hoofd. 'Welnee. Als je chef-kok wilt worden, misschien, maar ze nemen ook wel mensen zonder koksopleiding aan. Waarom schrijf je niet eens wat brieven naar restaurantjes in de buurt?'

Ik knik langzaam. 'Ja. Misschien moet ik dat doen. De keuken trekt me inderdaad meer dan de bediening.'

'Doe je gasten een lol', zegt Anneke met volle mond. 'En ga die verdomde keuken in, want dit is echt heel lekker.'

Ik kijk naar haar en in mijn hoofd begint een gedachte te rijpen, die me heel erg aan staat. Waarom zou ik het niet doen? Ik houd van koken. Ik kan mijn werk ervan maken. Oké, ik heb geen opleiding, maar ik kan het vak toch op de werkvloer leren? Ik hoef heus niet meteen de chef te worden. In mijn hoofd ontspint zich al een sollicitatiebrief. Mijn hart maakt een sprongetje. Ik heb zowaar zin om die brief te schrijven.

Na het eten maakt Judy drie verse muntthee klaar. Ik bied aan het voor haar te doen, maar ze wil er niets van weten. 'Jij hebt genoeg gedaan', zegt ze streng. 'Zwangere vrouwen moeten ook hun rust pakken.'

'Je ziet het al best wel', zegt Anneke met een blik op mijn buik. 'Misschien niet zo veel als gebruikelijk bij twintig weken, maar je hebt al echt een mooi bolletje.'

Ik kijk naar mijn eigen buik. Gek genoeg lijkt het wel alsof die er met de minuut zwangerder uit gaat zien sinds ik vrijdag bij Ellen ben geweest. Ik vertelde haar na de echo dat ik me zorgen maakte dat het totale gebrek aan een eetpatroon en de grote hoeveelheden drank de baby ontzettend veel schade hadden toegebracht. Hoewel ze mijn levensstijl van de laatste tijd niet echt toejuichte, wist ze genoeg verhalen te vertellen van baby's die op dezelfde manier helemaal gezond ter wereld waren gekomen. Sommige een beetje, of een beetje veel, aan de lichte kant, maar sommige ook blakend van gezondheid. Ellen heeft het drie keer nagemeten, maar de baby in mijn buik groeit als een dolle en loopt helemaal op schema. Vanmorgen wilde mijn spijkerbroek al bijna niet meer dicht, ik denk dat ik volgende week maar eens andere kleren moet gaan kopen.

Judy zet de thee voor me neer. 'Trouwens, over een maand kan ik je eindelijk aan Daniël voorstellen. Hij mailde vanochtend dat hij in Nederland moet zijn voor een congres. Ik weet zeker dat jullie elkaar mogen.'

'Ik ben benieuwd naar hem.'

'Misschien kan hij wel iets voor je betekenen', zegt Anneke. 'Hij werkt immers in de horeca. Wie weet kan hij een baan voor je regelen.'

Ik betwijfel of Daniël-met-de-topfunctie – die hij, als ik Judy mag geloven, heeft – iets kan regelen voor een simpele, beginnende kok zonder noemenswaardige ervaring, maar toch knik ik. 'Wie weet. In de tussentijd ga ik maar eens wat sollicitatiebrieven schrijven.'

Later die avond, als ik weer in mijn eigen appartement ben en mijn plan om meer rust te pakken is mislukt omdat ik niet kan slapen, klap ik mijn laptop open. Ik ga naar google en zoek op "vacatures kok Amsterdam". Ik krijg een heel overzicht van voornamelijk uitzendbureaus en vacaturesites en klik hier en daar wat aan. Chef-koks blijken erg in trek, net als zelfstandig werkende koks. Met mijn staat van dienst kom ik voor beide niet in aanmerking.

Toch typ ik een sollicitatiebrief, die ik per vacature een klein beetje aanpas. Bovendien zet ik een cv in elkaar. Ik probeer mijn ervaring achter de receptie op te kloppen tot 'front office manager' maar het blijft natuurlijk best mager. Vooral omdat ik keukenervaring zou moeten hebben.

Zal ik er anders gewoon opzetten dat ik die ervaring heb? Zouden ze het checken?

Misschien beter van niet. Straks willen ze een referentie bellen. Ik kijk mijn cv nog één keer na en begin dan met het versturen van e-mails. Negen in totaal.

Net als de laatste mail is verstuurd, gaat mijn telefoon. Mijn moeder.

'Hai mama.'

'Dag lieverd. Hoe gaat het? Hoe voel je je?'

Dat laatste is iets nieuws dat mijn moeder vraagt sinds ze weet dat ik zwanger ben. Ik weet niet zo goed wat ik moet antwoorden. Eigenlijk voel ik me niet anders dan eerst, maar dat komt natuurlijk doordat ik al maanden zwanger ben.

'Prima, hoe is het met jou?'

'Goed. Heb je er nog over nagedacht?'

Even weet ik niet waar ze het over heeft, maar dan herinner ik me weer dat ze heeft gevraagd of ik terug zal verhuizen naar het dorp. Of nee, ze heeft meer gezegd dat ze daar eigenlijk vanuit gaat.

'Nee, ik heb er niet over nagedacht', zeg ik. 'Ik ben het namelijk niet van plan.'

'Maar lieverd...'

'Nee mam, echt niet.'

Eigenlijk ben ik er zelf ook verbaasd over dat ik in de verste verte niet de behoefte voel om terug te verhuizen naar mijn geboortedorp, en naar mijn en Maartens familie. Een baby brengt je dichter bij je familie, hoor je altijd. En vooral dichter bij je moeder. Maar ik heb nog geen seconde het gevoel gehad dat ik beter af ben binnen een straal van honderd meter van mijn ouders. Dichterbij, maar net zo alleen.

'Het is toch juist fijn dat je iedereen dan in de buurt hebt?' dringt mijn moeder aan. 'We kunnen allemaal helpen met de baby. Het is zwaar om het allemaal helemaal alleen te moeten doen, Daph.'

'Ik heb hier genoeg mensen die me kunnen helpen. Judy, Liz, ze staan allebei voor me klaar.'

'Maar dat is toch niet hetzelfde?'

Ik zucht. 'Dat is niet hetzelfde als Maarten, nee, maar waar ik ook heen verhuis, hem krijg ik niet meer terug.'

'Daphne...'

'Ja, wat nou "Daphne"?' Ik voel hoe woede langzaam door me heen kruipt. 'Dat is toch zo?'

Mijn moeders stem begint een beetje beverig te klinken. 'Ja, dat is zo, maar wij zijn je familie. Judy en Liz ken je nog maar net.'

Ik bijt hard op mijn onderlip omdat ik niet wil huilen. 'Het antwoord is nee, mam. Ik verhuis niet terug. Al die herinneringen, ik kan dat niet aan. En bovendien zou ik alleen maar denken aan hoe het had kunnen zijn.'

Even zegt mijn moeder niets. Dan klinkt haar stem weer. 'We hebben het er nog wel over.'

'Ja', antwoord ik, hoewel ik nee bedoel. En dan valt er een stilte.

Het is mijn moeder die hem opvult. 'Wat zei Tilly eigenlijk?'

'Ze huilde.'

Misschien had ik bij haar langs moeten gaan in plaats van het telefonisch te vertellen, al weet ik niet of dat veel verschil had gemaakt. Ik realiseer me dat Tilly en Henk vanaf nu niet alleen meer Maartens ouders zijn, ze zullen ook de grootouders van mijn kind zijn. En dat plaatst ze toch in een ander daglicht dan het licht van 'vriendelijke mensen, maar ik hoef niet zoveel met ze', waarin ze tot nu toe hebben gestaan. Tilly heeft het niet gehad over verhuizen, maar ik vrees dat ze dat nog wel gaat doen. Maar daar ben ik snel klaar mee. Uiteindelijk waren zij en Henk het die me verzochten te vertrekken.

'Voor haar zal het ook wel moeilijk zijn', zegt mijn moeder nadenkend. 'Het kind van haar overleden zoon.'

'Ja.' Bij doodgaan hoort een hele serie open deuren, die verschillende mensen graag meerdere keren intrappen, waarschijnlijk omdat ze niet weten wat ze anders moeten.

'Maar goed', zeg ik. 'Waar belde je voor?'

12

'NIETS.' IK SCHUD MOEDELOOS MIJN HOOFD. 'DE NEGENDE AF-
wijzing is binnen.'

'Hoeveel brieven had je gestuurd?'

'Negen.'

'Oh.' Judy bijt op haar onderlip. 'Dat is balen. Maar je kunt
toch nog meer brieven sturen? Misschien moet je reageren op
vacatures voor keukenhulp.'

'Dit waren de vacatures voor keukenhulp.'

'Klop aan bij restaurants!'

Soms vraag ik me af waar Judy met haar drieënzestig jaar
toch al die energie vandaan haalt. Nu springt ze bijna overeind van enthousiasme. Zelf heb ik de hoop een beetje verloren. Niet alleen heb ik in drie weken tijd de negen afwijzings-
brieven gekregen, bovendien heb ik bij elk restaurant waar ik
binnen ben gelopen te horen gekregen dat er genoeg gediplo-
meerd keukenpersoneel voorhanden is en dat ik te oud ben om

als keukenhulp te werken. Ik denk dat ze met 'te oud' te duur bedoelen.

'Ik weet zeker dat je iets vindt', zegt Judy. 'Ik heb Daniël al gevraagd en hij zal voor je rondvragen als hij volgende week in Nederland is.'

Ik knik plichtmatig, maar verwacht daar nog minder van dan van mijn sollicitaties. Hoe kan iemand die al een hele tijd in Amerika woont nou precies de contacten in Amsterdam hebben die nodig zijn om mij aan een baan te helpen?

'Iets anders.' Judy is weer gaan zitten en trommelt met haar vingers op tafel. 'Ik krijg morgen twee vriendinnen te eten en na jouw succesrecept van de vorige keer hoopte ik dat je tijd hebt om me te helpen met koken.'

'Natuurlijk.' Ik ben blij dat Judy me om een gunst vraagt, zodat ik iets terug kan doen voor haar enorme gastvrijheid. 'Zeg maar wat je wilt maken.'

Judy werpt een peinzende blik op de rij kookboeken op de plank boven het aanrecht. 'Dat weet ik eigenlijk nog niet. Een van de twee is vegetariër. Ik vind het altijd lastig om iets leuks met groenten te maken.'

'Eet ze wel vis?'

'Lust ze niet. Ze eet wel eieren, maar daar kun je ook niet echt iets mee.'

'Natuurlijk wel. Een salade met kwartelei, bijvoorbeeld. Het is alleen niet echt de tijd van het jaar voor kwarteleieren, maar een gewoon kippenei kan ook lekker zijn. De truc is om het niet te hard te koken, wat veel mensen wel doen als het voor in de salade is. Je kunt trouwens best veel met groenten. Ik heb ooit een kookboek voor vegetariërs gekocht, omdat een vriendin van mij in die tijd geen vlees at. Later wel weer, maar ik heb het kookboek nog vaak gebruikt. Het staat in mijn boekenkast.'

Judy kijkt verrukt. 'Wil jij dan een lekker vegetarisch recept uitzoeken?'

'Zal ik anders het hele menu regelen?' bied ik enthousiast aan. 'Dan zorg ik dat het vegetarische menu en de rest op elkaar aangepast zijn. Ik heb een heel lekker idee in mijn hoofd voor een groentetaartje, dat het ook goed doet bij een braadstuk.' Het water loopt me al in de mond bij het idee, maar dan realiseer ik me ineens dat het wel Judy's etentje is. 'Sorry, ik neem je hele etentje over. Je vindt het natuurlijk veel leuker om zelf het menu te kiezen. Ik beperk me wel tot het vegetarische gedeelte.'

'Ben je gek! Ik vind het juist ideaal als jij alles voor je rekening neemt. Als ik één ding heb gemerkt is het dat jouw kookkunst een regelrecht succes is. Anneke is still full of it.'

Ik glimlach. Judy kan behoorlijk overdrijven, maar ik geloof wel dat ze het deze keer meent. Het was ook wel erg lekker, moet ik zelf toegeven.

'Oké, ik ga voor je aan de slag.'

'Bewaar de bonnetjes', zegt Judy op een eisende toon. 'Ik wil niet hebben dat je alles betaalt, net als de vorige keer.'

Ik weet dat ik haar beledig als ik nu nee zeg, en eigenlijk voel ik er zelf ook niet zo veel voor om weer het hele menu voor mijn rekening te nemen. Nu ik geen inkomen meer heb, gaat het geld dat ik van de verzekering heb gekregen er rapper doorheen dan goed voor me is. Ik kan een WW-uitkering krijgen, maar met mijn diensttijd is die uitkering maar heel kort. Ik moet echt weer werk zien te vinden, maar wie neemt er een zwangere kok of serveerster aan?

Boven zet ik dit soort gedachtes resoluut van me af. Als het echt niet meer gaat, kan ik altijd op mijn ouders terugvallen, al is dat het laatste wat ik wil en zal ik me dan waarschijnlijk verplicht voelen om zo'n beetje naast ze te gaan wonen. Maar goed, het is een plan B en dat geeft me een heel klein beetje rust.

Ik haal het vegetarische kookboek uit de kast en vind het recept voor het groentetaartje dat ik zocht. Ik trek een schrijfblok naar me toe en begin een boodschappenlijstje te maken. Het is bijna vier uur en ik dub of ik vandaag alles in huis zal halen of morgen. Ik heb zin om naar de verschillende winkels in de buurt te gaan en de lekkerste ingrediënten uit te zoeken, maar toch bewaar ik dit klusje liever tot morgen. Dan heb ik meer tijd en het geeft me een reden om 's ochtends uit bed te komen.

Terwijl ik dat denk, roep ik mezelf tot de orde. Niet zo dramatisch doen. Het kost me inderdaad vaak moeite om op te staan en de dagen dat ik er tegenwoordig voor tienen uit ben, zijn op de vingers van één hand te tellen. Maar dat wijt ik aan de zwangerschap. Ik heb op internet gelezen dat het veel zwangere vrouwen moeite kost om 's ochtends op te staan. Die zijn dan wel bijna negen maanden zwanger, maar toch. Het gevoel is anders. Eerst kwam ik niet uit bed omdat ik simpelweg niet wist wat het nut was van weer een nieuwe dag. Daarna moest ik wel opstaan omdat ik moest werken. En nu merk ik dat ik wel wil opstaan, maar dat mijn lichaam het gewoon veel lekkerder vindt om nog even te blijven liggen. Ik denk dat dat een vooruitgang is ten opzichte van hoe het eerst ging. Liz riep van de week dat het een goed idee is om nu veel te slapen, aangezien er straks – als de baby er is – nog genoeg gebroken nachten komen. Geen idee of je wel vooruit kunt slapen, maar ik vind het een plausibel excuus om net even wat langer te blijven liggen.

Ik schuif de boodschappenlijst aan de kant en pak een ander kookboek. Ik heb Judy een braadstuk beloofd. Misschien kan ik bij de slager een mooi stuk rib-eye krijgen voor een enigszins redelijke prijs. Als ik dat combineer met sjalotten-portsaus en roseval, heb ik een heel behoorlijke maaltijd die past bij de tijd van het jaar. Of in elk geval bij het weer. Het mag dan wel begin maart zijn, van enige temperatuurverhoging is nauwelijks sprake. Ook vandaag is het weer net boven het vriespunt. Ik ben de winter ontzettend zat aan het worden. Ik verlang naar tuinstoelen om uren op te zitten, de zon die me verwarmt en de kou verdrijft die ik al maanden lijk te voelen. Ik wil bruin worden en barbecuen in de tuin.

Met een schok besef ik dat ik, tegen de tijd dat de terrassen propvol zitten en Nederland massaal de kooltjes van de barbecue opstookt, moeder zal zijn. Het blijft een bizarre gedachte. Ik raak langzamerhand gewend aan mijn groeiende buik, accepteer dat ik geen normale kleren meer aankan en heb Liz' aanbod om dit weekend samen te gaan shoppen met beide handen aangegrepen. Maar het idee dat deze hele operatie uiteindelijk zal resulteren in een klein, roze wurmpje dat volledig van mij afhankelijk zal zijn, is echt nog een stap te ver. Ik kan het me simpelweg niet voorstellen. Stiekem ben ik ervan overtuigd dat ik de eerste vrouw ben die negen maanden lang schijnzwanger is. Ik zet zelfs in op een schijnbevalling, die de artsen versteld doet staan.

Ik sta op en loop naar de slaapkamer. Daar sta ik voor de spiegel, zoals ik tegenwoordig wel vaker doe, alsof ik mezelf op die manier ervan kan overtuigen dat ik echt een zwangere buik heb. Ik schuif mijn blouse een klein stukje omhoog en kijk naar de bovenste knopen van mijn spijkerbroek die niet dicht zitten.

Ik leg mijn hand op mijn bollende buik. In een zwangerschapsboek dat ik van Tilly heb gekregen stond een stukje over striae, striemen in je huid die ontstaan doordat je buik ineens heel hard groeit. Ik heb op internet gezocht en er blijken allerlei, nogal dure, middelen te bestaan die je beloven deze striemen te verjagen. Geen van die middelen gebruik ik en mijn huid ziet er nog prima uit. Het enige wat me opvalt zijn de duidelijk zichtbare aders die er doorheen lopen. Het zal wel zo horen, iets met de doorbloeding ofzo. En mijn navel, die altijd naar binnen gekeerd was, is ineens een knobbel, maar ook dat schijnt normaal te zijn. Over een week moet ik naar Ellen, ik ben benieuwd of ze vindt dat de baby goed groeit.

Ik voel een kriebeltje aan de binnenkant van mijn buik en glimlach onwillekeurig. Het is alsof het mensje in mijn buik me wil vertellen dat het goed met haar gaat. Ondanks alles.

'Zijn dit de enige sjalotten die je hebt?' vraag ik geërgerd. 'Kijk eens hoe klein ze zijn.'

'Ze zijn prima.' De gezette vrouw die achter de toonbank vandaan is gekomen om te kijken waar ik me nou zo druk om maak, klinkt al net zo geïrriteerd. 'In deze tijd van het jaar hebben de sjalotten nou eenmaal dit formaat. Dat heet seizoenen.'

Ze spreekt dat laatste uit alsof ik gek ben, maar ik laat me er niet door van de wijs brengen. Ik heb op een paar minuten fietsen een groenteboer gevonden die een stuk goedkoper is dan de groentejuwelier in de Cornelis Schuytstraat, maar hoewel de vorige keer de kwaliteit prima was, is die deze keer om te huilen. Ik heb broccoli nodig, maar de roosjes vertonen gele plekken en de paar tuinbonen die ze nog hebben, zijn slap en droog. Ik zoek artisjokken, die helemaal niet verkrijgbaar blijken, volgens de vrouw van de winkel ook vanwege "het seizoen", waarbij ze me weer aankijkt alsof ik achterlijk ben.

Zonder gedag te zeggen loop ik de winkel uit.

Ik merk dat ik me erop verheug naar de andere groentewinkel te gaan. Duurder, maar al die mooie producten en de mogelijkheden die die bieden geven me energie en zin om te koken. Als ik binnenkom, begroet de eigenaar me vriendelijk en vraagt wat hij voor me kan doen. Ik glimlach.

Een kwartier later sta ik buiten met een tas vol groenten en een hoofd vol ideeën voor vegetarische gerechten die ik in de toekomst kan maken. Er blijkt zo veel mogelijk met groenten – rauw, blancheren, koken, roerbakken, pureren, grillen, gratineren – en elke bereidingswijze geeft een bepaalde groente weer een heel andere smaak. Simon, zoals de eigenaar blijkt te heten, kan er uren over vertellen. Ik heb hem moeten beloven snel terug te komen om hem te laten weten hoe de groentetaartjes, waarvoor hij me een ander, volgens hem lekkerder recept heeft gegeven, gelukt zijn.

Ik leg de groenten in het krat dat ik onder de snelbinders van mijn fiets heb geklemd en ga op weg naar de slager. Ondanks de frisse wind vind ik het lekker om te fietsen. Eerst deed ik lopend de boodschappen of – als het veel was – met de auto. Maar Amsterdam is de fietsstad bij uitstek en dus heb ik mijn vader laatst gevraagd mijn fiets mee te nemen toen hij en mama langskwamen. Sindsdien heb ik mijn auto niet meer gebruikt.

Anderhalf uur later heb ik alle ingrediënten ingeslagen. Ik leg als laatste een tas van Albert Heijn boven op mijn krat, met wat room, boter en bloem. Vroeger kocht ik bijna alles bij de supermarkt, alleen voor vlees ging ik naar de slager. Maar dat had er vooral mee te maken dat in het dorp slechts een heel klein groentewinkeltje zat, waar mensen alleen kwamen uit sympathie voor de eigeneresse. Ik weet dat mijn moeder in elk geval één keer bij thuiskomst de complete tas met groeten en fruit in de container heeft gegooid om vervolgens naar de supermarkt te gaan.

Maar hier in Amsterdam is voor alles wel een speciaalzaak en de kwaliteit is er zo goed dat het zonde is om vlees, kaas of zelfs eieren bij de supermarkt te kopen. Judy zou me voor gek verklaren als ik het deed.

Thuis zet ik mijn fiets met twee sloten vast en sjor het krat onder de snelbinders vandaan. Judy heeft me zien aankomen en doet snel de voordeur open.

'Zo, lekker ingeslagen.'

Terwijl ik naar de keuken loop, pakt zij al de tas van de slager uit het krat. Nieuwsgierig kijkt ze erin. 'Jemig, het water loopt me nu al in de mond', zegt ze verlekkerd bij de aanblik van de negen centimeter rib-eye, die ik op advies van de slager heb gekocht. Drie centimeter per persoon. Mijn stuk zal ik jammer genoeg goed moeten doorbakken.

'Afblijven', zeg ik streng als ze ook de tas van de groenteboer wil pakken. 'Je ziet vanzelf wat het wordt. Ik wil dat je je laat verrassen.'

Ik jaag Judy haar eigen keuken uit met de mededeling dat ze wijn moet uitzoeken die past bij rood gebakken vlees en stevige groenten en braaf vertrekt ze naar de kelder, waar haar aanzienlijke wijnvoorraad zich bevindt.

Ik schuif de suitedeuren dicht en begin met het uitpakken van de tasjes.

Twee uur later kijk ik verschrikt op de klok. Het is bijna kwart over vijf, het bezoek kan hier elk moment zijn en ik moet de taartjes nog maken. Het kruimeldeeg, dat ik heb gemaakt van boter en bloem, kostte meer tijd dan ik had verwacht en ik moest alle groenten nog blancheren. Dat betekent dat ik nog geen tijd heb gehad om de rib-eye te kruiden, terwijl die de oven in moet en ik moet hem voor die tijd nog licht aanbakken. Judy heeft een paar keer haar hoofd om de hoek van de deur gestoken om te vragen of ik hulp nodig had, maar ik heb haar weggewuifd. Ik wil dit zelf doen, ik heb bijna het gevoel dat ik mezelf hiermee kan bewijzen, hoewel het niet meer is dan een etentje voor wat vrienden van Judy die ik niet eens ken.

Een kwartiertje later hoor ik de bel gaan. Ik heb net de rib-eye op de grillplaat gelegd om aan beide kanten dicht te schroeien. De oven is aan het voorverwarmen.

Judy trekt de suitedeuren open. 'Dames, ik wil jullie voorstellen aan Daphne, ons kookwonder van vanavond.'

Ik grinnik en bloos een beetje. Daarna veeg ik mijn handen af aan een keukendoek en schud Judy's vriendinnen de hand, een vrouw van Judy's leeftijd die Trees heet en die haar dochter Tessa mee heeft genomen. Eigenlijk zou ze samen met haar zus komen, maar die was ziek en Tessa kent Judy ook al jaren.

'Tessa heeft bij Daniël in de klas gezeten', vertelt Judy als ze het tweetal aan mij heeft voorgesteld. 'Ze hebben zelfs nog even verkering gehad.'

Tessa, die zo'n beetje halverwege de dertig moet zijn, grinnikt. 'Maar dat is wel lang geleden. Het was in de vijfde klas van het vwo, en toch raakt Judy er nooit over uitgepraat.'

'Jullie pasten zo leuk bij elkaar', zegt Judy een beetje melancholisch. 'Het was echt jammer dat het uit ging.'

'Leuk je te ontmoeten, Daphne', zegt Tessa warm tegen mij. 'Ik ben heel benieuwd naar wat je hebt gemaakt. Het ruikt in elk geval goddelijk.'

Net voor zij, Trees en Judy weer naar de kamer gaan, trek ik Judy aan haar arm. 'Trees is toch wel degene die geen vlees eet?'

Ze knikt. Ik haal opgelucht adem.

Het belletje van de oven geeft aan dat die op temperatuur is en ik leg de rib-eye in een ovenschaal. Dan knip ik wat verse kruiden die ik over het vlees strooi en vervolgens gaat alles in de oven.

Judy komt de keuken binnen om drankjes te pakken voor haar gasten. 'Jij pakt toch zelf wel iets te drinken?' vraagt ze ineens bezorgd. 'Ik heb je de hele middag niets aangeboden, bedenk ik ineens. Ik ben alleen maar bezig geweest in de wijnkelder. Ik kwam flessen tegen waarvan ik was vergeten dat ik ze had.'

Ik wijs naar mijn glas cola light op het aanrecht. 'Maak je geen zorgen.'

'Mooi.' Ze trekt de koelkast open en haalt er een fles witte wijn uit. Daarna pakt ze drie glazen en verdwijnt weer naar de woonkamer. Met haar voet schuift ze de deur dicht.

Ik haal de boerenbrie uit de koelkast. Ik heb hem bij de kaasboer gekocht en kijk er verlangend naar. Meestal is brie is geen probleem, zei de verloskundige. Maar deze brie komt zo'n beetje net uit de koe, onder op de verpakking vind ik de aanduiding 'au lait cru', dus ik zal nog een paar maanden moeten wachten voor ik dit weer mag eten. Jammer, want de kaas ruikt heerlijk.

Ik snijd er plakken van die ik in twee van de acht groentetaartjes verwerk. Tevreden stel ik vast dat die taartjes ineens een stuk groter zijn dan de andere zes, waardoor ze voor een volledige maaltijd kunnen doorgaan.

Ik schuif de groentetaartjes boven de rib-eye in de oven en ga aan de slag met het nagerecht. Ik haal de wikkel van twee grote chocoladerepen en breek de repen in stukken. Op het fornuis staat een pan warm water, waar ik een kommetje met de chocoladestukken in zet. Die beginnen heel langzaam te smelten. Pure chocolade, de puurste die ik in de bonbonnerie kon vinden.

Maarten was er dol op. We maakten er altijd zogenaamd ruzie om, omdat ik van mening was dat melkchocolade de hemel op aarde was en hij dat juist helemaal niets vond. Terwijl ik nooit kon wennen aan de bittere smaak van puur. Maar allebei waren we ervan overtuigd dat we de beste smaak hadden, en dat de ander niet wist waar ie het over had. Eén keer maakte ik zelf ijs waar ik stiekem melkchocolade voor gebruikte, hoewel ik tegen Maarten zei dat het puur was. Daarna was hij pissig dat ik hem voor de gek had gehouden, maar volgens mij irriteerde het hem vooral dat hij niets door had gehad. Irritatie duurde bij Maarten nooit lang. Een paar minuten later moest hij alweer lachen, hoewel het nog een beetje stijfjes was.

Ik voel de bekende steek van pijn, die er altijd is en een beetje meer als ik aan Maarten denk. Maar tot mijn eigen verbazing blijven mijn ogen droog. Ik glimlach een beetje en stort me dan op de slagroom die geklopt moet worden.

'Dit is hemels.' Tessa kijkt naar het eten op haar bord alsof ze moeite heeft te geloven dat het zo lekker kan smaken.

Ik glimlach. Ik heb zelf ook al geproefd dat de gerechten bijzonder goed gelukt zijn, beter dan ik had durven hopen. Het vlees is precies op smaak, met de juiste hoeveelheid kruiden. De stukken die ik aan Tessa en Judy heb geserveerd zijn bovendien mooi rood gegaard, maar niet zo rauw dat je het idee hebt dat iemand vergeten is het vlees te bakken. Mijn eigen portie is uiteraard goed doorbakken, wat best zonde is, maar tot mijn verbazing is het nog behoorlijk smakelijk geweest en geen gebakken schoenzool waarvan de resten nog zes dagen tussen je tanden zitten.

De groentetaartjes zijn lekker, maar de taartjes met brie – die Trees aan iedereen heeft laten proeven, waarbij ik er maar even vanuit ben gegaan dat de kaas door het verwarmen geen bacteriën meer bevatte – zijn ronduit subliem, al zeg ik het zelf. De brie geeft een lekker pittige smaak mee, en daardoor is het taartje geen suffe groentehap maar een volledige maaltijd.

Ik leun achterover. 'Ik ben blij dat je het lekker vindt.'

'Anders ik wel', zegt Judy. 'Je moet echt meer gaan doen met dat koken, Daphne. Ik dacht al dat je talent had, maar nu weet ik het zeker.'

'Wil je er meer mee gaan doen?' vraagt Tessa geïnteresseerd.

Ik knik, een beetje verlegen. 'Ik werkte als serveerster hier in de buurt, maar de brasserie ging failliet en nu ben ik op zoek naar iets anders. Ik vind koken veel leuker dan bedienen en daarom wil ik graag in een keuken werken, maar ja...' Ik leg even mijn hand op mijn buik. 'Wie neemt er mensen aan die vierentwintig weken zwanger zijn?'

'Iemand die zo lekker kan koken als jij, zou ik zelfs aannemen als ze negen maanden zwanger was!' roept Tessa geestdriftig. 'Wil je niet voor mij komen werken?'

We lachen allemaal. Was het maar zo makkelijk.

'Hé, jij zoekt toch iemand voor volgende week?' zegt Trees dan tegen haar dochter. 'Voor je verjaardag?'

Even kijkt Tessa haar moeder niet-begrijpend aan, maar dan valt blijkbaar het kwartje. 'Dat is waar', zegt ze. 'Je hebt gelijk. Ik word volgende week vijfendertig en ik heb vijftien vriendinnen uitgenodigd. Maar het cateringbedrijf dat ik had benaderd laat niets meer van zich horen. Ik heb alleen een offerte gekregen, die al zo belachelijk laag was dat ik het niet kon geloven. Toch heb ik een aanbetaling gedaan en het contract getekend, maar nu zijn ze in geen velden of wegen meer te bekennen. Toen ik ging googelen, kwam ik erachter dat ik niet de eerste ben die er ingetuind is.'

'Wat ontzettend balen, zeg', zegt Judy. 'Gaat het om veel geld?'

'Honderdtwintig euro. Het is jammer dat ik het kwijt ben, maar dat vind ik niet het ergste. Ik had gewoon een ontzettend leuk telefoongesprek met die man. Hij dacht helemaal mee, kwam met leuke ideeën en ik had er echt een goed gevoel over. Terwijl hij dus nooit van plan is geweest om ook maar één van die ideeën in de praktijk te brengen bij mij. Ik voel me gewoon ontzettend belazerd. Jammer dat je mensen tegenwoordig niet meer zomaar kunt vertrouwen.'

'Dat is zeker jammer', knikt Judy.

'Maar wat jij zegt, is wel een goed idee, mam', gaat Tessa dan verder. 'Ik zoek iemand die voor vijftien mensen kan koken. En ik heb vanavond geproefd dat jij een keukenprinses bent, Daphne. Dus eh... Wat zeg je ervan?'

'Dat ik kom koken op jouw feestje?' vraag ik, een beetje overrompeld. 'Meen je dat echt?'

'En of ik het meen. Maar je moet het natuurlijk wel zien zitten.'

'Ja, nou... Ik denk dat je echt wel mensen kunt krijgen die beter koken dan ik, hoor.' Ik weet zelf ook niet waarom ik het zeg. Ik wil juist heel graag Tessa's verjaardag verzorgen.

Gelukkig wuift ze mijn opmerking weg. 'Ten eerste doe je jezelf daarmee tekort en ten tweede is het niet waar. Er is namelijk geen cateraar te vinden die op korte termijn dit feestje kan regelen. Ik heb de halve Gouden Gids al gebeld, maar iedereen zit vol of vindt het te snel. En al die duistere eenmanszaakjes bel ik niet meer, daar heb ik mijn buik vol van.'

'Leuke woordspeling', merkt Judy op.

'Maar goed, ik hoop dat je me uit de brand kunt helpen. Je zou me er echt een groot plezier mee doen.'

Ik knik en begin te glimlachen. 'Heel graag. Ik vind het juist een eer dat je me vraagt.'

'Mooi.' Tessa knikt tevreden. 'Je helpt me er ontzettend mee. Uiteraard betaal ik gewoon alle kosten voor de ingrediënten plus een salaris. Wat vraag je eigenlijk per uur?'

Ik kijk hulpzoekend naar Judy. Daar heb ik nog helemaal niet over nagedacht. Wat vraagt een beetje kok tegenwoordig?

'Vijfentwintig euro per uur?' stelt Tessa voor.

Ik zie Judy knikken. Het klinkt mij ook als een redelijk bedrag in de oren dus zeg ik: 'Deal. Heb je zelf ideeën over hoe je het zou willen?'

'Ja, ik heb iedereen om vijf uur uitgenodigd en dan wil ik graag een borrel met wat hapjes. Vervolgens een viergangendiner. Iedereen lust alles, er zijn geen vegetariërs, dus leef je uit. Misschien beginnen met carpaccio en daarna iets van soep?'

Ik trek een gezicht. 'Dat is echt jaren negentig. Als je het goed vindt, wil ik juist iets maken dat helemaal van nu is. Heb je een oven?'

Tessa kijkt een beetje beschaamd. 'Eh... nee. Wel een magnetron. Ik kan zelf echt niets in de keuken. Ja, opwarmen.'

'Wel een gasfornuis?'

'Twee pitten. Nou ja, drie, maar eentje is stuk.'

'Al twee jaar', merkt Trees fijntjes op. 'Ik zeg al tijden tegen je dat je die keuken eens moet vervangen. Het is een klein hol zonder normale voorzieningen.'

'Ik vond het wel opvallend dat die andere cateraar het allemaal geen probleem vond', zegt Tessa. 'Maar achteraf snap ik dat natuurlijk wel.'

'Waarom doe je het niet hier?' roept Judy dan enthousiast. 'Je hebt alle ruimte, een keuken met alles wat je nodig hebt en je kunt hier makkelijk vijftien mensen ontvangen. Dan noemen we dit gewoon een huiskamerrestaurant!'

Ze is erg in haar nopjes met haar eigen idee. 'Ik vind die avond wel een ander onderkomen, dus maak je daar maar geen zorgen om. Met mij zit je niet opgescheept op je feest. En Daphne kent deze keuken inmiddels op haar duimpje. Bovendien kun je de ingrediënten kopen bij de winkels waar je ze altijd haalt.'

Ik kijk naar Tessa. Ze knikt. 'Ja, dat is eigenlijk wel een heel goed idee. Maar vind je het echt niet erg, Judy? Ik wil jou niet verjagen uit je eigen huis.'

'Ik heb genoeg plekken waar ik heen kan gaan', wuift Judy de bezwaren weg. 'Misschien ga ik wel naar het theater. Er is vast wel ergens een leuke voorstelling waarvoor nog kaarten te krijgen zijn.'

'Top!' roept Tessa. 'Geweldig. Ik ben in één klap van de stress rondom mijn feest af. Een huiskamerrestaurant, wat een idee.'

Later, als ik in bed lig, denk ik na over dat "huiskamerrestaurant". Het is een concept dat je in Amsterdam wel meer ziet, ik heb Liz erover gehoord. De meeste zijn niet legaal, in een pand dat geen horecabestemming heeft, maar ze bestaan vaak ook maar een paar maanden en dan heeft de eigenaar er of genoeg van, of hij of zij begint een echt restaurant. Een paar maanden, dat is genoeg om de tijd tot de bevalling te overbruggen en daarna zie ik wel verder. Maar ja, in mijn eigen huiskamer kan ik geen restaurant beginnen en hoewel Judy aan alle kanten bereid is me te helpen, kan ik dit niet van haar vragen.

Ik draai me op mijn zij, schuif een kussen onder mijn buik en probeer door alle bezwaren heen te denken. Ik hoef niet Judy's huiskamer te gebruiken, ik kan ook ergens iets huren. Maar dan is het geen huiskamerrestaurant meer, maar een gewoon restaurant en moet ik genoeg omzet maken om in elk geval de huur te kunnen betalen. Bovendien weet ik niet of ik wegkom met alleen mezelf op de loonlijst. Heb ik dan geen personeel nodig?

Ik denk aan Liz. Ze heeft een baantje gevonden als serveerster, maar ze heeft het niet naar haar zin. Als ik haar voorstel om samen iets te beginnen, zegt ze vast ja. Alleen zullen we dan genoeg moeten verdienen om allebei van te kunnen leven. En als we echt een zaak beginnen, moeten we investeren. Meer dan we op onze spaarrekeningen hebben staan en dat betekent: naar de bank. En die ziet me aankomen met mijn zwangere buik en gebrek aan diploma's.

Een zacht schopje aan de binnenkant van mijn buik brengt me terug in de werkelijkheid. Ik zet de gedachte aan een restaurant resoluut van me af. Het kan gewoon niet. Ik zal toch ergens op zoek moeten naar werk.

13

'JEZUS, WAT COOL! ZOUDEN ZE HEM OOK IN EEN NIET-ZWAN-
gerschapsvariant hebben?'

Liz begint driftig tussen de jurkjes in het rek te spitten. Lachend houd ik haar tegen. 'Kijk even wat er in koeienletters op
het raam staat. Mode voor Mama-to-be. Dus wat denk je?'

'De eerste maanden zie je anders nog niets', is haar logica.
'Dus misschien hebben ze hem wel in een gewone maat.'

'Ja, of zwangeren kopen hun kleding dan nog in de gewone winkel.'

Ik begrijp waarom Liz zo weg is van het jurkje dat ik draag,
ik ben er zelf ook behoorlijk mee in mijn nopjes. Het is een
groengrijs overslagmodel waarin mijn buik mooi uitkomt,
maar niet dik lijkt. Het lage decolleté maakt het jurkje elegant, en dat is een woord dat niet past bij het overgrote deel
van zwangerschapskleding in het algemeen en de kleding in
deze winkel in het bijzonder. Terwijl zelfs de verloskundige me

deze zaak heeft aangeraden omdat ze hier de leukste zwanger-schapskleding van heel Amsterdam zouden verkopen. Op het jurkje na zie ik echter weinig bruikbaars, maar alleen dit jurk-je is ook al een heel goede score.

'Ik neem hem', zeg ik beslist. Ik verdwijn weer in het pashok-je om mijn eigen kleding aan te trekken, een ruimvallend vest-je dat ik al jaren heb, en mijn enige zwangerschapsjeans die een beetje strak begint te zitten. In alle eerlijkheid moet ik dat ook wijten aan mijn kookkunsten van de laatste tijd, en niet aan de baby, aangezien het probleem zich op bilhoogte bevindt en niet op buikhoogte. Ik rits mijn laarzen dicht en sta op. Voor het eerst merk ik dat me dat moeite begint te kosten, wat waar-schijnlijk wordt veroorzaakt door het feit dat Liz en ik al twee uur door de stad lopen. Zij heeft heel systematisch een lijst op-gesteld van winkels die zwangerschapskleding verkopen, en ze vervolgens op volgorde van de route opgeschreven. Dit is win-kel nummer vijf en de minste tot nu toe, wat eigenlijk maar goed is, want mijn portemonnee gaat nog een paar te leuke winkels niet trekken. Ik heb trouwens ook genoeg gekocht om tot ver in het volgende decennium zwanger te kunnen blijven.

'Hierna gaan we lunchen', zeg ik beslist als ik het pashok-je uitkom.

Liz haalt haar lijstje uit haar zak. 'Maar we moeten nog...'

'Lunch. Ik heb genoeg.'

'Oké', geeft ze met een zucht toe. 'Ik heb ook op internet naar leuke restaurantjes in de buurt gezocht. Wist je dat hier een borstvoedingscafé zit?'

'Een wat?' vraag ik verbluft. Ik wil niet weten wat ze daar serveren.

Maar Liz legt het uit. 'Daar kun je lekker eten, en niemand vindt het raar als je borstvoeding gaat geven. Het schijnt erg populair te zijn.'

'Vind je het heel erg om ergens anders heen te gaan?' Ik leg het jurkje op de toonbank en reken af.

Als we naar buiten lopen zegt Liz: 'Ik dacht, dan kun je vast een beetje wennen. Weet je eigenlijk al of je borstvoeding gaat geven?'

Liz heeft zich duidelijk beter voorbereid op de komst van de baby dan ik. Eigenlijk heb ik daar nog niet echt goed over nagedacht. 'Misschien', zeg ik vaag. Het lijkt me een mooi idee dat je zelf je baby grootbrengt, en bovendien is borstvoeding het beste voor baby's. Althans, dat stond in de folder die Ellen me meegaf tijdens het laatste bezoek. Ze zei erbij dat ik die maar eens goed moest doorlezen, maar ik ben nog niet verder gekomen dan oppervlakkig scannen. Ik weet niet waarom, maar om een of andere reden schuif ik de beslissing voor me uit.

'Laten we daar gaan zitten.' Ik wijs op een leuk, klein restaurantje aan de andere kant van de straat. De deur staat uitnodigend open. Als we naderen, hoor ik het geroezemoes van stemmen. Het is druk, en dat lijkt me een goed teken.

We zoeken een tafeltje achter in de zaak en Liz gaat naar het toilet. Terwijl ze weg is, denk ik na over haar vraag. Ja, borstvoeding lijkt me een mooi idee, maar een fles lijkt me handiger. Dan kan iemand anders de voeding even op zich nemen, zodat ik mijn handen vrij heb. Maar ja, voor wat eigenlijk? En vooral: voor wie? Gek genoeg heb ik wel over dit soort kwesties nagedacht toen Maarten nog leefde. Borstvoeding of niet, bij ons in bed slapen of niet, gewone basisschool of Montessorischool, vrije opvoeding of juist streng – ik denk dat alles al eens door mijn gedachten is gegaan. Ik weet niet wat Maartens mening geweest zou zijn over al die keuzes die je als ouder moet maken. Ik wilde het niet allemaal ter sprake brengen, bang dat hij zou denken dat ik een freak was die het hele leven van ons kind eigenhandig wilde plannen en geen ruimte wilde laten voor de mening van mijn man dan wel ons kind.

Maar nu ik degene ben die alle beslissingen moet nemen, weet ik het eigenlijk niet.

Liz komt terug en gaat tegenover me zitten. Er duikt een serveerster op en we bestellen allebei een verse jus d'orange. Ellen had het de vorige keer over maagzuur, en dat je dat van jus d'orange zou kunnen krijgen, maar daar heb ik gelukkig geen last van. We kijken allebei naar een andere zwangere die langs ons tafeltje loopt.

'Zelfde jurkje als jij hebt gekocht', wijst Liz. 'Blijkbaar een grote hit onder zwanger Amsterdam.'

Ik grinnik. 'Dat valt niet tegen voor een provinciaal, hè?'

'Je begint het te leren', antwoordt Liz onbewogen. 'Met dank aan mij, natuurlijk.'

Ik kijk haar aan. 'Ja, dat is zo', zeg ik dan serieus. 'Ik heb veel aan jou te danken. Zonder jou had ik het een stuk moeilijker gehad in Amsterdam.'

Liz lijkt wel verlegen. 'Doe niet zo raar', zegt ze.

'Nee, ik meen het. Dit is niet de makkelijkste tijd van mijn leven, maar het helpt ontzettend dat jij er voor me bent. Ik heb het gevoel dat we elkaar al jaren kennen, ook al is dat niet zo.'

'Dat heb ik ook', zegt Liz een beetje verwonderd. 'Grappig is dat.'

Even zeggen we allebei niets. Dan kijkt Liz me aan en vraagt: 'Hoe gaat het nou eigenlijk met je?'

Ik weet niet zo goed wat ik moet zeggen.

'Het lijkt wel alsof je een beetje aan het idee bent gewend dat je moeder wordt', zegt Liz. 'Alsof je er beter mee om kunt gaan. Niet meer zo diep in shock als in het begin.'

Ik knik peinzend. 'In shock ben ik niet meer, maar als ik denk aan straks, wanneer de baby er zal zijn, ben ik wel doodsbenauwd. Ik moet in mijn eentje een kind opvoeden. Straks doe ik alles fout.'

Nu ik erover praat, word ik weer overvallen door de angst die ik op andere momenten redelijk kan wegdrukken door mezelf te verbieden eraan te denken. Ik kijk Liz aan en voel paniek. 'En dan moet ik ook nog een vader en een moeder ineen zijn.'

Liz legt haar hand over die van mij en geeft er een kneepje in. 'Ik weet zeker dat je het kunt.'

Ik schud mijn hoofd. 'Nee, dat weet je niet. Niemand weet dat. Er is geen enkele garantie dat je, als je een kind krijgt, ook in staat bent om ervoor te zorgen en er een enigszins stabiel mens van te maken. Mijn kind begint al met een achterstand omdat ze geen vader heeft. Hoe moet ik dat gat ooit opvullen? Wie moet er met haar stoeien en haar weerbaar maken?'

'Ze heeft opa's', helpt Liz me herinneren. 'En ooms. Er zijn genoeg mannen in haar leven. En trouwens, waarom zou jij niet met haar kunnen stoeien? Waarom kan jij haar niet weerbaar maken en met haar op avontuur gaan, zoals een vader dat kan?'

'Omdat ik haar vader niet bén! Ze heeft een vader nodig en dat gat kan ik nooit voor haar opvullen.'

Met een gebaar van haar hand wuift Liz mijn woorden weg. 'Massa's kinderen groeien tegenwoordig op zonder vader. Ikzelf ben opgegroeid zonder vader en ik beschouw mezelf als stoer en weerbaar.'

'Ben jij zonder vader opgegroeid?' vraag ik, mezelf ondertussen afvragend of Liz me dit weleens eerder heeft verteld, maar dat ik het straal vergeten ben.

Ze slaat haar blik neer. Van haar normale bravoure is even niets over. 'Ja', zegt ze. 'Hij vertrok toen ik twee jaar was, ik heb misschien één herinnering aan hem en zelfs die is vaag.'

'Wat erg.'

Ze plukt met twee vingers aan haar servet. 'Het ergste was niet zijn afwezigheid, ik kon hem wel missen. Mijn moeder was ook prima in staat me te leren fietsen of een band te plakken. Het ergste was het eeuwige geklaag over hem. Nooit sprak mijn moeder één goed woord over mijn vader. Inmiddels besef ik echt wel hoeveel pijn hij haar heeft gedaan door haar in de steek te laten voor, zo leerde ik pas veel later, een vrouw die sowieso altijd de derde persoon binnen hun relatie was. Maar als kind wist ik dat niet. Het enige wat ik altijd hoorde was dat mijn vader een onbetrouwbare rotzak was. Verder kwam ik niets over hem te weten, terwijl ik nieuwsgierig was of ik op hem leek en welke eigenschappen ik van hem had. Daar wilde mijn moeder nooit over praten. Niets deugde aan hem, waardoor ik op een bepaald moment ging geloven dat ik al mijn slechte eigenschappen van mijn vader had en al mijne goede van mijn moeder. Een vertekend beeld, dat weet ik nu ook wel.'

Ik luister ademloos naar haar. Liz is nooit eerder zo openhartig tegen me geweest. Als ze even haar mond houdt, kijken wel allebei naar de plukjes papieren servet die nu op tafel liggen.

'Wat ik maar wilde zeggen,' verbreekt Liz uiteindelijk de stilte, 'is dat het voor jouw kind geen ramp is om zonder haar vader op te groeien. Zolang je haar vertelt wie hij was en waarin ze op hem lijkt en hoeveel hij van haar gehouden zou hebben. Dan beloof ik je bij deze dat ik haar zal leren hoe ze een fietsband moet plakken, want dat kan ik toevallig erg goed.'

Ik glimlach. We zeggen allebei niets. Ik denk aan haar woorden. Zonder vader opgroeien is te doen, hem niet kennen niet. Ik denk dat dit het meest zinvolle is dat iemand tot nu toe tegen me heeft gezegd. Mijn dochter zal haar vader kennen, dat wordt mijn missie.

'Ben je eigenlijk nog werk aan het zoeken?' verandert Liz van onderwerp. 'Of wacht je tot de baby er is?'

'Ja en nee. Ik ben wel op zoek, maar op elk van mijn negen sollicitatiemails kreeg ik een afwijzing. Ik mocht niet eens op gesprek komen!'

'Serieus? Ja, volgens mij is er een hoop aanbod van keuken-personeel. En in de bediening.'

Ik werp een blik op mijn buik. 'Daar word ik op dit moment ook niet zo makkelijk voor aangenomen, vrees ik. Bovendien hou ik het nu niet vol om zo veel uur achter elkaar te lopen, en daar heeft geen werkgever iets aan.'

Liz schudt haar hoofd. 'Dat kan ik me voorstellen.'

'Maar ik heb wel een leuk klusje gekregen. Ik ga volgen-de week koken voor een verjaardagsfeestje, er komen vijftien mensen.'

'Wat leuk!' roept Liz enthousiast, 'Hoe kom je aan die klus?'

Ik leg haar uit hoe het gegaan is. Bij het woord huiskamer-restaurant zie ik haar ogen even oplichten. 'Dat is het!' roept ze uit. 'Dat moet je gaan doen.'

Ik trek een gezicht. 'Dan moet je eerst een fatsoenlijke huis-kamer hebben en die heb ik niet. Ik kan het Judy niet aandoen om zoiets in háár huiskamer te gaan beginnen.'

Maar Liz is het type dat zelden beren op de weg ziet. 'Waar-om niet? Je kunt haar toch betalen voor het afhuren van haar huis? Ik zou beginnen met drie dagen per week. Het is goed-koper dan een pand huren en je eigen restaurant beginnen.'

Dat laatste had ik zelf ook al bedacht. Maar dat eerste... 'Ze ziet me aankomen. Waar moet zij dan heen?'

'Ze heeft toch ook één- en tweehoog? Daar kan ze vast wel de avond doorbrengen. Of nee, ze kan in jouw appartement zitten. Dat is ook handig als de baby er straks is, kan ze met-een oppassen.'

Nu schiet ik in de lach. 'Je schijnt voor het gemak even te vergeten dat Judy dit zelf ook allemaal leuk moet vinden. En dat kan ik me haast niet voorstellen.'

'Hoezo niet? Vooralsnog klinkt ze erg enthousiast over wat jij allemaal doet. Ze heeft toch zelf aangeboden haar huis beschikbaar te stellen voor dat verjaardagsfeest.'

'Dat is één avond, niet structureel drie avonden per week. Drie avonden waarop ze ook nog eens moet oppassen.'

'Nou ja, oké, dan laat je dat oppassen achterwege', zegt Liz. 'Breng die kleine dan maar bij mij.'

'Alsof jij zelf niet moet werken. Ik moet trouwens heel erg gaan nadenken over hoe ik dat met oppas ga doen.' Terwijl ik het zeg realiseer ik me dat ik ook dit onderwerp een beetje van me af heb gezet, omdat ik toch geen werk heb. Maar als de baby er straks is, kan ik best weer in de bediening gaan werken. Niet zo leuk als de keuken, maar het is beter dan niets. Alleen kan ik me niet voorstellen dat er een crèche te vinden is die tot middernacht open is.

'Wat is er?' vraagt Judy die mijn peinzende blik ziet.

'Ik dacht aan kinderopvang, en dat die niet echt aan horecatijden is aangepast.'

Liz schudt haar hoofd. 'Je moet een oppas aan huis hebben.'

Ik knik en zucht. Waar haal ik die vandaan?

Ik schud mijn hoofd en zet het onderwerp uit mijn gedachten. Dat is van later zorg. Eerst maar eens werk vinden. Eerst maar eens een baby krijgen. Eerst maar eens het verjaardagsfeest van volgende week tot een goed einde brengen.

"Huiskamerrestaurant", herhaalt Liz nog eens. 'Briljant idee. Ik zou er echt werk van maken, Daph.'

Ik beloof het, maar weet al dat het niet haalbaar is.

Dan verandert Liz van onderwerp. 'Ik heb kaartjes voor Paradiso vanavond. Geen idee wie er optreedt, maar het schijnt goed te zijn. Een of ander beginnend rockbandje. Een vriendin van me heeft de kaartjes gekocht, maar ze kan niet. Zin om mee te gaan?'

Ik kijk haar vragend aan. 'Ik?'

'Ja, jij. Wie anders?'

'Valt het op dat ik vijf maanden zwanger ben en uitzwenk? Misschien niet het juiste moment om te gaan feesten in Paradiso.'

Liz kijkt me bijna medelijdend aan. 'Luister schat, ik weet dat ze waar jij vandaan komt zwangere vrouwen graag met een breiwerkje achter de geraniums planten, maar hier in de stad mag je gewoon doorleven als je in verwachting bent. En ja, je mag het ook naar je zin hebben.' Ze knikt in de richting van de andere zwangere met hetzelfde jurkje. 'Kijk naar haar: hartstikke zwanger, maar zo hip als het maar zijn kan. Dat mag, hoor. Echt.'

Ik wil iets verdedigends zeggen, maar kan niet bedenken en lach daarom maar. 'Nou ja, breiwerkje...'

'Haakwerk, punnikwerk, weet ik veel. Kom op, je bent zwanger, niet dood. Leef!'

Dan realiseert ze zich wat ze heeft gezegd en slaat haar hand voor haar mond, terwijl ze me bijna niet durft aan te kijken. 'Shit, sorry. Zo bedoelde ik het niet. Ik had dat niet moeten zeggen.'

'Het geeft niet', zeg ik. Het is waar. Ik leef. 'Je hebt gelijk. Ik ga graag met je mee naar Paradiso. Maar geef me een paar uur om te herstellen van deze shoptrip, anders stort ik vanavond heel onelegant ter aarde. Ik wil natuurlijk wel hakken dragen.'

'That's the spirit', zegt Liz tevreden. 'Het begint pas om half negen, dus je hebt tijd zat. Ik eis dat je dat jurkje aantrekt dat je net hebt gekocht. Het staat je zo geweldig.'

'Beloofd', grijns ik, terwijl ik me afvraag waarom ik er nou tegenop zie om vanavond weg te gaan. Dit wilde ik toch? In de stad wonen met op elke hoek van de straat leuke dingen om te doen? Sinds ik hier woon heb ik nog maar weinig leuks gedaan, ook al is dat al bijna drie maanden.

Liz slaat de kaart open en laat haar vinger langs de rij met broodjes lopen. 'Jezus, wat hebben ze hier lekkere dingen.'

Ik volg haar voorbeeld en probeer me niet druk te maken om vanavond.

Die middag heb ik Tilly aan de telefoon. Zij en Henk willen dit weekend langskomen. In haar stem hoor ik een licht verwijtende ondertoon.

'We hoopten dat je vaker naar ons zou komen, maar je zult het wel druk hebben', zegt ze. 'Maar ja, met de zwangerschap enzo is het wel jammer dat je zo ver weg zit.'

Ik begrijp dat niet. Eerst begrepen Henk en Tilly wel waarom ik naar Amsterdam wilde verhuizen, knikten ze zelfs instemmend toen ik het had over afstand nemen. Maar met de baby onderweg is het ineens zo ver weg. Het is anderhalf uur rijden. Niet naast de deur, maar ik woon ook niet in Gambia.

Wat zij blijkbaar wel vinden, want in drie maanden tijd zijn ze hier één keer geweest. En ik moet toegeven dat ik ook niet elk moment zin heb om naar ze toe te gaan. Eigenlijk ben ik, op kerst na, pas één keer naar mijn geboortegrond gereden. Maar ja, ik moet werken – nou ja, moest werken – terwijl zij met pensioen zijn.

Maar goed, nu Tilly aangeeft dat ze langs willen komen, heb ik daar eigenlijk niet zo veel zin in. Toch kan ik ze moeilijk weigeren, ze zijn Maartjes opa en oma. 'Zondagavond?' stel ik voor. 'Ik kan bijvoorbeeld voor jullie koken.'

Gezucht. 'Nee, dan wordt het zo laat. We komen liever in de ochtend, koffie drinken.'

'Blijf dan in elk geval lunchen. Dan regel ik wat broodjes.'

'Oké, ja. Een lunch kan wel, denk ik.' Ik hoor haar iets tegen Henk zeggen wat ik niet precies kan verstaan en dan zegt ze: 'Dan zie je ons rond half elf, elf uur.'

'Prima, tot dan.' Ik hang op en blijf nog even op de bank zitten, hoewel ik me eigenlijk klaar zou moeten maken voor mijn avondje uit met Liz. Het verwijt in de stem van Tilly brengt me terug bij de avond dat Maarten zijn ouders vertelde dat hij op termijn de oude schuur wilde laten slopen en er een moderne voor in de plaats wilde laten zetten.

'Toch niet zo'n grijze met automatische deuren?' vroeg Tilly meteen. Het was een populair model dat meer boeren in de omgeving hadden laten plaatsen. Maarten was er erg enthousiast over, al het materieel stond er droog en veilig en dat scheelde uiteindelijk behoorlijk in het onderhoud. Bovendien kon je in een ander deel van de schuur aardappels kwijt, die veel beter bewaard werden dan in het oude bouwsel dat er nu al zeker tachtig jaar stond en dat aan alle kanten lekte en kierde. Keer en keer dichtte Maarten de ergste lekken, maar de aardappels lagen er eigenlijk nooit echt goed, wat zonde was van de oogst.

'Ja, wel', zei hij tegen zijn moeder. 'Het is een flinke investering, maar die betaalt zich wel terug. Het scheelt tijd qua onderhoud en geld qua aardappels.'

'Maar zo'n ding past helemaal niet bij het karakter van het huis', zei Tilly. 'Het is juist zo'n mooi authentiek huis en dan zet je er zo'n modern gevaarte achter. Waarom laat je de oude schuur niet restaureren en repareren? Ik weet zeker dat je net zo'n goede kwaliteit kunt krijgen als bij zo'n nieuwe.'

Al die tijd hield Henk zijn mond, wat me irriteerde, want ik wist dat hij het met Maarten eens was. Maar tegen zijn vrouw ingaan, dat deed hij niet.

'Ma,' zei Maarten een beetje geërgerd, 'zelfs met reparaties en verbouwingen krijg je de oude schuur niet in zo'n perfecte staat. En bovendien is het veel duurder om te verbouwen dan om te slopen en iets nieuws te laten plaatsen. Ik wil dit bedrijf op een gezonde manier neerzetten, en dat kan alleen als ik met mijn tijd mee ga. Die oude schuur moet verdwijnen, punt uit.'

Tilly bleef nog wat mopperen, en uiteindelijk begon ik over iets anders. Toen zijn ouders weg waren, vroeg ik Maarten wat hij van het gesprek vond. Hij haalde nonchalant zijn schouders op.

'Ik bepaal zelf wel wat ik doe', zei hij. 'En als mijn moeder het daar niet mee eens is, is het jammer. Ik ben tegenwoordig volwassen, ze moet zich er maar bij neerleggen.'

Zo makkelijk stapte hij eroverheen. Maar toen waren ze nog niet de aanstaande grootouders van ons kind.

Ik kijk rond in mijn appartement. Met het beeld van Maarten die avond nog op mijn netvlies komt mijn eigen huis me vreemd voor. Even was het zo echt, alsof ik daar weer was en hij nog leefde. En nu zit ik in een vreemd huis in een vreemde stad. Ik voel me een beetje ontheemd, een gevoel dat ik al een tijd niet meer heb gehad.

Voor het eerst sinds lange tijd bel ik het mobiele nummer van Maarten. Ik wil zijn stem horen. Ik weet waar zijn telefoon ligt, en ik weet ook dat die al heel lang niet meer is opgeladen. Ik heb aanmaningen over niet-betaalde rekeningen genegeerd, ik weet niet eens of de telefoon het nog zou doen als ik hem zou opladen. Volgens mij heeft Stef iets geregeld qua stopzetten. Of Pieter. Ik weet het eigenlijk niet. En ik weet ook niet wanneer het abonnement afloopt.

In plaats van Maartens stem hoor ik een schelle pieptoon en een mevrouw die vertelt dat dit nummer niet langer bereikbaar is. Ik leg mijn telefoon op tafel. Volgens de rouwverwerkingsboeken zou ik nu moeten zeggen dat het goed is zo. Dat het leven doorgaat. Maar dat is het helemaal niet en dat het leven doorgaat, is ook niet mijn keus.

Maar ik zal ermee dealen. Dat moet goed genoeg zijn.

'Looking good!' roept Liz langgerekt als ze me ziet. Ik grinnik een beetje onwennig en vraag me af waarom ik in vredesnaam schoenen heb aangetrokken met knellende bandjes en hakken als palen. Sterker nog, waarom heb ik deze dingen ooit gekocht? Had ik op dat moment zo'n hekel aan mijn voeten?

Maar ik heb de schoenen aangetrokken en ik voel er weinig voor om terug naar huis te fietsen en ze te verwisselen voor comfortabele ballerina's. Bovendien krijg ik dan Liz op mijn dak, die nu zo'n beetje kwijlend op de grond ligt om mijn schoenen te bewonderen en mijn baby gedag te zeggen.

Ze komt overeind en geeft me een zoen. Dan zwaait ze met twee kaartjes voor mijn neus. 'Kom mee naar binnen. Dan haal ik een alcoholvrije cocktail voor je.'

Ik volg haar naar binnen in het oude gebouw, dat van binnen verrassend mooi is. Ik ben nooit eerder in Paradiso geweest en had me eigenlijk een nogal gedateerd concertzaaltje voorgesteld, een idee dat nergens op gebaseerd is. Maar het is allesbehalve gedateerd. Ik leg mijn hoofd in mijn nek en kijk naar de constructie tegen het plafond waar talloze zware lampen aan bevestigd zijn. Volgens Liz is het licht hier spectaculair en nu weet ik waarom. Boven, op het balkon, krioelt het van de mensen en ook in de zaal, waar ik sta, is het bizar druk. Ik ken de hele band niet die vanavond komt spelen en hoewel ik de beperkingen weet van mijn muziekkennis, had ik toch niet verwacht dat er zo veel mensen zouden zijn die deze band wel zouden kennen en die ook nog eens de moeite zouden nemen hierheen te komen. Ik kan me niet eens de naam van de groep herinneren.

'Hier.' Liz drukt een kleurig drankje in mijn handen, met een zonnig parapluutje. 'Zonder alcohol. Maar wel heel lekker.' Zelf heeft ze een biertje genomen. Ze kijkt langs me heen en haar gezicht begint te stralen. 'Hé Vinnie!'

Ik draai me om en kijk recht in het gezicht van de knapste neger die ik ooit heb gezien. Hij is lang en slank en kaal en hoewel ik helemaal niet van kaal houd, vind ik het bij hem juist mooi staan.

'Dit is Daphne', stelt Liz me voor. Ik krijg een handdruk en een zoen op mijn wang. Liz krijgt een knuffel en een klap op haar rug en dan is Vinnie weer verdwenen.

'Vergeet het maar', zegt Liz vlak bij mijn oor. 'Hij is homo.'

Verschrikt kijk ik haar aan. 'Ik dacht helemaal niet...'

Ze begint te lachen. 'Ik zag je wel kijken. Hé schat!' Ze begroet een meisje met een ringetje door haar neus en gitzwart geverfd haar.

Ik neem een slok van mijn mierzoete drankje en probeer mijn gedachten te stoppen. Ik ben in de war door Liz' opmerking. Ik kijk helemaal niet op die manier naar Vinnie. Oké, ik vond hem knap, maar dat zegt toch niets? Of vond ik hem knap-knap? Op een andere manier dan alleen maar "mooi". Eigenlijk wil ik hem helemaal niet mooi vinden, want mooi en knap is hetzelfde en ik kan toch niet naar andere mannen kijken? Ik ben getrouwd.

Ik kijk naar de trouwring aan mijn vinger. Getrouwd. Een trouwring doe je pas af als je niet langer getrouwd bent. En dan ben je dus gescheiden. Maar ik ben helemaal niet gescheiden, scheiden is iets waar je voor kiest. Misschien niet zelf, maar dan in elk geval wel degene van wie je gaat scheiden. Niemand heeft ervoor gekozen dat Maarten en ik niet langer bij elkaar kunnen zijn en dus zijn we niet gescheiden.

Maar zijn we nog wel getrouwd?

Ik voel paniek opkomen omdat ik het antwoord ineens niet meer zo zeker weet. Maartens leven is over, en betekent dat automatisch het einde van ons huwelijk? Volgens de wet wel, zo legde een of andere notaris me uit die me het testament van Maarten ging voorlezen. Er stond niets in wat ik nog niet wist, en ook niets wat me echt belangrijk leek. Zijn spullen waren voor mij, het huis uiteraard niet. Geen grote verrassing. De informatie dat de wet een grote streep zette door ons huwelijk, deed me op dat moment weinig. De wet kon wel meer zeggen.

Maar nu sta ik hier in een overvolle zaal terwijl het voorprogramma begint en er bonzende beats uit de boxen komen. Mensen beginnen te dansen, lichamen tegen elkaar, drankjes gutsen over de rand van glazen en ik weet niet of ik nog getrouwd bent met de man die al bijna zes maanden dood is, een jubileum waarvan ik niet weet of ik erbij stil zou moeten staan. Mijn hart bonst in mijn keel. Iemand botst tegen me aan. Liz geeft hem een snauw en wijst naar mijn buik en pakt mijn arm.

'Gaat het wel?' vraagt ze bezorgd. Mijn blik vindt de hare. Ik heb geen idee hoe ik eruit zie. Het zweet breekt me uit, ik voel mijn trouwring rond mijn vinger knellen. Vocht, zei Ellen laatst. Mijn trouwring zal de eerste niet zijn die door een zwangerschap even niet meer past, maar hem afdoen is zo veel symbolischer dan bij al die andere vrouwen die hem tijdelijk wegleggen en straks, blakend in hun kraambed, weer aan hun vinger schuiven.

'Ik...' stamel ik, omdat Liz op een antwoord wacht. Mijn hoofd suist en mijn oren bonzen, en ik weet niet of dat van de muziek komt. Ik zie Vinnie, hij lacht naar me. Ik knijp mijn ogen dicht, wil het niet zien. 'Ik weet het niet', breng ik uiteindelijk uit.

Liz grijpt resoluut mijn andere arm en trekt me mee. 'Wij gaan even naar buiten', zegt ze. Ze baant zichzelf en mij een weg door de mensenmassa en eenmaal buiten plant ze me neer op een stoel die ze blijkbaar ergens vandaan heeft gehaald. Mijn jas hangt nog in de garderobe, maar ik heb het niet koud. De frisse buitenlucht voelt weldadig aan op mijn verhitte huid en hoofd. Eindelijk neemt mijn hartslag wat af en heb ik niet meer het gevoel dat ik stik. Mijn ring knelt niet langer.

'Wat gebeurde er?' vraagt Liz bezorgd.

Ik schud mijn hoofd. 'Ik weet het niet. Ineens voelde ik me duizelig.'

Het echte verhaal wil ik haar niet vertellen. Althans, niet nu. Ik weet wat ze gaat zeggen, maar ik moet eerst zelf antwoorden vinden.

Even zeggen we allebei niets. Een groep al behoorlijke aangeschoten jongens wil met veel lawaai Paradiso binnengaan, maar ze passen niet met z'n allen tegelijk door de deuropening, wat een lachsalvo van jewelste teweegbrengt.

Als ze allemaal binnen zijn, doet Liz haar mond open. 'Het spijt me', zegt ze. 'Ik had je niet mee moeten slepen. Je bent er nog niet aan toe, en bovendien ben je hartstikke zwanger.'

'Het is verwarrend,' zeg ik. 'Ik heb het gevoel dat ik het niet naar mijn zin mag hebben. Hoe durf ik het leuk te hebben terwijl Maarten het nooit meer leuk zal hebben?'

Liz knikt begrijpend, al denk ik niet dat ze echt snapt wat ik bedoel. 'Misschien wil je dit niet horen', zegt ze dan, 'maar Maarten wordt echt niet weer levend als jij nooit meer de deur uit gaat en lol maakt. En ook niet als je niet eens met andere mannen durft te praten, omdat je bang bent dat dat onder vreemdgaan valt. Toen Maarten nog leefde, praatte je toch ook met andere mannen?'

Dat weet ik wel, natuurlijk weet ik dat. Ik knik en buig mijn hoofd. Weten en voelen zijn twee verschillende dingen. Ik sluit mijn ogen en probeer alles op een rijtje te zetten, maar het lukt niet. Als ik nu naar huis ga, voel ik me lullig tegenover Liz. En misschien ook wel tegenover mezelf. En tegenover Maarten, omdat hij wilde dat ik juist doorging met leven als hij doodging. Maar hoe hypothetisch dat gesprek ook was, ik weet zeker dat hij het meende. Als ik degene was geweest die dood was gegaan en ik zou van bovenaf naar hem kunnen kijken, zou ik hem liever onder de mensen zien, dan in z'n eentje thuis. In het donker, met een fotoboek op schoot. Want dat is hoe het vanavond gaat als ik nu naar huis ga.

Ik haal diep adem en sta dan op, een beetje wankel op mijn hakken. 'Je hebt gelijk. Laten we naar binnen gaan.'

Liz knikt en haakt haar arm door die van mij.

14

'HEB JE ALLES? ALS JE NOG IETS MIST, KAN IK WEL EVEN...'

'Ja, ik heb alles', zeg ik, relaxter dan ik me voel. Wat nergens op slaat, want ik heb zo vaak voor veel mensen gekookt. Maar omdat dit een soort werk is, ben ik ineens in de stress geschoten.

Judy drentelt om me heen en kijkt naar alles wat ik op het aanrecht heb uitgestald. Ze knijpt in een aubergine. 'How gorgeous', mompelt ze. 'Ga je die roerbakken?'

'Grillen.'

'En deze?' Ze houdt drie sinaasappel omhoog.

'Voor het ijs. Ik maak sinaasappelijs met zelfgemaakte chocoladesaus en een truffel van chocola.'

'Het water loopt me nu al in de mond. Ik ga Tessa bellen en vragen of ik niet op haar verjaardag mag komen.'

Ik grinnik. 'Jij gaat toch naar het theater met een paar vriendinnen?'

'Dat kan altijd nog. Die kookkunsten van jou wil ik niet missen.' Ze pakt haar mobiele telefoon. 'Oh, speaking of which, een vriendin vraagt of ik iemand weet om haar vijfentwintig-jarig huwelijksfeest te cateren. Ik ga jouw naam doorgeven.'

Ik kijk haar aan alsof ze gek is geworden. 'Doe even normaal, wil je. Een verjaardagsfeestje, oké, maar een groot huwelijksfeest?'

'Waarom niet?' vraagt Judy. Ze pikt een roma-tomaatje en stopt het in haar mond. Dan wil ze een sms'je gaan typen.

'Wacht even', zeg ik zenuwachtig. 'Dat kan ik helemaal niet. Ik kan koken, niet cateren.'

'We doen het op dezelfde manier', zegt Judy geruststellend. 'Ze wil twintig man uitnodigen, dat is zo'n beetje het maximale wat in mijn huiskamer past. En als dat allemaal goed gaat, wil ik reclame gaan maken.'

'Reclame voor wat?'

'Voor jou, lieverd.' Ze klopt op mijn arm. 'Je moet niet zo onzeker zijn over je eigen kunnen. Als niemand jou wil aannemen in de keuken, moeten we zelf maar iets opzetten.'

'Je bedoelt dat je kennissen gaat uitnodigen om te komen eten?'

'Ook, maar dit soort feestjes zijn een mooie manier voor jou om ervaring op te doen. Wie weet kun je dan in de toekomst echt voor jezelf beginnen. Een klein restaurantje. En dat kan best in mijn huiskamer!'

'Ja', zeg ik, omdat ik niets anders weet te zeggen. Ik vind het veel te ambitieus om te denken dat ik echt mijn eigen zaak zou kunnen beginnen. Ik ben onervaren en zwanger, en wil niet hoogmoedig zijn. Daarnaast wil ik Judy niet tot last zijn.

'Eerst dit feestje maar eens tot een goed einde brengen', zegt Judy, iets getemperd in haar enthousiasme. 'I'm off. Succes!'

'Veel plezier!' roep ik.

'Oh ja', zegt Judy vanuit de deuropening. 'Daniël komt morgen thuis. Ik kom hem wel aan je voorstellen!'

Het is precies vijf uur als de eerste gasten binnenkomen. Ik heb de voordeur opengezet en wat kaarsjes aangestoken in de hal. Tessa is er nog niet, wat me verwondert, maar eigenlijk heb ik het te druk in de keuken om me er echt mee bezig te houden. Ze zal zo wel komen, hoop ik. Ze heeft gezegd dat zij de drankjes zou regelen.

Ik moet mijn gedachten bij het eten houden, maar toch glijden ze zo nu en dan even af naar wat Judy heeft gezegd. Voor mezelf beginnen? Waar dan? In haar huiskamer? Ik probeer niet te enthousiast te worden over het idee. Praktisch is het bijna niet uitvoerbaar. Ik ben maar alleen. Wie gaat de wijn inschenken, waterkaraffen vullen en frisdrank pakken als ik aan het koken ben? En wie ruimt de borden af, terwijl bij een andere tafel net het hoofdgerecht geserveerd moet worden? Ik zou het liefst Liz' hulp inroepen, maar ik denk niet dat ik genoeg ga verdienen om haar te kunnen betalen en bovendien moet zij op die drukke avonden zelf werken.

Ik veeg mijn handen af aan mijn schort en loop naar de woonkamer, waar drie vrouwen binnenkomen. 'Hai, welkom', zeg ik. 'Ik ben Daphne.'

Ze geven me een hand en stellen zich voor als Annika, Rachel en Emma. Net als ik me een beetje bezorgd afvraag hoe ik ze iets te drinken moet aanbieden, komt Tessa binnen met een doos in haar armen en een boodschappentas bungelend aan haar arm.

'Hai schatten', roept ze naar haar vriendinnen. 'Ik sta dubbel geparkeerd. Help even.'

'Geef mij maar', zeg ik en ik wil de doos van haar aanpakken, maar de drie vriendinnen zeggen in koor: 'Niet doen.'

'Je moet niet tillen', voegt Emma eraan toe.

Ik kijk haar verwonderd aan. Ze werpt een blik op mijn buik. Oh, natuurlijk. Het is lief bedoeld, maar als je in je eentje zwanger bent, ben je – voorschriften of niet – negen van de tien keer zelf degene die de boodschappen tilt, omdat toch íemand het moet doen.

'Dank je', glimlach ik.

Als Tessa de doos kwijt is en de tas op de grond heeft gezet, begroet ze haar vriendinnen met zoenen en knuffels en daarna krijg ik dezelfde behandeling. Ik voel me welkom, ook al is dit niet eens haar huis. 'Je hebt me zo uit de brand geholpen', benadrukt ze nog eens. En dan tegen haar vriendinnen: 'Zonder Daphne zou ik het hele feestje geannuleerd moeten hebben. Ik had een cateraar ingehuurd...'

Met haar jas nog aan begint ze het hele verhaal te vertellen, haar dubbel geparkeerde auto vergetend. Ik loop naar buiten, haal nog twee tassen met drank uit de achterbak en zet daarna alles koud in de koelkast. Ik schuif de suitedeuren dicht en stort me weer op het eten.

Onwillekeurig glijden mijn gedachten weer af. De enige manier waarop ik in mijn eentje een restaurantje kan runnen, is als iedereen tegelijk aan dezelfde gang zit, zoals vanavond. Denk ik. Of juist met een grote tussenpauze, zodat ik tijd heb om het eten voor de ene tafel te maken terwijl de andere aan het aperitief of juist aan de koffie zit. Misschien moet ik shifts instellen? Eentje om zes uur, en eentje om half negen? Maar dan is om zeven uur even binnenlopen geen optie, en dat is ook weer jammer.

Er zit maar één ding op: ik zal de benen uit mijn lijf moeten lopen. En maximaal tien gasten tegelijk moeten hebben.

Tessa komt de keuken binnen. 'Heb jij twee boodschappentassen gezien?' informeert ze een beetje ongerust.

'In de koelkast. Althans, de inhoud ervan.'

'Echt? Je bent een engel. Even kijken, zes rosé en een witte wijn.'

Ik wijs haar waar de glazen staan en even later loopt ze terug naar de woonkamer met een hand vol glazen en twee flessen wijn. Ik werp een blik door het glas. Het is al behoorlijk druk. Bijna tijd voor de borrelhapjes.

Neuriënd trek ik de koelkast open en haal er twee schalen met blini's uit die ik vanmiddag al heb gemaakt. Zelf gebakken, want ik heb nog nooit ergens blini's gekocht die niet droog en taai waren. Ik rommel in de voorraadkast en vind de twee pakken bruschetta's, die ik bij de Italiaanse delicatessenwinkel heb gehaald. Ik heb zelf tomatensalsa en tapenade gemaakt, waar ik de bruschetta's mee wil besmeren. Dat doe ik eerst, dan kunnen de blini's intussen wat op temperatuur komen.

Ik besmeer het Italiaanse toastbrood en maak het af met wat basilicum. Tevreden bekijk ik het resultaat. 'Wat borrelnootjes is ook goed, hoor', had Tessa geroepen toen ik haar voorstelde om borrelhapjes te maken. Maar dat is mijn eer te na, en bovendien vind ik borrelhapjes maken leuk.

Ik laat de bruschetta's even staan en haal de krabsalade tevoorschijn die ik vanmiddag heb gemaakt, plus de notenpaté van de biologische slager en gerookte paling die ik tot tartaar heb gehakt. Ik knijp een citroen uit over de paling, ruik eraan en knik tevreden. Proeven kan niet, maar volgens mij smaakt dit heel prima.

Zorgvuldig beleg ik telkens een derde van de blini's, en daarna neem ik de schalen mee naar de huiskamer. Ik heb geen tijd om zelf uit te serveren, maar gelukkig pakt Tessa de schalen van me aan en gaat ze zelf haar vriendinnen langs. Ik trek me terug in de keuken, maar hoor nog de eerste reacties op mijn hapjes. Hoopgevend.

Ik trek de vriezer open en werp een blik op mijn zelfgemaakte sinaasappelijs. Het gaat de goede kant op. Als ik het over pakweg twee uur serveer, zal het precies goed bevroren zijn. Eigenlijk kom ik een oven tekort, want ik wil de brownies zo bakken dat ze lauwwarm zijn als ze geserveerd worden, maar ze moeten veertig minuten in de oven en ze kunnen er pas in als het hoofdgerecht eruit is. Dan maar even in de koelkast om ze lauw te krijgen.

Ik roer in de lichtgebonden uiensoep die ik als voorgerecht heb bedacht, en haal de bakplaat met zelfgemaakte kaasstengels uit de oven. Ik vloek als ik mijn vinger brand, maar ik heb geen tijd om hem onder de kraan te houden. De bakplaat zet ik op het aanrecht.

'Tijd voor de rollade', mompel ik in mezelf. Ik heb twee grote lamsrollades gekocht en bij de slager de beste manier van bereiden losgepeuterd. Daardoor zit ik nu met twee lappen vlees en een rolletje opbindtouw en niet met een kant-en-klare rollade. Het opbinden heb ik nooit eerder gedaan, maar de slager heeft het voorgedaan en het zag er niet heel ingewikkeld uit.

Maar eerst moet ik een vulling maken. Terwijl Tessa als een wervelwind de keuken binnenkomt en meer wijn en glazen meeneemt, snijd ik olijven, ansjovis, knoflook, basilicum en waterkers fijn. Even mengen met crème fraîche en dan smeer ik de vulling uit over het vlees. Het opbinden is lastiger dan ik had gedacht en twee keer zakt de rollade aan de zijkant open, maar de derde keer lukt het. Ik zet een stap naar achteren en bekijk het resultaat goedkeurend. Nu ik het trucje doorheb, gaat de tweede bijna vanzelf.

'Jeetje, wat ruikt dat lekker!' roept Tessa als ik de rollade net in de pan heb gelegd om rondom aan te braden. 'Wat is het?'

Ze werpt een blik in de pan, maar is veel te druk bezig om het antwoord af te wachten. Als ik "rollade" zeg, staat zij alweer met één been in de huiskamer. Er klinkt nu een gezellig geroezemoes en ik denk dat zo'n beetje iedereen er wel is. Over een uurtje wil ik het voorgerecht opdienen, precies volgens de planning die Tessa zelf heeft doorgegeven.

Ik draai de rollades om in de pan, laat het vlees even dichtschroeien, pak ze er met een tang uit en leg ze in de braadslee, die ik in de oven schuif. Ik laat het vlees bijna anderhalf uur garen, op lage temperatuur. Volgens de slager dé manier om hem zacht, sappig en rosé te krijgen. Ik heb het niet van tevoren kunnen proberen en hoop dat de slager weet waar hij het over heeft.

Dat blijkt anderhalf uur later. Als ik de rollades uit de oven haal, kan ik niet anders dan grijnzen. Het vlees is precies goed gegaard, de vulling is gedeeltelijk in het vlees getrokken, precies zoals de bedoeling was. Het geurt heerlijk en ik voel dat mijn maag knort, maar eerst moet ik mijn gasten te eten geven.

Tessa komt de keuken binnen met de borden van de soep en brengt de complimenten van haar vriendinnen over. 'Ze vragen nu al of ze je ook kunnen inhuren', zegt ze opgewonden. 'Ik heb gezegd dat dat natuurlijk kan. Dat is toch zo, hè?'

Ik grinnik. 'Natuurlijk!' roep ik. 'Geen probleem.'

Doen ze toch niet. Tessa's vriendinnen hebben stuk voor stuk de nodige wijn achter hun kiezen en roepen op dit moment wel meer. Maar het is een mooi compliment.

'Ik kom zo met het hoofdgerecht', zeg ik. 'Wil jij dat vast meenemen?'

Met mijn hoofd wijs ik naar een paar schalen met rosevalaardappeltjes en gegrilde groenten. Tessa knikt en met haar handen vol loopt ze terug naar binnen. Ik snijd intussen het vlees in gelijke porties en verdeel die over de verwarmde borden. Daarna voorzie ik elk stuk vlees van portjus die ik heb laten inkoken, en een takje tijm. Tevreden bekijk ik het resultaat.

'Neem maar mee', zeg ik tegen Tessa, die net weer binnenkomt. 'Het is klaar.'

Samen brengen we de borden naar binnen, en de bewonderende opmerkingen zijn niet van de lucht. Ik lach een beetje schaapachtig en hoewel ik geniet van de complimenten, weet ik eigenlijk niet wat ik erop moet zeggen. Dus zeg ik dat er nog veel te doen is en vlucht snel naar de keuken. Ik check nogmaals het ijs, dat nu wel goed is, en de chocoladetruffels de ik vanmiddag van boter, room, suiker en gesmolten chocolade heb gemaakt. Een killer voor je lijn, maar dat kunnen de dames in de huiskamer wel hebben.

Ik heb veertig truffels gemaakt, twee per persoon en wat reserve. In combinatie met ijs en brownies is dat misschien wat veel en dus besluit ik de truffels maar bij de koffie te serveren. Er is toch geen taart, want dat vond Tessa zo afgezaagd.

Ik sla de koelkast dicht, pak het bord dat ik op het aanrecht heb laten staan en waar drie verkeerd gesneden stukjes rollade op liggen. Ik schep de laatste rosevalaardappels uit de pan, giet wat jus over het vlees en ga aan de keukentafel zitten. Vanuit de woonkamer klinkt gelach en gepraat, het gerinkel van bestek en glazen. Heel even stel ik me voor dat dit geen verjaardagsgasten van Tessa zijn, maar mensen die gewoon binnengelopen zijn in mijn eigen restaurant. En die na afloop de rekening betalen, waardoor ik dit een echte baan mag noemen.

Dan zet ik die gedachte toch maar weer snel van me af.

Rond middernacht, als de gasten vertrokken zijn en ik net de laatste spullen in de keuken opruim, komt Judy thuis.

'Wonderful!' roept ze uit als ik vraag hoe de voorstelling was. 'Geweldig. Ik kende de toneelgroep en het stuk helemaal niet, maar het was heel grappig. Hoe ging het hier?'

'Goed', zeg ik met een grote lach. Ik heb het gevoel dat er adrenaline door mijn aderen stroomt en ik niet kan stoppen met glimlachen. Het gíng ook goed vanavond. Alles klopte, het diner liep precies op schema en bij het weggaan heeft iedereen gezegd dat ze zo lekker hebben gegeten. Ik heb er een geweldig gevoel aan overgehouden. Zo voldaan ben ik nooit geweest na een dag in de brasserie of vroeger, toen ik nog in het hotel in Zutphen werkte.

Judy kijkt me onderzoekend aan. 'Je straalt helemaal', zegt ze. 'Kom, we gaan even wat drinken.'

Ze pakt de twee wijnglazen uit mijn handen die ik net heb gepouleerd en nu in de kast wilde gaan zetten. Een ervan zet ze op het aanrecht, het ander op tafel. Ze schenkt witte wijn in voor zichzelf en daarna vruchtensap voor mij. We gaan tegenover elkaar aan de keukentafel zitten.

'Ik vind toch dat je hiermee verder moet gaan', zegt Judy. 'Ik heb er vanavond nog eens goed over nagedacht en het is haalbaar. Waar een wil is, is een weg. Ik houd niet van clichés, maar soms zijn ze heel erg waar.'

Ik draai mijn glas rond in mijn hand. 'Ik weet het niet', zeg ik, hoewel ik op dit moment niets liever wil dan verder in het werk dat ik vanavond heb gedaan. Beter worden, meer gasten trekken, mijn baan ervan maken.

Judy neemt een slok wijn en zet daarna haar glas op tafel. 'Wat heb je te verliezen?' vraagt ze. 'Je kunt klussen als die van vanavond aannemen en ondertussen proberen ook als restaurant operationeel te zijn. Begin met drie dagen per week. Vrijdag, zaterdag, zondag. Ik zet op die avonden gewoon de voordeur open. Op de stoep komt een krijtbord met het menu erop.' Ze krabbelt iets op een briefje. Op de kop lees ik het woord 'krijtbord'. En daaronder schrijft Judy 'naam'. Ze tikt met haar pen op het woord. 'Die moeten we ook hebben. Even over nadenken.'

'Gaat dat niet een beetje snel?' vraag ik bezorgd. 'Voor bekenden, oké, maar koken voor vreemden... Ik denk niet dat ik goed genoeg ben.'

Judy leunt achterover en kijkt me aan. 'Als je een beter plan hebt, mag je het zeggen. Maar wat ik zie is een vrouw met veel talent én liefde voor het koksvak, die niet aan de bak komt vanwege het gebrek aan een lousy diploma en een baby die onderweg is. En die best voor zichzelf kan beginnen, maar het niet durft. En daarom heb ik een nieuwe missie. Die is: kick your ass. Want je kan het echt wel, Daphne. Maar je moet meer zelfvertrouwen krijgen.'

Ik slik. Het is bijna eng hoe Judy dwars door me heen kijkt. Ja, ik wil het heel graag. Maar ik durf niet.

'En als ik die vrouw, die ik toevallig een heel warm hart toedraag, een beetje kan helpen door mijn huis drie avonden per week beschikbaar te stellen, dan doe ik dat graag. Ik ga wel boven zitten. Of in jouw huis.'

Pijlsnel schiet ik door mijn opties heen. Als ik een beter plan heb, zei Judy net. Ik heb geen beter plan. Terug naar het dorp? Nee. Een baan, nee. Thuiszitten en niets doen en wachten tot Judy een kookklusje voor me heeft geregeld, nee. Zelf een cateringbedrijfje beginnen... Het is een optie, maar vind ik het leuk? Het restaurantje spreekt me aan, en er kan weinig misgaan. Loopt het niet, dan stop ik ermee. Krijgen we controle en moeten we dicht, so be it. Dan kan ik daarna altijd nog iets anders gaan doen.

Dan schiet er ineens iets door me heen: heb ik wel genoeg inspiratie voor lekkere gerechten? Ik bijt op mijn lip. Bakken, grillen, smoren, stoven – je kunt zo veel lekkere dingen doen met vlees. En met groente. Er komen zo tien, vijftien recepten bij me op. In mijn kwaliteiten als gastvrouw heb ik niet al te veel fiducie, maar die recepten zijn nou iets waar ik me geen zorgen om maak.

Ik begin te glimlachen. 'Weet je wat, we moeten het maar gewoon gaan doen, denk ik.'

'Oh, great!' roept Judy uit. Ze staat op, omhelst me en geeft me een zoen. Het is bijna alsof ik háár een gunst verleen. 'Ik wist wel dat je ja zou zeggen! Volgende week beginnen?'

Ik kijk haar aan alsof ze gek is. 'Dat is een grapje?'

'Natuurlijk niet. Hoe eerder hoe beter. Je kunt maar beter iets hebben opgestart voor de baby komt, des te makkelijker kun je daarna terugkomen.'

Ze heeft een punt. En ik erger me ineens aan mijn eigen aarzeling. Volgende week beginnen, waarom ook niet? Ik kijk Judy aan met een grote grijns. 'We gaan ervoor! Ik heb nog een week om een menu te bedenken.'

Judy heft haar glas en we proosten, haar wijn tegen mijn vruchtensap. Ik kijk naar mijn hand, die trilt. Voor iemand die geen huiskamerrestaurant zou beginnen, ben ik behoorlijk hard op weg om een huiskamerrestaurant te beginnen.

15

IK WEET EIGENLIJK NIET WAAROM IK HIER BEN. MISSCHIEN omdat mijn moeder vanochtend belde en ik ineens behoefte had om haar te zien. Misschien omdat ik na gisteravond rust wilde. Ik moet nadenken, maar thuis lukt het me niet.

Toen ik met Judy proostte, wist ik zeker dat ik ons plan wilde uitvoeren. Maar 's avonds in bed wist ik het niet meer. Heb ik wel genoeg ervaring? Ik weet dat dat bij lange na niet het geval is. Maar de reacties die ik krijg, zijn goed. Blijven die goed als mensen dertig euro betalen voor een viergangendiner? Of komen er dan kritische noten die ik met mijn beperkte ervaring niet kan verhelpen? En kan ik als zwangere wel zo'n nieuw avontuur aangaan?

Het was half vijf toen ik uiteindelijk in een onrustige slaap viel, en vanochtend om negen uur belde mijn moeder me wakker, verwachtend dat ik al gewassen en gestreken aan de ontbijttafel zou zitten. Toen ik haar vertelde over gisteravond reageerde ze met een mengeling van verrassing en enthousiasme, maar ook met terughoudendheid. Eigenlijk precies mijn eigen reactie. En ineens wilde ik heel graag bij haar zijn, met haar van gedachten wisselen over wat ik nu moet doen. Of van haar horen dat het een goed idee is, misschien is dat het wel. Bovendien wil ik haar iets vragen en het is niet het soort vraag om door de telefoon te stellen. Het duurt nog even, maar ik moet inmiddels gaan nadenken over de bevalling. Althans, daar wees Ellen me de vorige keer op. En omdat ik het niet zie zitten om die aanzienlijke klus alleen te klaren, wil ik graag dat mijn moeder erbij is. Ik ben benieuwd hoe ze reageert als ik dit aan haar voorleg.

Nu, twee uur na haar telefoontje, rijd ik door de straten die ik zo goed ken en lijkt Amsterdam heel ver weg. Als ik linksaf sla, kom ik bij het huis van mijn ouders, maar ik ga rechtdoor. Het dorp weer uit. Even later zet ik de auto net voor de boerderij stil, maar wel zo dat Nadine en Pieter me niet kunnen zien. Ik zie Beer door de voortuin rennen, zijn rode bal klemvast in zijn bek. Ik voel heimwee en spijt en tegelijkertijd een afstand die ik niet kan verklaren en die ik niet per se erg vind. We zijn ruim drie maanden verder, dit is mijn huis niet meer.

Dit is mijn leven niet meer.

Maar toch rijd ik niet weg. Ik zie de wilg in de voortuin, die aan het uitlopen is, ook al moet de lente nog beginnen. Pieter moet hem snoeien, maar daar zal hij waarschijnlijk geen tijd voor hebben. Tilly vertelde me dat hij het druk heeft met aanpassingen in huis, ongetwijfeld dezelfde die al een tijd op Maartens lijstje stonden. Ik peil voorzichtig mijn eigen gevoel over het feit dat zijn broer verdergaat waar Maarten gestopt is, maar ik merk dat het me niet zo ontzettend veel doet. Ik woon hier niet langer. Waar ik had verwacht dat ik Maarten dichter bij me zou voelen nu ik bij het huis ben, maakt het geen verschil. Ik voel hem altijd bij me, zij het op een afstand die ik te groot vind, maar waaraan ik wel zal moeten wennen.

Ik wil Maarten vragen welke kant ik op moet met mijn leven, maar ik merk dat ik weifel. Alsof hij er niet echt iets over kan zeggen, want was hij er nog geweest, dan was deze kwestie nooit aan de orde geweest. En ergens weet ik dat zijn antwoord alleen het antwoord zal zijn dat ik mezelf wil geven.

Beer rent weer voorbij en ik snik en glimlach tegelijk. Ik mis hem, maar hij hoort hier. Hij heeft de ruimte nodig. De ruimte om zelf zijn bal in de lucht te gooien, hem op te vangen en dertig meter verderop hetzelfde te doen. In zijn eigen tuin.

Heel even overweeg ik het erf op te rijden. Misschien zijn Pieter en Nadine wel thuis. Maar wat moet ik daar? Ik mag ze graag en ik weet dat zij mij mogen, maar ze zijn wel altijd "Maartens familie" gebleven. Ik belde ze nooit zelf, als we afspraken was het altijd via Maarten. En nu hij dood is heb ik Pieter weliswaar weleens zelf gebeld, maar we zijn niet echt dichter naar elkaar toegegroeid. Ze hebben hun eigen leven, met de boerderij, met Job. Ik zou me een indringer voelen, ik heb niet eens van tevoren gebeld. En misschien wil ik hun leven helemaal niet zien, nog niet. Tilly heeft me verteld dat ze het juist leuk vinden als ik langskom, maar dit is niet het moment. Als ze me willen zien, kunnen ze naar Amsterdam komen. Verder dan een mailtje en een sms'je dat ze dat echt binnenkort willen doen, zijn ze alleen nog niet gekomen. Ik neem het hun niet kwalijk. We leven in twee werelden. Er is verdriet, er is onbegrip, er is een afstand die groter is dan anderhalf uur in de auto. Zij horen bij mijn verleden en ik bij dat van hen, en ik denk dat het zo zal blijven.

Dan start ik de motor, werp nog één blik op de uitlopende wilg waar Beer nu onder ligt, en keer dan de auto. Ik hoop dat mijn moeder appeltaart heeft gebakken.

'Je moet doen waar je je goed bij voelt', mompelt mijn vader. 'Als dat betekent dat je een restaurant begint, dan sta ik achter je.'

'Ja, maar denk nou even rustig na', zegt mijn moeder. Ze is duidelijk minder fan van het idee dan mijn vader. 'Heb je geen opleiding nodig?'

'Met een opleiding zou ik niet voor mezelf hoeven te beginnen', zeg ik. 'Dan kwam ik wel ergens aan de bak.'

'Er zijn toch wel verkorte cursussen? We waren vorige week bij de pizzeria in Zutphen en daar zag ik allemaal ingelijste diploma's hangen. Sociale hygiëne, volgens mij. En iets met leermeesterschap.'

'Die diploma's kan ik ook vast wel halen', zeg ik met aflatende interesse voor het onderwerp opleidingen. Mijn oog glijdt naar het stuk taart dat nog onder een vliegenkap op het aanrecht staat. Er is geen vlieg te bekennen, maar het is mijn moeders gewoonte. 'Ga je dat weggooien?'

Mijn vraag doet haar genoegen. 'Wil je nog meer? Het is fijn om te merken dat je in elk geval weer lekker aan het eten bent. Het doet je goed om in Amsterdam te wonen, hè?'

Ze zegt het langs haar neus weg, maar haar opmerking raakt me.

'Ik ben blij dat je dat zegt', is mijn reactie. 'Ik weet dat je nooit echt fan bent geweest van het idee, maar inderdaad, het doet me goed. Omdat het zo ver af staat van mijn leven hier.'

Mijn moeder geeft geen antwoord en schuift een stuk taart op mijn schoteltje. Ze pakt de slagroomspuit en ik houd haar niet tegen. Met grote happen begin ik te eten.

'Ik begrijp het wel', zegt mijn moeder dan uiteindelijk. Ze kijkt even naar mijn vader, maar die is in zijn favoriete stoel alweer aan zijn favoriete bezigheid begonnen: de krant uitspellen en zich daardoor een paar uur niet laten zien vanachter het papier.

Ik wacht tot ze verder gaat, wat even duurt. Dan zegt ze: 'Ik vind het knap dat je een leven in Amsterdam aan het opbouwen bent, en dat je een manier aan het vinden bent om met je verdriet om te gaan. Dat zal niet makkelijk zijn, zeker met de zwangerschap enzo.'

Ik knik. Ik voel een 'maar' aankomen.

'Maar,' zegt ze dan inderdaad, 'ik weet niet of het zo'n goed idee is om in deze fase van je leven, en je zwangerschap, een restaurantje te beginnen. Straks loopt het heel goed en moet je ermee stoppen vanwege de baby. Of het loopt voor geen meter en dan zit je met kosten, maar zonder inkomen. Niet dat wij je niet kunnen helpen, maar...'

'Dat wil ik niet', kap ik dat laatste meteen af. Ik wist dat mijn moeder dit zou gaan zeggen, maar als ik financiële steun van hen accepteer, heb ik het gevoel dat ik ze iets verschuldigd ben. In de buurt wonen, bijvoorbeeld.

'Dat weet ik, lieverd, maar als je geen inkomen hebt...'

'Ik heb recht op een kleine uitkering voor een paar maanden. Maar daar gaat het helemaal niet om. Ik heb iets gevonden wat ik leuk vind en ik wil kijken hoe ver ik kan komen. Als het niets wordt, zit ik hooguit met een paar verlepte kroppen sla en wat vlees dat ik niet kwijtraak. Dan vraag ik jullie wel te eten.'

Het was grappig bedoeld, maar mijn moeder lacht niet. Ik merk dat ik het idee van een restaurant ontzettend zit te verdedigen, terwijl ik nog maar een paar uur geleden zelf grote twijfels had. Maar ik mag dat, twijfelen. Mijn moeder moet het een goed idee vinden. Ik weet niet waarom, maar dat moet gewoon.

'Je zult toch ook pannen moeten hebben', zegt ze.

'Ik kan die van Judy gebruiken.'

'Vast niet tot in de eeuwigheid. Je moet investeringen doen en als de boel flopt, ben je dat geld kwijt.'

'Een paar pannen kan ik altijd wel gebruiken. En anders zet ik ze op Marktplaats. Servies koop ik gewoon bij Ikea, daar ga je echt niet failliet aan.'

'Wel als je servies koopt voor dertig man. Al die kleine dingen bij elkaar drijven de kosten aardig op.'

'Mam', zeg ik op overredende toon, 'het is niet alleen mijn risico. Sterker nog, het is een voorstel van Judy dus zij deelt mee in het risico.'

Ik heb geen idee of dat waar is, maar het klinkt goed.

'En ook in de winst?'

Daar hebben we het niet eens over gehad. Ik denk dat Judy me slaat als ik het voorstel. 'Nee, dat wil ze niet', zeg ik dus voorbarig. 'Ze vindt het juist leuk om haar huis beschikbaar te stellen. Een beetje leven in de brouwerij.'

'Hm.'

Ik kan mijn moeder niet helemaal ongelijk geven. De mentaliteit hier op het platteland is niet te vergelijken met die in Amsterdam. Als de buurvrouw ineens zou aanbieden om haar huis beschikbaar te stellen voor een restaurant dat mijn ouders zouden runnen, zou ik ook raar opkijken.

'Waar het om gaat, is dat ik iets heb gevonden wat ik leuk vind en waarvan ik wil proberen mijn werk te maken. Die zwangerschap is daarbij misschien niet ontzettend handig, nee, maar het is ook niet onoverkomelijk. Als het restaurant een beetje loopt kan ik een vervanger zoeken. Of een tijdje dicht gaan, en dan weer open.'

Mijn moeder knikt langzaam. Dan zegt ze: 'Weet je, lieverd, ik wil gewoon dat jij gelukkig wordt. En als dat met je eigen restaurant is, is het met je eigen restaurant. Wij komen in elk geval eten.'

Ik slik mijn laatste hap appeltaart door, en neem daarbij een paar opkomende tranen mee. 'Dank je wel, mam', zeg ik met een verstikte stem. 'Dat betekent veel voor me.'

Ik sta op en ze slaat haar armen om me heen. Zo blijven we een tijdje staan.

Dan maak ik me los uit haar armen. 'Ik wil je iets vragen.' Ze houdt haar hoofd schuin en kijkt me aan. Ik leg mijn hand op mijn buik. 'Deze hier zal er ook een keertje uit moeten, ook al duurt dat hopelijk nog eventjes. En ik wil vragen of je bij de bevalling wilt zijn. Ik denk dat ik je dan heel hard nodig heb.'

Het is even stil. Ik kijk mijn moeder niet aan. Deze vraag spookt al een tijdje door mijn hoofd, nadat Ellen heeft gezegd dat ik over de bevalling moet nadenken. Ik kan niemand bedenken die ik bij de geboorte van mijn kind meer nodig heb dan mijn moeder. Althans, niemand die leeft.

Mama slikt hoorbaar. 'Natuurlijk', zegt ze dan met een wat verstikte stem. 'Natuurlijk ben ik erbij.'

Ik bijt op mijn lip en knik en dan vlucht ik weer in haar opnieuw uitgestoken armen. Nu blijven we heel lang zo staan.

Een uurtje later stap ik in de auto, op weg naar Amsterdam. Mijn moeder had liever gezien dat ik bleef eten, maar Judy heeft me laten beloven dat ik bij haar zou zijn voor het diner. Deze keer niet om zelf te koken, maar om van haar kookkunst te genieten. En vooral: om Daniël te ontmoeten. Hij is vanochtend vanuit New York aangekomen en Judy kan niet wachten tot ze hem aan mij kan voorstellen. Door wat ze over hem heeft verteld verwacht ik eigenlijk een over het paard getilde hotelmanager die zichzelf als het middelpunt van het universum beschouwt, maar ik dwing mezelf dat vooroordeel aan de kant te zetten. Judy is gewoon erg onder de indruk van wat haar zoon heeft bereikt, en dat kun je een moeder niet kwalijk nemen.

Ik geef richting aan naar rechts, de weg op die naar de snel-weg leidt. Maar links zie ik een andere weg, die naar de be-graafplaats. Als ik één ding over mezelf heb geleerd, dan is het wel dat ik niets kan met graven. Ik vind er niets, geen troost, geen nabijheid. Ik zie alleen een rechthoekig vlak en in gedach-ten speelt de film van de begrafenisplechtigheid zich af, maar ondertussen voel ik me aan het graf geen haar beter dan wan-neer ik thuis ben. In de eerste maand na Maartens dood ben ik elke week gegaan, de maand erop elke twee weken en daarna alleen nog maar als ik vond dat ik het niet kon maken om niet te gaan. Meer voor de buitenwereld dan voor mezelf. Maar nu sla ik in een opwelling linksaf. Een paar minuten later zet ik de auto op de parkeerplaats. Het is rustig, er staan slechts twee andere auto's op het grind.

Via de goed onderhouden paadjes loop ik naar waar Maar-ten ligt, een beetje achteraan. In het nieuwe gedeelte, her en der zie ik pas gedolven graven. De aarde ligt nog los. Ik denk aan de families die hier afgelopen week hebben gestaan. Het was koud pestweer. Toen Maarten werd begraven hadden we tenminste nog een zonnetje.

Er liggen verse bloemen bij Maartens graf. Tilly, vermoed ik. De donkere aarde heeft een groene waas van langzaam door-komend gras. In de winter is het niet hard gegroeid. Aan het hoofdeinde staat nu nog niets, maar de steen is besteld. Het duurt maanden voordat zoiets klaar is. Heb ik nooit gewe-ten. Ik dacht dat het een kwestie van bestellen en een paar da-gen later afhalen was. De tekst heb ik expres simpel gehou-den. Maartens naam en zijn geboorte- en sterfdatum, verder niets. Alles wat ik verder tegen of over hem wil zeggen, zit wel in mijn hoofd, dacht ik.

Ik leg mijn hand op mijn buik en twijfel voor het eerst over de tekst. Moet ik er niet toch iets bijzetten als 'Hier rust mijn allerliefste man, en mijn vader'. Maartje wordt nu totaal niet erkend, terwijl het toch haar vader is die hier ligt. Als ze later naar zijn graf wil gaan, vindt ze niets wat erop duidt dat Maarten haar vader is. Ik neem me voor om morgen de leverancier van de steen te bellen. Misschien kan ik de tekst nog veranderen.

Ik sta een tijdje naar het graf te staren en doe dan uiteindelijk mijn mond open. 'Dag lief', zeg ik met een trillerige stem, die hard klinkt over de stille begraafplaats. Ik maak een geluid dat het midden houdt tussen een lach en een snik. 'Ik heb niet eens een bloemetje voor je meegenomen.' Aan de binnenkant van mijn buik voel ik een vertrouwde kriebel. Maartje schopt. 'Maar wel iets anders', zeg ik hardop. 'Ons kind.'

Ik zwijg weer een tijdje en hurk dan neer, mijn hand op het doorkomende gras. 'Als je dat toch eens geweten had', zeg ik zacht. Ik leg twee handen op mijn buik en probeer een soort officieel moment te creëren. 'Maartje, dit is papa. Papa... dit is Maartje.'

Het enige geluid komt van een kraai die schor roept in de boom boven mijn hoofd. Maartje schopt niet meer.

Even blijf ik zitten, maar dan krijg ik pijn in mijn been en kom met moeite overeind. Ik blijf nog een tijdje staan, omdat ik niet weg durf te gaan. Misschien is dat de reden dat ik niet graag op de begraafplaats kom. Weggaan is zo moeilijk.

Maar ik krijg het koud en kan hier moeilijk uren blijven, dus zeg ik Maarten gedag zonder de woorden uit te spreken. Daarna draai ik me om en zonder om te kijken loop ik weg. Terug naar de warmte van mijn auto. Terug naar Amsterdam.

Anderhalf uur later parkeer ik de auto voor de deur. Ik zie een grote suv staan. Het logo onder het nummerbord verraadt dat het een huurauto is, dus ik vermoed dat Daniël zijn entree heeft gemaakt. Het is half vier, ik wil me eigenlijk nog even opfrissen voor ik hem onder ogen kom. Gelukkig heeft Judy niet door dat ik al thuis ben, en ik sluip zo zacht mogelijk de trap op. Boven verruil ik mijn spijkerbroek en overslagblouse voor hetzelfde jurkje dat ik droeg toen ik met Liz naar Paradiso ging. Ik wil een goede indruk maken, wat ik zelf best stom vind. Maar Judy kijkt erg naar deze avond uit en ze waardeert het vast als ik mijn best doe.

Ik haal een borstel door mijn haar en zet het vast met een speld. Daarna doe ik een beetje mascara op, gebruik wat lipgloss en knik mezelf toe in de spiegel. Zie ik eruit als iemand die haar eigen restaurantje kan bestieren? Ik hoop het, want dat onderwerp komt vanavond ongetwijfeld ter sprake.

Om half vijf loop ik de trap af en klop op de tussendeur. Ik weet niet waarom, ik heb een sleutel en normaal loop ik gewoon door. Vanachter de deur hoor ik Judy roepen: 'Come in!' en ik duw de klink naar beneden. Ineens ben ik een beetje zenuwachtig. Wat als het totaal niet klikt tussen mij en Daniël? Judy is vast erg gevoelig voor zijn mening.

'Hi darling', zegt Judy als ik binnenkom. Ze heeft rode blosjes op haar wangen en haar ogen stralen, ze is duidelijk ontzettend opgewonden. 'Kom verder. We zitten in de keuken.'

Ik loop achter haar aan en zie Daniël zitten, hij checkt zijn berichten op zijn BlackBerry. Als ik de keuken binnenkom, kijkt hij op.

'Daan, dit is Daphne', zegt Judy. Hij is groter dan ik had verwacht, en minder glad. Bij een hotelmanager had ik me een nogal klein, dun mannetje voorgesteld met achterovergekamd, donker haar en een spits gezicht. Maar Daniël is een kop groter dan ik ben, heeft bruin, licht krullend haar en een bril. Hij draagt een spijkerbroek en een overhemd en ruikt naar aftershave.

'Hai Daphne', zegt hij. We schudden elkaar de hand. Zijn handdruk is ferm, ik krimp een beetje ineen.

'Hoi', antwoord ik. 'Leuk je te ontmoeten. Judy heeft veel over je verteld.'

Terwijl ik het zeg, hoor ik zelf hoe afgezaagd dit klinkt. Gelukkig heeft Daniël dat blijkbaar niet door. Zijn blauwe ogen nemen me onderzoekend op.

'Ga zitten', spoort Judy me aan. 'Wil je een colaatje?'

Ik knik en neem plaats aan de keukentafel. Even kijk ik verlangend naar de halfgevulde wijnglazen van Judy en Daniël. Nog een paar maanden en dan mag ik weer. De cola komt me inmiddels behoorlijk mijn neus uit.

'En hoe bevalt mijn oude huis je?' vraagt Daniël. 'Ik hoor van mijn moeder dat je het hier wel naar je zin hebt.'

Ik knik en kijk even op naar Judy, die een glas cola light voor me neerzet. Daarna roert ze in de pannen op het fornuis. Ik ruik tomaat, Judy maakt haar fameuze pastasaus. 'Ja, dat klopt', zeg ik dan. 'Het is een heerlijk huis. Ik ben er heel blij mee.'

'En je woont boven je werk', zegt Judy opgewekt. Ze gaat weer aan tafel zitten en kijkt me ondeugend aan. 'Ik heb Daniel al verteld over onze restaurantplannen. Nou ja, jouw restaurantplannen. Ik ben niet degene die hoeft te gaan koken.'

Ik kijk naar Daniël. Aan zijn gezicht is af te lezen dat hij nog niet zo enthousiast is als zijn moeder. 'Ja', zegt hij. 'Ik hoorde dat je een restaurant begint in mijn moeders keuken?'

Judy lijkt het niet te merken, maar ik lees de achterdocht in zijn ogen. Misschien komt het op hem ook wel een beetje raar over. Een zwangere weduwe die nog maar net hier is komen wonen, neemt nu al zijn moeders huis over. Ik denk dat ik in zijn plaats ook wel mijn twijfels zou hebben.

'Een restaurant is een beetje te sterk uitgedrukt', zwak ik het wat af. 'Judy stelde voor om te kijken of een huiskamerrestaurantje misschien iets zou zijn. Heel kleinschalig en we kunnen er elk moment mee ophouden. En niet elke dag, alleen de vrijdag, zaterdag en zondag.'

'Eh... en maandag', zegt Judy dan.

Ik kijk haar verbaasd aan.

'Ria, met wie ik gisteren naar het theater was, vroeg me of ik een leuk restaurantje wist waar ze maandag met wat collega's kon gaan eten. Ze hebben een afscheid van iemand die er dertig jaar heeft gewerkt. Het gaat om zes mensen. Dus ik heb gezegd dat ik zeker iets leuks weet. Vind je niet erg toch?'

'Hier?' vraag ik niet zo snugger. 'Je bedoelt dat ze hier komen?'

'Ja.'

'Zes mensen?'

'Nou... Toen ik vertelde over het concept stond er iemand naast me die half meeluisterde en die had iets te vieren met zijn vrouw. Of iets goed te maken, dat heb ik eigenlijk niet onthouden. Hij vroeg me waar dat restaurantje zat, want het klonk zo goed en hij wilde graag iets kleinschaligs. Dus hij komt ook. Met zijn vrouw. De collega's om half zeven, en dat stel komt acht uur. Ik heb op zolder nog een klein tafeltje staan, dat ik wel kan neerzetten. Ik heb gezegd dat een driegangenmenu dertig euro kost, dat er geen kaart is en dat ze dus moeten eten wat de pot schaft. En dat er twee soorten wijn zijn: wit en rood. En dat het aan de chef is te bepalen welke wijn er wordt geschonken, omdat die helemaal op het menu wordt afgestemd.'

'Maar ik weet helemaal niet genoeg over wijn om een goede combinatie te kunnen maken', zeg ik.

'Ga naar de wijnwinkel, zeg wat je gaat maken en dan komen zij vast met een geweldige suggestie. En zo niet, dan help ik je wel.'

Ik ben nu al zenuwachtig voor maandag, en tegelijkertijd ben ik opgewonden dat het nu echt kan gaan beginnen. Mijn eerste echte gasten. Mijn vuurdoop.

Daniël is minder enthousiast. 'Je weet dat het illegaal is om horeca te runnen in je eigen huiskamer, hè ma? Als de gemeente erachter komt, ben jij aansprakelijk.'

Ik krijg een beetje een ongemakkelijk gevoel, maar Judy, die zich door niemand de les laat lezen, trekt zich niets van haar zoon aan. 'Zo'n vaart loopt het niet. Het is niet zo dat we een knipperend neonbord op de gevel hangen en een grote, blauwe R op het dak zetten, hoor. Het is allemaal kleinschalig en onschuldig en als het niet werkt, kunnen we er van de ene op de andere dag mee stoppen. Ik stel voor dat je maandag ook bij ons komt eten, dan kun je zelf proeven dat Daphne de godin van de keuken is en dat dit hele concept een kans verdient.'

Ik vind het grappig dat Judy de hele tijd "we" zegt. Het geeft me het gevoel dat ik er niet alleen voor sta, en dat is een fijn gegeven. En het is ook "we", aangezien zij alle promotie doet.

Daniël belooft het, laat zijn glas nog eens bijschenken door zijn moeder en houdt verder zijn mond, maar ik zie aan zijn gezicht dat hij het allemaal voor geen meter vertrouwt. Ik neem me voor morgen extra mijn best te doen om hem te imponeren, al heeft hij vast in de allerbeste restaurants ter wereld gegeten. Ik hoop vooral dat hij zijn gereserveerde houding zal laten varen, anders wordt dit een heel lange avond.

'Was je weg vanmiddag?' vraagt Judy aan mij.

Ik knik. 'Naar mijn ouders. Ik had ze al een tijdje niet meer gezien.'

'Hoe ging het met ze?'

'Goed, hoor.' Ik bedenk dat ik dit antwoord al jaren geef, ongeacht wie er vraagt hoe het met mijn ouders gaat. Het gaat ook al jaren "goed, hoor". Er verandert zelden iets, er is nooit iets aan de hand. Opeens vraag ik me af of Maarten en ik ook zo geworden zouden zijn. Mensen met wie het altijd "goed, hoor" gaat, die hun leven kabbelend en zonder veel rimpelingen leven, over wie zelden iets te vertellen valt. Samen op de boerderij. Een goed oogstjaar, een wat minder jaar. Een kind, nog een kind. Misschien nog eentje. Een hond, een andere hond. Een kind dat het huis uit gaat. Een kleinkind. Voorspelbaar. Niet saai, maar wel rustig. Misschien wel, misschien zouden we zo geworden zijn.

'Daphne komt uit de Achterhoek', vertelt Judy aan Daniël. 'Maar toen haar man overleed is ze naar Amsterdam verhuisd. Hij is in september gestorven.'

Ik zie Daniëls blik naar mijn buik glijden. Hij zegt niets. Ik ook niet. Judy wel. 'Mooi hè. Hij heeft haar nog een cadeau nagelaten, ook al kwam ze daar pas veel later achter.'

Daniël knikt. Hij weet duidelijk niet wat hij moet zeggen.

Ik help hem door te vragen: 'Dus je woont in New York?'

'Dat klopt', zegt hij, blij met het andere onderwerp. 'Ik werk er als manager bij een hotel. Een keten, ik beheer één filiaal.'

'Wat gaaf dat je daarvoor naar New York bent verhuisd.'

'Weleens geweest?'

'Nee, maar het staat hoog op mijn lijstje.' Nu klinkt het net alsof ik solliciteer naar een uitnodiging, maar zo bedoelde ik het niet. 'Maar ach,' zeg ik daarom luchtig, 'voorlopig zal ik wel nergens naartoe gaan. Nog even en ik mag niet meer vliegen. Waar woon je in New York?'

'In Queens, maar ik werk in Manhattan. Ik ben elke dag een uur onderweg naar mijn werk, en een uur terug. Maar dat is in New York vrij normaal.'

'Wil je niet in Manhattan wonen?'

Daniël lacht, het klinkt een beetje cynisch. 'In New York is het niet de vraag of je in Manhattan wilt wonen, de vraag is of je het kan betalen. Meer dan duizend dollar per maand voor een eenkamerwoning met een badkamer dat nog het meest op een kast lijkt, vind ik iets te veel.'

'Serieus? Ik wist wel dat New York duur was, maar dat het zo erg was...'

Daniël knikt. 'Ja, het is dramatisch met de huizen. Daarbij vergeleken is Amsterdam een lachertje. Zoals ik hier woonde, daar moet je in Manhattan miljonair voor zijn.'

'Verlang je nooit terug naar Amsterdam?' Ik weet niet waarom ik dit vraag. Als Daniël terug zou komen naar Amsterdam moet ik waarschijnlijk het veld ruimen, dus ik kan dit onderwerp beter niet aansnijden. Wat als hij zegt: Nou, goed dat je erover begint, want ik wilde inderdaad...

Maar hij haalt zijn schouders op. 'Ik zeg niet dat ik voor altijd in Amerika wil blijven, maar op dit moment heb ik het er erg naar mijn zin en hoef ik niet terug. De huizenprijzen zijn vervelend, maar ik heb de reistijd er wel voor over. Als je werkgever je vraagt of je in New York wilt werken, dan is dat een kans waar je geen nee tegen zegt, toch?'

Ik schud mijn hoofd. 'Nee, dat denk ik ook niet.'

Judy veert overeind. 'Oh hemel, ik vergeet de pasta helemaal. Ruim die tafel eens een beetje op, Daan, dan pak ik de borden.'

Ik grinnik zachtjes. Hij mag dan hotelmanager zijn in een van de grootste, meest kosmopolitische steden op aarde, thuis bij zijn moeder aan de keukentafel is hij gewoon degene die "de tafel eens even moet opruimen". Even ben ik jaloers op Daniël dat Judy zijn moeder is, maar dan voel ik me schuldig naar mijn eigen moeder en laat het hele gevoel varen. Ik vang Judy's blik en glimlach naar haar. Ze lacht terug met haar ogen vol warmte en ik kan bijna voelen hoe ze aan het genieten is.

Daarna schept ze pasta op de borden en het water loopt me in de mond. In mijn buik schopt de baby. Ze houdt nu al van pasta. Good girl, zou Judy zeggen.

16

'PFFF.' IK LAAT ME ZAKKEN OP EEN STOEL EN STREK MIJN BE-
nen.

'Niet nu al beginnen met puffen', zegt Liz met een grijns. 'Je
moet nog iets te lang om nu al een bevalling te willen. Alhoewel we dan wel op de juiste plek zijn.'

We zitten in de wachtkamer van de verloskundige. Om me
heen zie ik drie zwangere vrouwen, van wie er twee bijna uit
elkaar klappen, en één nogal verdwaald kijkende echtgenoot.
De muren zijn behangen met geboortekaartjes en foto's en ik
zie vooral veel roze, verfrommelde baby's met mutsjes op hun
hoofd. Grappig dat ik hier al heel wat keren geweest ben, maar
dat het me eigenlijk nooit zo opgevallen is wat er op die foto's staat. Zou mijn baby er ook zo uitzien? Zo klein, teer en...
tja, in de kreukels. Ik kan er niets anders van maken. Als ik
heel eerlijk ben, kan ik eigenlijk nog steeds niet geloven dat ik
straks met zo'n verfrommeld wezentje thuis zal zitten.

Liz volgt mijn blik. 'Je gaat toch niet zo'n foto opsturen, hè?' zegt ze iets te hard. Twee zwangeren kijken op, de echtgenoot lijkt nu pas op te merken dat er foto's hangen. Ik vraag me af wat er in zijn hoofd omgaat, de zwangerschap lijkt vooralsnog vooral de afdeling van zijn vrouw te zijn. Of misschien verbeeld ik me dat alleen maar. Ik ken die gozer niet eens. Wat weet ik überhaupt van mannen tijdens de zwangerschap?

Ik blokkeer deze no go area in mijn gedachten. Ik wil even niet denken aan hoe Maarten als aanstaande vader was geweest. Niet nu.

'Hoe gaat het met je restaurant?' vraagt Liz. 'Ik wilde je nog bellen, maar het was echt zo'n hysterische week. Sorry.'

'Geeft niet', accepteer ik haar excuses. 'Ik had jou toch ook kunnen bellen. Maar ik heb het ontzettend druk gehad met het restaurant. Judy had voor zo'n beetje elke dag mensen uitgenodigd. Ik dacht dat we maar een paar dagen per week open zouden gaan, maar er waren zo veel gasten dat we niet alleen maandag, maar ook dinsdag en gisteravond minimaal tien mensen hadden.'

'Wow', zegt Liz. 'Dat meen je niet! Volgens mij heb je gewoon een gouden concept in handen. En dat zoontje van Judy?'

Liz had me bezworen haar zondagavond, na het etentje met Judy en Daniël te bellen om haar te laten weten hoe het was. Ik heb haar verteld dat Daniël duidelijk niet stond te springen bij het horen van de plannen. Uiteraard kon hij daardoor niet op Liz' goedkeuring rekenen. Dat ik haar dinsdagochtend vertelde dat hij maandag niet was komen opdagen, maakte het niet veel beter.

'Hij is uiteindelijk gisteren komen eten', zeg ik. 'Samen met een oud-collega. Ik vermoed dat Judy hem heeft gedwongen onder bedreiging van heel pijnlijke dingen. Maar volgens mij liet hij gedurende de avond zijn scepsis een beetje varen, en aan het eind zei hij dat hij ervan had genoten.'

'Heel goed', zegt Liz fel. 'Hij moet ook niet proberen iets anders te zeggen. Wie denkt meneer de hotelmanager wel niet dat hij is? Wanneer mag ik komen eten, trouwens?'

'Jij mag altijd komen eten, natuurlijk. Gewoon, bij mij thuis. Dan kook ik voor je.'

'Nee, ik wil in je restaurant eten. Als gast. Ik neem drie vriendinnen mee.'

'Oké, maar ik wil niet dat je betaalt. Ik laat mijn vriendinnen niet betalen om bij me te eten.'

Liz kijkt me aan. 'Ik sta erop om te betalen. Ik ga toch met die vriendinnen eten, en dan doe ik dat liever op een plek waarvan ik weet dat het eten goed is, en waarmee ik een vriendin een beetje steun. Ik zou beledigd zijn als ik geen rekening kreeg. Dan verbreek ik acuut alle vriendschapsbanden.'

'Doe normaal', grinnik ik. 'Nou, vooruit. Je krijgt een rekening. Ik geef je wel korting, en daarmee basta.'

Liz accepteert het met een grijns. 'Maar je loopt dus al lekker vol?' vraagt ze dan.

Ik knik en leg mijn handen op mijn buik. Het was een drukke week en ook vanavond staan er alweer drie reserveringen, maar ik denk niet dat ik ooit zo heb genoten van werken. Aan het eind van de avond kan ik niet meer op mijn benen staan, en het zal niet lang meer duren of ik heb hulp nodig, maar het kan me allemaal niet schelen.

Maandag maakte ik eend met sinaasappelsaus, die wonderbaarlijk goed lukte. Wonderbaarlijk, gezien het feit dat ik de saus nooit eerder had gemaakt en eend misschien maar één keer eerder. Maarten hield er niet van, het enige wat hij echt niet lekker vond. In tegenstelling tot mijn gasten van afgelopen maandag. Ria en haar vijf collega's bleven maar roepen hoe

lekker ze het vonden, en de man die iets wilde vieren of goed-
maken zei dat hij in tijden niet zo goed had gegeten, wat hem
op een geërgerde blik van zijn vrouw kwam te staan, dus toen
had hij zeker iets goed te maken.

Dinsdag zou het restaurant eigenlijk gesloten zijn, maar
Judy had weer allerlei gasten geregeld. Ik kon bij de visboer
voor een goede prijs vijftien dorades kopen. Het was een behoorlijk karwei om ze allemaal te fileren, en eentje sneuvel-
de helaas door mijn gekluns, maar het resultaat mocht er
zijn. Ik had de dorade aan één kant op de huid gebakken en
aan de andere kant een kruidenkorst gegeven. Een nogal gewaagd experiment, want het had ook helemaal verkeerd kunnen uitpakken en dan waren mijn gasten vast nooit meer te-
ruggekomen. Deze keer waren het acht mannen en vrouwen,
het bestuur van Judy's bridgeclub, en een vriendin van Tessa
die haar vriend had meegenomen. Judy had een krijtbord gekocht dat ze buiten op de stoep zette. Eigenlijk ben ik er meer
voorstander van om alles op reservering te doen, maar volgens Judy kun je dat in een grote stad niet doen. Mensen moeten langslopen en spontaan binnenkomen en blijven eten. Ik
denk niet dat dat zo vaak zal gebeuren, want zo druk is de
straat nou ook weer niet, maar toen ik dat uitsprak zei Judy
dat vaste gasten die ineens bedenken dat ze geen zin hebben
om te koken, ook de mogelijkheid moeten hebben om maar
gewoon aan te komen waaien. Ik moet nog een manier vinden om daar op in te kopen. Misschien een extra koelkast in
de kleine berging achter Judy's keuken. Of een vriezer, dan
kan ik wat ik te veel heb veel langer bewaren. Maar dan maak
ik niet waar wat ik wel op het krijtbord beweer, namelijk elke
dag vers.

Ik denk aan gisteravond, aan Daniël die me complimen-
teerde met de lamsrack met sjalottenchutney. Toen hij bin-

nenkwam kon ik aan alles zien dat hij er helemaal niets van verwachtte, wat het eigenlijk makkelijker maakte om hem te overdonderen. Judy was er niet, ze had zich in haar slaapkamer teruggetrokken om televisie te kijken, maar toch was het duidelijk dat Daniël alleen maar kwam omdat zij dat van hem had geëist.

Maar toen ik hem en zijn vriend de lamsrack had voorgeschoteld en zogenaamd nog even iets aan een al afgeruimde tafel moest doen, zag ik toch dat Daniël verrast was. Het compliment dat ik daarna kreeg, was min of meer gemeend. Wat niet wegnam dat hij het maar niets vond dat dit alles in zijn moeders huiskamer moest plaatsvinden, die voor de gelegenheid was gevuld met enkele oude tafeltjes en stoelen die Daniël ongetwijfeld nog van vroeger kende.

Ik schrik op uit mijn gedachten als de deur van de spreekkamer opengaat. Een jonge vrouw zo plat als een plank komt naar buiten. Ze ziet wit en groen tegelijk en stiekem ben ik blij dat ik de eerste tijd niets van mijn zwangerschap heb gemerkt.

De hoogzwangere vrouw met echtgenoot wordt naar binnen geroepen. Ik kijk haar na, ook als de deur al dicht is. Liz knijpt even in mijn been.

'Houd je ook zo veel vocht vast?' vraagt dan ineens een van de twee andere vrouwen in de wachtkamer.

Ik denk eerst dat ze het niet tegen mij heeft, maar ze kijkt me toch aan. We kennen elkaar niet, en nu stelt ze ineens vragen over mijn vochthuishouding?

'Eh... nee', zeg ik dan. 'Niet dat ik weet.'

'Oh, nou, als je het niet weet, dan is het niet zo.' Ze lacht me samenzweerderig toe, alsof we een geheim delen. 'Ik houd namelijk wel heel veel vocht vast. Man, je moest eens weten hoe ik er soms bij loop. Al mijn schoenen...'

Ik verlies mijn interesse en pak demonstratief een foldertje van de tafel. De vrouw ziet het en houdt haar mond. Haar samenzweerderige blik is verruild voor een nogal gekrenkte. Liz stoot me aan. 'Komt die familie van je eigenlijk bij je eten?'

Ze heeft niet zoveel op met mijn ouders, en met de familie van Maarten. Ten eerste wonen ze niet in Amsterdam en dat maakt dat Liz denkt dat ze de hele dag in boerenkiel en op klompen lopen. Maar ze steekt haar mening over het feit dat ze mij liever zien vertrekken uit de stad ook niet onder stoelen of banken. Alsof ze daar persoonlijk door beledigd is, wat waarschijnlijk ook zo is.

'Ja, volgende maand', knik ik. 'Mijn ouders samen met die van Maarten, en mijn broer. Ze wilden wel eerder komen, maar ik wil eerst nog even wat beter leren koken.'

Liz trekt een gezicht. 'Hoezo? Moet je ze imponeren?'

Ik heb het gevoel van wel, alleen zeg ik dat niet tegen Liz. Ze zal niet begrijpen dat ik inderdaad wil dat mijn ouders van hun stoel vallen van verbazing, dat al hun twijfels over mijn restaurantplannen in één klap van tafel worden geveegd. Oh ja, en ook dat er wat andere gasten zijn, zodat ze kunnen zien dat mijn tent echt goed loopt. Daarom heb ik ze pas voor volgende maand uitgenodigd.

Vijf minuten later gaat de deur van de spreekkamer weer open en hoewel de vrouw van de vochthuishouding eerder binnen was, ben ik aan de beurt.

'Hoe gaat het?' vraagt Ellen als ze achter haar bureau heeft plaatsgenomen, en ik ervoor. Liz zit naast me.

'Goed', zeg ik. 'Ik voel haar de hele tijd bewegen.'

'Mooi. En hoe gaat het met jou?' Ze kijkt me onderzoekend aan. 'Je ziet er goed uit. Beter dan de vorige keer, als ik dat mag zeggen.'

Ik knik. 'Ik voel me ook goed.' Ik vertel haar over mijn nieuwe uitdaging.

Ellen is enthousiast, maar kijkt ook een beetje bedenkelijk. 'Je weet dat dit normaal gesproken de periode is dat vrouwen het juist wat rustiger aan gaan doen, hè?'

'Ja, ik weet het, maar ik heb zo veel energie. Ik let echt wel goed op mezelf.' Ik weet niet of dat helemaal waar is, maar dat ik me prima voel, is in elk geval wel een feit. Ik heb nauwelijks last van kwalen.

'Je ziet er in elk geval blij uit', zegt Ellen dan. 'Minder afgetobd dan de vorige keren.'

Gek genoeg leidt haar opmerking niet tot een goed gevoel, wat je wel zou verwachten. Ik voel een steekje van schuld. Alsof ik Maarten heb ingeruild voor een restaurant. Een gedachte die natuurlijk kant noch wal raakt, maar die ineens in mijn hoofd zit en er niet uit wil.

'Wat is er?' vraagt Ellen, die blijkbaar mijn gedachten kan lezen. 'Heb ik iets verkeerds gezegd?'

'Nee.' Ik schud mijn hoofd en slik. 'Nee, echt niet.' Ik probeer een glimlach, die zo te zien goed genoeg lukt, want Ellen leunt een beetje achterover en lijkt gerustgesteld.

'Goed', zegt ze. 'We hebben het al eerder over de bevalling gehad, maar je moet nu zo langzamerhand wel een beslissing hebben genomen over waar je wilt gaan bevallen. Thuis, of in het ziekenhuis.'

Ze heeft dit onderwerp inderdaad al eerder ter sprake gebracht en toen wist ik eigenlijk het antwoord niet. Ik ben niet bijster dol op ziekenhuizen. De Dettol-lucht die ik rook op de avond dat ik Maarten verloor, zit voor altijd aan die herinnering verankerd. Een geur die herinneringen oproept die ik misschien ten tijde van de bevalling niet wil hebben. Of juist wel. Herinneringen aan Maarten. Maar niet aan een dode Maarten. Als ik door geur de juiste herinneringen wil oproepen, zou ik in een aardappelschuur moeten bevallen, maar die optie staat niet op Ellens lijstje.

Maar aan de andere kant, thuis bevallen lijkt me ook niets. Ik heb visioenen van mijn bed, drijfnat en onder het bloed. Van ambulances die met loeiende sirenes de straat in rijden, omdat het toch niet helemaal ging zoals gepland. Van ondraaglijke pijn en een spoedkeizersnee op de vloer van de huiskamer. Oké, dat laatste slaat werkelijk nergens op, maar toch werd ik laatst wakker uit een droom waarin dit gebeurde. Ik zie Ellen nog staan met in haar hand het mes waarmee ik altijd tomaten snijd, hoog geheven in de lucht.

'Ik weet het niet', zeg ik met een zucht. 'Ik kom er gewoon niet uit. Ik ben doodsbang om thuis te bevallen, maar ik moet er niet aan denken om naar het ziekenhuis te gaan. Wat als ik door al die herinneringen me niet meer kan concentreren? Wat als daardoor de hele bevalling misloopt?'

Ellen kijkt me kalm aan. 'Ik ben bij je, dat moet je niet vergeten. Ik houd je wel bij de les.'

'Ja, maar toch.' Ik weet dat ik een keuze moet maken en voel lichte paniek opkomen. Misschien moet ik praktisch kiezen. In barensnood van driehoog naar beneden de trap af komen lijkt me geen pretje.

'Het ziekenhuis', zeg ik impulsief, eigenlijk als een soort gok. 'Doe dan maar het ziekenhuis. Ik vind thuis bevallen ronduit eng.'

'Oké', zegt Ellen, en ze maakt een aantekening. 'En heb je ook al nagedacht over wie je bij de bevalling wilt hebben?'

Die weet ik wel. 'Mijn moeder.'

'Ze woont op anderhalf uur rijden, hè?'

'Is dat een probleem?'

Ellen schudt haar hoofd en schrijft weer iets op in wat blijkbaar mijn dossier is. 'Nee, maar het betekent wel dat je haar op

tijd moet bellen. Ik schrijf het ook op, dan kan ik je eraan herinneren of haar zelf bellen. Of een collega van mij, als ik geen
dienst heb.'

Daar noemt ze een punt. Ik ben nogal gehecht geraakt aan
Ellen, die de bevalling niet afdoet als een eitje, maar wel de hele
tijd benadrukt dat ik me geen zorgen hoef te maken, omdat ze
me er wel doorheen sleept. Maar wat als zij er niet is, en ik een
draak van een verloskundige krijg die niet begrijpt waar ik me
druk om maak met mijn geuren-herinneringencomplex.

Ellen schiet in de lach als ik haar die vraag stel. 'Toevallig
ken ik alle drie de andere verloskundigen in deze praktijk al
heel lang en er zit geen draak tussen, echt niet. Ik zal zorgen
dat je ze alle drie te spreken krijgt voor de uitgerekende datum, dan weet je in elk geval wie er naast je bed staat. Oh, dat
vergeet ik bijna, heb je je nog opgegeven voor die cursus zwangerschapsgym waarvan ik je de vorige keer een folder heb gegeven?'

Oh ja, die folder. Ellen vond dat het tijd was voor mij om me
aan te melden voor een pufclub – of nee, ze vond eigenlijk dat
ik er al betrekkelijk laat me was – en toen ik zei dat ik niet helemaal inzag wat ik daar moest, gaf ze me een folder van een
cursus die bij mij om de hoek wordt gegeven. Ik heb de folder
braaf mee naar huis genomen en ben hem vervolgens kwijtge-
raakt. Het idee van een klasje zwangeren maakt me nog niet
echt blij, en ik zie in het bijzonder op tegen de partneravond.
Misschien kan ik mijn moeder meenemen, maar dan nog. Al
die trotse aanstaande vaders die droog oefenen met de moeder van hun kind. En dan ik... zonder trotse aanstaande vader.

Maar ik ga mijn twijfels niet met Ellen delen, want volgens
haar is het essentieel om te leren hoe je tijdens de bevalling
kunt ademen waardoor je de weeën beter kunt opvangen. Ze is
vast niet gevoelig voor mijn argumenten.

'Eh... nee', zeg ik eerlijk. 'Ik heb me niet opgegeven.'

Ellen kijkt me aan, niet streng of veroordelend. Ze kijkt me gewoon aan. Ik voel me een beetje ongemakkelijk. 'Het is gewoon niet echt iets voor mij', zeg ik.

'Je maakt het jezelf moeilijker door geen zwangerschapsgym, of yoga, of iets anders te doen. Ik kan me voorstellen dat je geen zin hebt in zo veel zwangeren die over niets anders praten dan zwanger zijn, maar echt, je gaat er tijdens je bevalling voordeel van hebben. Geloof mij nou maar.'

'Vooruit dan maar', zeg ik met een zucht. 'Maar die folder ben ik kwijt.'

Ellen grinnikt en geeft me een nieuwe. 'Je kunt ook even googelen', zegt ze erbij. 'Misschien voel je inderdaad meer voor yoga.'

Daarbij krijg ik beelden op mijn netvlies van pling-plong muziekjes en mensen die hun benen drie keer gedraaid in hun nek kunnen leggen, dus dat lijkt me niet, maar ik knik en beloof dat ik op internet zal kijken.

'Oké, dan gaan we nu nog even naar het hartje luisteren', zegt Ellen opgewekt. Ze laat me op de onderzoeksbank plaatsnemen en plaatst een doptone op mijn buik. Al snel klinkt een regelmatig gebonk. Ik grijns naar Liz, ze lacht terug. Ellen knikt tevreden. 'Dat klinkt goed.'

Ze bergt de doptone op, voelt aan mijn buik en stelt me wat vragen. Dan knikt ze opnieuw. 'Alles verloopt helemaal volgens schema', zegt ze. 'Ik wil je graag over drie weken weer zien.'

Even later staan Liz en ik buiten. Er schijnt een lentezonnetje en de kou lijkt uit de lucht. 'Kom op', zegt Liz. 'We gaan een terrasje pakken.'

Ik kijk op mijn horloge. Half elf. Ik moet nog inkopen doen voor vanavond. Sterker nog, ik moet nog bedenken wat er op het menu staat.

'Kom op', zegt Liz. 'Een uurtje moet wel kunnen, toch? Alleen een kopje koffie. We moeten vieren dat het goed gaat met die baby van jou.'

Ik denk nog even aan het menu, maar kijk dan naar zon. 'Je hebt gelijk.'

Ik haak mijn arm door die van Liz en samen lopen we naar het Blauwe Theehuis in het Vondelpark.

'Ik ben al weg!' Gewapend met een boek en een fles wijn wil Judy naar boven lopen zodra ze me ziet.

'Doe even normaal', lach ik. 'Het is nog niet eens vier uur. De eerste gasten komen pas om half zeven, en ik wil jou niet uit je eigen huis jagen.'

Judy gaat aan de keukentafel zitten terwijl ik mijn aankopen begin in te ruimen. Ik heb bij de slager rib-eye gekocht. Prijzig, maar wel heel lekker en omdat ik inmiddels bijna elke dag kom, kreeg ik korting.

'Misschien moet je naar de groothandel gaan', zegt Judy. 'Daar kun je die grote stukken vlees veel goedkoper krijgen.'

'Ja, maar dan moet je wel eerst een pasje hebben. En daarvoor moet je een onderneming hebben.'

'Oh ja.' Ze denkt even na. 'Daar moeten we iets op verzinnen.'

'Is Daniël terug naar New York?' verander ik van onderwerp.

Judy's ogen lichten op. 'Ja, hij is vanochtend vertrokken. Het was zo heerlijk om hem even om me heen te hebben. En wat leuk dat het klikte tussen jullie. Hij was helemaal weg van je kookkunsten.'

Die laatste twee zinnen lijken me allebei behoorlijk overdreven. Daniël was hooguit enigszins verrast door mijn kookkunst en dat het klikte tussen ons, zou ik ook niet direct beweren. Maar hij heeft zich blijkbaar ingehouden tegenover Judy en haar niet zijn echte mening verteld. En daar ben ik blij om.

'Hoe was het bij de verloskundige?' informeert Judy.

Terwijl ik antwoord geef, herinner ik me de folder die ik in mijn tas heb gedaan. 'Ik moet even bellen', zeg ik. 'Voor de zwangerschapsgym.'

'Zwangerschapsgym?' proest Judy. 'Bestaat dat nog steeds? Je zou toch denken dat ze daar inmiddels iets hippers voor bedacht hebben.'

'Is het zo suf?' vraag ik bezorgd. 'Ik heb er ook helemaal geen zin in.'

'Ja, het is suf, maar o zo handig', zegt Judy.

Ik pak de folder uit mijn tas en leg hem op tafel. 'Er zijn ook hippere dingen als yoga of mensendieck, maar dat lijkt me al helemaal niets voor mij. Dan maar de gewone gym.'

Judy bekijkt de folder. Ze krijgt een dromerige blik in haar ogen. 'Ik weet nog dat ik de eerste les binnenkwam, en al die andere zwangeren zag. Ineens kon ik praten over dingen als misselijkheid en hormonen. In die tijd waren dat geen zaken die je bij de koffieautomaat op je werk besprak, zoals nu. Of met al je vriendinnen. Dan was je gewoon zwanger, punt, en ging je over tot de orde van de dag.'

'Maar er was dus wel zwangerschapsgym?'

'Ja, dat wel. Bevallen was niet anders dan nu. Althans, in theorie. Natuurlijk kreeg je geen ruggenprik op bestelling. Ik wist nauwelijks wat dat was, en dan woonde ik toch in Amsterdam. Kun je nagaan hoe het in kleine dorpjes ging. Ik denk dat de vaders daar niet eens bij de bevalling waren.'

'Je komt toch niet uit de Middeleeuwen?'

'Nee, maar het was wel een andere tijd. Harry was natuurlijk wel bij de bevalling. Dat had hij voor geen goud willen missen. Achteraf was hij er echt van ondersteboven, meer dan ik.'

Ik slik. Als Maarten alleen dat nog had kunnen meepikken, die bevalling. Dat had het allemaal al anders gemaakt. Als hij op z'n minst had geweten dat hij vader werd. Ik knipper en uit elk oog glijdt een traan naar beneden.

'Ach, meisje toch', zegt Judy. Ze schuift een stoel naar achter en laat me aan tafel plaatsnemen. Dan gaat ze naast me zitten, met haar hand op mijn arm.

'Weet je wat ik het ergste vind?' snik ik. 'Dat Maartje nooit zal weten hoe haar vader echt was. Ik kan haar alles over hem vertellen, maar echt honderd procent weten zal ze het nooit. Wat je laatst zei is wel waar, dat Maarten altijd de vader van mijn dochter zal zijn, ook al is hij er niet meer. Maar kennen zal ze hem niet.'

Judy schudt haar hoofd. 'Dat is waar. Ik kan van alles zeggen, maar de bottomline is dat je gelijk hebt.'

Ik haal diep adem en probeer het snikken onder controle te krijgen. 'Maar hoe heb jij dat gedaan?' vraag ik uiteindelijk. 'Hoe heb je gezorgd dat Daniël nooit vergeten is wie zijn vader was, ook al heeft hij hem niet gekend?'

Even staart Judy voor zich uit, dan zegt ze: 'Vanaf het moment dat Harry ziek werd, heb ik hem gedwongen een dagboek bij te houden voor Daniël. Daarin stond het verloop van de ziekte, hoe de hoop langzaam plaatsmaakte voor het besef dat Harry dood zou gaan, maar ook hoeveel Harry van Daniël hield en genoot. Toen hij twaalf was, heb ik het aan Daniël gegeven. Uren zat hij erin te lezen, ik denk dat hij het hele boekje wel honderd keer doorgegaan is. Hij vond het zo fijn om te lezen dat zijn vader van hem gehouden had. Misschien moet je iets soortgelijks maken voor je dochter. Iets tastbaars waardoor ze zal merken dat ze een heel bijzondere vader heeft, ook al is hij er niet meer.'

Ik knik. Ik heb zelf ook weleens bedacht dat ik iets voor Maartje zou moeten maken, een document over haar vader. Maar ik ben er nog niet aan begonnen. 'Een boekje', zeg ik.

'Dat vind ik wel mooi. Ik kan het zelf schrijven, gericht aan Maartje. Zodat ze precies weet hoe ik de zwangerschap heb ervaren, en haar geboorte. Maar ik kan haar ook van alles over Maarten vertellen.' Terwijl ik praat word ik steeds enthousiaster over het idee. In gedachten zie ik al een mooi Paperblankboekje voor me. Ik ga het morgen meteen kopen.

Judy knikt. 'Dat is een goed idee.'

Maar er komt nog iets in me op. 'Ik ga ook een doos maken, waar iedereen iets in kan doen. Een brief, of een foto, of een voorwerp dat Maarten typeert. Die doos zal ik aan mijn dochter geven als ze er groot genoeg voor is.'

'Fantastisch', zegt Judy en ze knijpt in mijn arm. 'Dat is een mooi idee. Iedereen die bij jou langskomt, nu en na de geboorte van je kind, moet iets meenemen. Ik weet zeker dat je die doos binnen no time vol hebt en dat je dochter er later echt iets aan zal hebben. Als ze maar weet dat papa van haar hield, daar gaat het om.'

Ik knik stellig. Oh ja. Dat zal ze weten. Tot ze er stapelgek van wordt.

Ik laat het foldertje van de zwangerschapsgym door mijn handen gaan. Dan stel ik Judy de vraag die al een tijdje door mijn hoofd speelt. 'Zeg eens eerlijk, vond je het niet bizar om moeder te worden? Kon je je er van tevoren ook maar íets bij voorstellen?'

'Oh nee!' Ze schudt haar hoofd. 'Echt helemaal niets. Ik had baby's genoeg in mijn omgeving, maar dat er eentje uit mijn lichaam zou komen, dat geloofde ik pas toen hij roze en wel op mijn buik lag. En toen vond ik het nog een raar idee dat dit negen maanden lang in mij was gegroeid.'

Ik knik. 'Ik heb dat ook. Als ik de baby voel bewegen leg ik nooit de connectie met wat er straks in het ledikantje komt te liggen.'

'Oh, ledikantje', zegt Judy ineens. 'Daarover gesproken, de dochter van een vriendin doet haar hele babyuitzet weg. Voor tweehonderd euro kun je een ledikantje met matras, een commode, een badje, een box en een Maxi-Cosi krijgen. Interesse?'

'Dat alles voor maar tweehonderd euro?' vraag ik ongelovig. 'Ja, natuurlijk heb ik interesse. Zeg maar dat het verkocht is.'

'Mooi', zegt Judy. 'Ik zal je het telefoonnummer geven. En als jij nu even die zwangerschapsgymtypes belt, ben je daar ook weer vanaf. Echt, doe het, je gaat me dankbaar zijn voor dit advies.'

Ik slaak een zucht en pak mijn mobiel. Vijf minuten later is het geregeld. Ik word woensdagmiddag verwacht voor mijn eerste les. In mijn hoofd ontwikkelen zich alvast wat smoezen.

17

RIB-EYE. NEE, NIET HETZELFDE ALS GISTEREN. VARKENSHAAS-
jes. Mwah, beetje afgezaagd. Lam. Zou kunnen, al maak ik dat
wel erg vaak. Maar dat weten mijn ouders dan weer niet. Ik
kan ook iets vegetarisch maken. Alhoewel mijn vader zich dan
vertwijfeld zal afvragen waar zijn stukje vlees blijft. Met vis
hoef ik bij hem ook niet echt aan te komen, en bovendien heb
ik hier bij de slager niets te zoeken als ik vis ga serveren.

'Kan ik je helpen?' vraagt Tom, de slager, me. Ik kom hier inmiddels zeker drie keer per week, dus hij staat altijd klaar met
adviezen.

'Wat heb je in de aanbieding?' vraag ik eerst maar eens.

'Toevallig een mooi stukje lamsschouder', zegt hij. 'Ik heb
het achter liggen. Het is niet genoeg om er een vitrine-aanbie-
ding van te maken, maar voor jou is het perfect. Verwacht je
veel mensen?'

'Ongeveer veertien.'

Naast mijn familie heb ik drie reserveringen staan voor in totaal zes personen. Maar omdat er tegenwoordig ook zomaar mensen binnenlopen, koop ik altijd wat extra. Niet veel, meer dan twee passanten per avond is veel, en bovendien kan ik maar vijftien mensen kwijt. Gisteren waren het er zestien, wat eigenlijk te veel was, maar er kwam om half negen nog een stelletje binnen dat graag wilde eten en ik zal de laatste zijn om ze teleur te stellen. Dat betekende wel dat het een lange avond werd, en dat moest ik vanochtend bezuren. Ik werd zo stijf als een strijkplank wakker.

'Prima.' Tom haast zich naar zijn koeling. Even later keert hij terug met een groot stuk vlees. Ik kijk er bewonderend naar.

'Dat is inderdaad een mooi stuk, zeg.'

'En helemaal biologisch. Ik heb het op de kop getikt, omdat ik het zelf in een gerecht wilde gebruiken, en ik wil alleen nog maar biologische gerechten aanbieden.'

Naast slager is Tom eigenlijk ook een soort traiteur. Hij heeft een groeiende selectie kant-en-klaarmaaltijden die zijn vrouw Eva achter in de zaak bereidt. Als je de slagerij binnenkomt, komen de heerlijkste geuren je al tegemoet. Maar in Amsterdam-Zuid kom je er niet met lekkere gerechten, dan moeten die gerechten op z'n minst duurzaam bereid zijn. Of biologisch, maar dat betekent dat elk onderdeeltje van het gerecht honderd procent biologisch moet zijn. Iets wat ik ook graag zou willen in mijn eigen gerechten, maar dat de kostprijs zo ver opdrijft dat het niet meer rendabel kan zijn. Maar een mooie aanbieding is natuurlijk een goed begin.

'Dat spreekt me wel aan', zeg ik tegen Tom. 'Wat kost dat hele stuk?'

Hij is even aan het wegen en rekenen en biedt het me dan aan voor honderdtwintig euro. Dat is een tientje per gast. Als ik het niet te gek maak met bijgerechten, kan het uit. Ik knik. 'Prima.'

Even later sta ik buiten met de lamsschouder in een tasje. Ik loop snel naar de groenteman, die me aanraadt er een ovenschotel van te maken met wat aardappels en kruiden. Veel kruiden. Ik koop aardappels, tomaten, een paar wortels en inderdaad de nodige kruiden. Tijm, rozemarijn en kruidnagel voor de schotel, en munt voor een lekkere frisse saus.

Bij de delicatessenwinkel om de hoek haal ik twee potten echte honing, waarmee ik het lamsvlees wil lakken voor het in de oven gaat. Bovendien scoor ik een pot kruidige mosterd, om het zoete van de honing een beetje mee af te zwakken. Die smaken tegen elkaar afwegen, daar word ik steeds beter in. Een maand geleden, toen ik nog maar net begonnen was, moest ik heel veel opzoeken, experimenteren en ter plekke bijsturen, maar nu kan ik al van tevoren bedenken hoe iets zal smaken. Als de smaken helemaal in balans zijn, heb ik een topavond. En krijg ik complimenten van mijn gasten, wat nog steeds een kick is.

Ik denk aan Judy. Het is niet alleen mijn kick, maar ook die van haar. Het is bizar dat mijn leven en dat van haar in korte tijd zo verweven zijn geraakt. En dat onze levens zelfs wel een beetje op elkaar lijken. Zij verloor haar man als jonge moeder, ik nog een beetje eerder maar wel in een vergelijkbare situatie. Zij heeft met succes geprobeerd iets van haar leven te maken. Ik doe mijn best voor iets soortgelijks. En kan alleen maar hopen dat het me lukt zoals het Judy is gelukt.

In een opwelling fiets ik niet terug naar huis, maar via het Vondelpark naar de Leidsestraat. Het boekje waarover ik het gisteren met Judy heb gehad moet er komen, en wel meteen. Ik kan er vanavond nog in beginnen.

Ik zet mijn fiets voor de deur bij Scheltema en loop zonder nadenken naar binnen. Maar meteen realiseer ik me dat hopen dat je honderdvijftig euro aan boodschappen midden in

Amsterdam gewoon op je fiets kunt laten zitten hetzelfde is als een badkuip met ranja in de tuin zetten in augustus en dan verwachten dat er geen wespen op af komen. Snel loop ik weer naar buiten en ik sjouw het hele krat mee de winkel in.

Gelukkig blijkt er een uitgebreide collectie Paperblanks aanwezig, in verschillende dessins en formaten. Ik pak een klein boekje en laat het door mijn handen gaan. Klein en mooi, maar is het groot genoeg om alles in kwijt te kunnen wat ik aan Maartje over haar vader wil vertellen?

Ik leg het boekje terug en pak een A5-formaat. Het heeft paarse vogels voorop en is verder zwart. Ik strijk er met mijn vinger over. Mijn blik gaat naar de andere boekjes in hetzelf-de formaat, maar ik weet dat ik eigenlijk mijn keus al heb ge-maakt. Ik weet niet waarom, maar het boekje voelt meteen vertrouwd.

Ik neem het mee naar de kassa en reken het af, terwijl ik in gedachten al bezig ben met de eerste zin. "Het liefst was ik nooit in dit boekje begonnen."

Met het boekje in een papieren zakje boven op de rest van de boodschappen zeul ik het krat weer naar buiten en zet het terug op de bagagedrager. Ik wil eigenlijk even naar de Hema voor een mooie opbergdoos, maar ik weet niet waar de dichtst-bijzijnde zit. Misschien moet ik dat morgen doen.

Ik stap op mijn fiets en probeer me een weg te banen door de drukke straat, waarbij ik moeite moet doen om niet met mijn wiel in de trambaan te komen. Het is druk en ik kom er nau-welijks door. Geïrriteerd neem ik een zijstraat. Misschien ga ik nu om, maar ik kan in elk geval doorfietsen.

Op goed geluk sla ik een paar keer links- en rechtsaf. Net als ik moet vaststellen dat ik eigenlijk niet weet waar ik ben, zie ik een klein winkeltje met woonspulletjes. Het is dat ik zo ge-focust ben op het vinden van de straatnaambordjes – die hier overigens volledig lijken te ontbreken – anders was ik waarschijnlijk zo langs het winkeltje gefietst. Maar in de etalage staat een zilverkleurige doos met op de zijkant een zwierige letter M.

Dit kan geen toeval zijn.

Ik zet mijn fiets voor de deur en ga de winkel binnen, opnieuw met het krat vol boodschappen dat eigenlijk veel te zwaar voor me is. Een oudere dame komt van achter in de zaak op me afgelopen. 'Hai, goedemiddag. Kan ik je helpen?'

Ik zet mijn inkopen neer en maak een handgebaar. 'Ik zag die doos in de etalage.'

Ze knikt en rommelt even in de etalage tot ze de doos te pakken heeft. 'Hij is van aluminium en je kunt er van alles in bewaren. De buitenkant is bekleed met stof.'

Ik pak de doos aan, hij is zwaarder dan ik had gedacht. Met mijn vinger strijk ik over de geborduurde M. Even moet ik slikken. Net als het boekje wil ik ook deze doos helemaal niet hebben, maar onder de gegeven omstandigheden ben ik blij dat ik zo'n mooie heb gevonden.

'Ik neem hem', zeg ik resoluut. En dan: 'Wat kost hij?'

De prijs valt mee, twintig euro. Gaat jaren mee, verzekert de vrouw van de winkel me. En alles wat je erin stopt, blijft mooi en droog en zal niet vergelen. Precies wat ik nodig heb.

Even later sta ik buiten met mijn aankoop, en de juiste route naar het Vondelpark. Ik stap op de fiets, worstel even om op te stappen met al mijn spullen en mijn buik die gigantisch in de weg zit, maar uiteindelijk lukt het. Genietend kijk ik om me heen terwijl ik naar huis fiets. Het is begin april en de bomen zijn al aan het uitlopen. Ik volg de instructie die de dame van de winkel me heeft gegeven en even later ben ik weer in het Vondelpark. Ik snuif diep en kijk om me heen. Langzaam kleurt het park groen, de lucht geurt zwaar naar lente. Ik denk even aan hoe alles eruit zag toen ik hier aankwam. Troosteloos en grauw. Nu is het groen en fris en ik geniet van de stad, en van de kans die ik heb gekregen met het restaurant op zo'n goede locatie.

Uiterst tevreden steek ik even later de sleutel in het slot van de voordeur. Ik zucht bij het idee dat ik de drie trappen naar mijn appartement op moet klimmen, maar ik moet de ingrediënten voor vanavond even in mijn eigen koelkast bewaren, omdat die van Judy staat te ontdooien. De laag ijs tegen de achterwand kon echt niet meer.

Meteen als ik de deur heb geopend, merk ik dat er iets niet klopt. Ik hoor een geluid dat het midden houdt tussen gekreun en gehoest en ik durf bijna niet naar boven te kijken. Als ik dat toch doe, zie ik iets op de trap liggen. Een grote bult, die zich met één arm aan de leuning vast probeert te houden.

'Judy!' schreeuw ik. Ik laat al mijn tassen uit mijn handen vallen en hol met een hotsende buik de trap op. Judy ligt halverwege, op haar rug, met haar hoofd naar beneden en haar voeten nog net bij het tussenplateautje, waar zich een tussendeur naar haar appartement bevindt. De deur staat op een kiertje.

'Oh jezus', hijgt Judy. Ze zweet van inspanning. 'Je bent er.'

'Wat is er gebeurd?' schreeuw ik in paniek. 'Heb je pijn?'

Nogal een stomme vraag gezien het feit dat Judy overduidelijk van de trap is gevallen en zich op een bepaald moment heeft kunnen vastgrijpen. Ik pak haar arm, maar laat hem dan toch weer los en probeer haar bij haar bovenlijf vast te houden, zodat ze de leuning kan loslaten, maar ze gilt het uit van pijn.

'Oh kut', roep ik, half in tranen. 'Ik bel een ambulance.'

Ik dender de trap af, mijn tas ligt nog beneden. Mijn buik protesteert heftig tegen zo veel beweging, maar ik luister niet. Het enige wat nu telt is Judy.

Ik gooi mijn tas ondersteboven en pak mijn telefoon uit alle rotzooi die eruit komt. Met trillende vingers toets ik 112 in. Ik krijg meteen iemand aan de lijn. Een vrouw.

'Meldkamer, wat kan ik voor u doen?'

'Ik heb een ambulance nodig!' schreeuw ik, terwijl ik de trap weer opklim. 'Mijn buurvrouw is van de trap gevallen en heeft ontzettend veel pijn. Het gaat echt niet goed hier!'

'Wat is het adres?'

Ik noem de straat en kan van de stress niet meer op het huisnummer komen.

'Zestien', kreunt Judy.

'Zestien!'

'Er is een ambulance onderweg. Is uw buurvrouw bij kennis?'

'Ja, maar ze ligt heel raar. Ik moet zorgen dat ze anders komt te liggen, anders valt ze zo meteen nog verder naar beneden.'

'Het is beter om haar niet te verplaatsen.'

'Maar straks valt ze.'

'Alleen als het echt niet anders kan moet u proberen haar veilig te krijgen, maar als u haar op een andere manier kunt tegenhouden of steunen, is dat echt beter. Waar heeft ze pijn?'

Ik heb dat niet eens aan Judy gevraagd. 'Weet ik veel waar ze pijn heeft! Overal!'

'Mijn heup', fluistert Judy. 'Vooral mijn heup.'

'Vooral haar heup.'

'Hoe oud is uw buurvrouw?'

'Drieënzestig.'

Terwijl ik het zeg, vind ik het ineens oud klinken. En dat terwijl ik Judy nooit, maar dan ook nooit als oud zou omschrijven.

'Oké. Lukt het om haar comfortabeler te krijgen zonder haar te verplaatsen?'

Ik zit te stuntelen op de trap. Mijn buik is ontzettend onhandig in deze situatie, ik val bijna zelf van de trap omdat ik steeds uit balans raak. Maar dan ga ik op de trap zitten, als een stootkussen vóór Judy, en kan zij de leuning loslaten. Ze zucht een beetje, maar de manoeuvre bezorgt haar geen extra pijn.

'Ja, dat lukt wel', zeg ik tegen de vrouw van de meldkamer.

'Oké, blijf dan zo zitten. Kan het ambulancepersoneel zo bij u komen?'

Ik kijk naar de openstaande voordeur en mijn boodschappen op de mat. 'Ja, dat moet kunnen.'

'Prima. De ambulance is er nu binnen vijf minuten.'

Ik wil niet dat ze ophangt, maar de vrouw moet natuurlijk andere mensen gaan helpen en dus zeg ik met een klein stemmetje gedag. Ik adem snel en oppervlakkig en probeer mijn paniek onder controle te krijgen.

'Rustig maar', zeg ik tegen Judy, hoewel zij van ons tweeën de kalmste is. 'De ambulance kan hier elk moment zijn.'

Ze geeft geen antwoord. Ik zie dat alleen maar blijven liggen haar al haar energie kost, maar ik kan niet tegen de stilte en dus ga ik vragen stellen.

'Wat is er gebeurd?'

Judy zucht een paar keer en zegt dan op fluistertoon: 'Ik wilde even naar zolder voor een stoel.' Na één zin moet ze op adem komen. Daarna gaat ze verder. 'Maar die kon ik niet vinden en toen ik weer naar beneden liep, verloor ik mijn evenwicht.'

Ik voel me meteen schuldig. Die stoel, die wilde ze pakken voor vanavond. Judy is van mening dat ik helemaal niets meer zou moeten tillen en sjouwt wel vaker heen en weer met meubels, iets wat ik eigenlijk al langer link vond. Nu het is misgegaan kan ik mezelf wel voor mijn kop slaan.

Judy raadt mijn gedachten. 'Niet jouw schuld', brengt ze uit.

Ik bijt op mijn lip om de tranen tegen te houden, die onvermijdelijk opkomen. Ik wil niet huilen. Judy is degene die hier zwaargewond ligt, met heel veel pijn. Zij zou een potje moeten grienen, niet ik.

Maar toch druppen er tranen op mijn benen. Judy ziet het. 'Het komt wel goed.'

Er stopt iets met een zware motor voor de deur. 'De ambulance', zeg ik hoopvol, een beetje verbolgen dat ze niet met sirenes zijn gekomen Maar ze zijn hier snel en daar gaat het om.

Er klinkt gerommel bij de voordeur en twee mannen in geelgroene pakken verschijnen. 'Goedemiddag', zeggen ze goedgehumeurd als ze de trap op komen. 'Eens even kijken, wat is hier gebeurd?'

Hun opgewektheid doet me goed, ik voel me meteen lichter. Wat ook wel met hun komst in het algemeen te maken zal hebben. 'Ze is van de trap gevallen', zeg ik. 'Ze heeft vooral heel veel pijn in haar heup.'

'Aha.' De oudste van de twee mannen klimt over mij heen en gaat naast Judy op de trap zitten. Voor de forse man die hij is, beweegt hij bijna katachtig als hij plaatsneemt op de trap. Hij raakt Judy niet, wat een nieuwe pijnaanval voorkomt.

De man trekt blauwe rubberen handschoenen aan en voelt daarna heel voorzichtig aan Judy's rechterheup. Ik hoor haar scherp inademen. 'Is dit pijnlijk?' vraagt de man.

'Het gaat', antwoordt Judy flink, maar als hij zijn hand verplaatst naar links, schreeuwt ze van pijn. Ik krimp een beetje ineen.

'En dit?' vraagt de ambulanceverpleegkundige, terwijl hij zijn hand naar beneden over Judy's been verplaatst. Judy blijft stil liggen, maar zodra de hand onder haar knie komt, kreunt ze. 'Daar doet het ook pijn.'

De man herhaalt de manoeuvre bij haar linkerbeen, maar daar heeft Judy geen last van. Hij knikt naar zijn collega. Die weet blijkbaar precies wat hij moet doen, want hij knikt terug en loopt de trap af, naar de auto.

'Wat we gaan doen, mevrouw', zegt de verpleegkundige. 'We gaan uw rechteronderbeen spalken, omdat u daar erg last van heeft. Daarna krijgt u een nekkraag om en gaan we een wervelplank onder u schuiven, waarmee we u van de trap halen en op de brancard leggen. We moeten u wel eerst even naar het tussenplateau hierboven tillen, en dat zal pijnlijk zijn, maar we gaan proberen het zo comfortabel mogelijk voor u te maken.'

Bezorgd kijk ik naar de smalle trap. De ruimte tussen de twee muren is hooguit anderhalve meter. 'Tillen?'

De ambulanceverpleegkundige knikt. 'Ja, dat lukt wel.'

'Zeker weten? Het is echt heel smal.' Ik geloof heus wel dat de man weet wat hij doet, maar ik loop elke dag over deze trap en heb misschien wel beter dan hij door hoe weinig ruimte er is.

'Ik werk al dertig jaar in Amsterdam,' zegt de man echter, 'en ik heb nog nooit een patiënt laten liggen omdat het trappenhuis te smal was. Dat gaat vandaag ook niet gebeuren. We tillen mevrouw omhoog en leggen haar dan op de wervelplank.'

'De wat?'

'Die plank.' Hij wijst naar zijn collega, die net de trap opkomt met een groot stuk oranje plastic in zijn handen. Het is dik en hard en ziet er allesbehalve comfortabel uit.

'Het ligt niet echt lekker, maar het is de veiligste manier om u te vervoeren', zegt de verpleegkundige tegen Judy. 'Maar eerst gaan we u erop tillen. U hoeft niets te doen, maar u mag niet tegenstribbelen. Ik beloof u dat we u niet laten vallen.'

Zijn collega moet erbij en ik sta mijn plek op de trap af. Ik ben er helemaal niet gerust op dat dit goed gaat, maar ik kan niets doen. De ambulancemedewerkers zullen wel weten hoe dit moet, al moet eens natuurlijk de eerste keer zijn voor een inschattingsfout en ik zit er niet op te wachten dat die keer vandaag is.

De plastic plank wordt op het tussenplateau van de trap gelegd en nadat de verpleegkundige Judy een grote, stevige kraag om heeft gedaan en haar onderbeen in een spalk heeft gelegd, nemen de twee mannen nemen elk aan een kant van Judy plaats. Ze balanceren op de trap, en even ben ik bang dat ik straks nog twee ambulances moet bellen. Maar dan telt een van de twee af en tillen ze Judy voorzichtig, maar kordaat op, alsof ze niets weegt. Ze blijft bijna recht en hoewel ze even kreunt, gilt ze niet van pijn, zoals ik eigenlijk had verwacht. Binnen een paar seconden ligt ze op de plank.

'Nou, dat viel mee', zegt ze zacht. Van de spanning schiet ik in een zenuwachtige lach.

Het valt nog niet mee om Judy op de brancard te krijgen, maar tien minuten later ligt ze dan toch in de ambulance. Er heeft zich inmiddels een groepje buren rondom de ziekenwagen verzameld. Ze kijken nieuwsgierig toe, onder nietszeggende gemompel als "nee toch" en "wat erg". Ik zend een veel te opdringerige buurvrouw een boze blik die maakt dat ze haar hoofd toch maar niet om de hoek van de ziekenauto steekt, zoals ze duidelijk wel van plan was.

'Wilt u meerijden?' vraagt de ambulancechauffeur. 'Ik heb een plek voorin.'

Ik kijk hem aan, aarzelend. Dan zegt Judy vanuit de auto: 'Doe maar niet, Daph. Ik red me wel. Voor jou is het vast...'

Ik weet wat ze wil zeggen, die zin hoeft ze niet af te maken.

'Hoe moet je dan vanavond weer naar huis?' zegt Judy, al weten we allebei dat het daar niets mee te maken heeft. Ik in een ambulance, het is gewoon niet zo'n goed idee.

'Ja, precies', zeg ik, dankbaar voor haar vraag. 'Ik kan beter met mijn eigen auto gaan. Ik kom er meteen aan, Judy.'

'En het restaurant dan?' roept ze vanuit de auto. Nu ze comfortabeler ligt en blijkbaar minder pijn heeft, gaat het volume van haar stem ook meteen omhoog. 'Je hebt gasten vanavond.'

Tuurlijk, alsof ik me daar druk om maak. Maar om Judy gerust te stellen zeg ik: 'Ik regel het wel.'

Dan gooit de chauffeur de deuren van de ambulance dicht. 'We gaan naar het OLVG', zegt hij. 'Weet je waar dat is?'

Ik knik, al weet ik op dit moment niet zo veel meer.

'Mooi.' De chauffeur neemt plaats achter het stuur, trekt de deur achter zich dicht en met een rustig gangetje rijdt de auto de straat uit. De buren scholen meteen samen om alle opwinding te bespreken.

Ik loop terug naar binnen en stap over de boodschappen heen. Dan kijk ik omhoog, naar de nu lege trap en de deur die nog steeds op een kiertje staat. Ik tril over mijn hele lichaam. Met mijn handen naar beneden blijf ik staan. Ik weet niet wat ik moet doen. Uiteindelijk ga op de trap zitten, leg mijn hoofd in mijn handen en begin onbedaarlijk te huilen.

Niet Judy. Verdomme niet ook nog Judy. Ik kan haar nu niet kwijtraken. Niet weer mijn hele leven op z'n kop. Net nu ik een klein beetje de brokstukken aan de kant heb geveegd, een heel klein beetje mijn hoofd boven het puin uit heb gestoken. Net nu gebeurt er dit. En heb ik het gevoel dat ik er opnieuw alleen voor sta. Nee, Judy is niet dood, Judy gaat niet dood, maar Judy komt voorlopig ook niet terug. Wat moet ik doen?

Ik probeer niet in paniek te raken, maar hoe harder ik mijn best doe, hoe erger het wordt. Ik zit hier straks met een baby en een restaurant, en die twee zijn onmogelijk te combineren als Judy me niet helpt. Ze had ernaar uit gekeken om te helpen, ze had al helemaal bedacht dat zij voor de baby zou zorgen terwijl ik na een paar weken mijn restaurant weer zou oppakken. Niet elke avond, maar wel als ze kon. Voorlopig zou ze toch geen kleinkinderen hebben, had ze gezegd, en kon ze haar omagevoelens mooi op mijn kind uitleven. Ze had zich erop verheugd, en ik had me erop verheugd, en ik durfde me erop te verheugen omdat zij er was, omdat ik het niet alleen hoefde te doen, omdat ik de eerste stukjes van mijn nieuwe leven op haar kon bouwen. En nu ligt ze in een ambulance te creperen van de pijn en zie ik haar voorlopig niet terugkomen en weet ik echt niet wat ik moet doen.

Heb ik dan niet genoeg ellende meegemaakt?

Ik blijf een tijd op de trap zitten, tot mijn tranen langzaam minder worden en ik weer rustiger kan ademhalen. Het liefst wil ik in bed kruipen, heel diep onder de dekens en er voorlopig niet uit komen. Maar dat kan niet. Ik moet naar Judy, ik heb het haar beloofd en ik moet weten hoe het met haar gaat, ook al wil ik dat misschien niet.

Ik kom overeind en raap mijn boodschappen van de vloer. De inhoud van mijn handtas laat ik liggen, ik neem alleen mijn sleutel mee. Daarna loop ik naar boven en leg alles op het aanrecht. Ik neem niet eens de moeite de spullen in de koelkast te stoppen.

Ik kijk op de klok. Het is half twee. Mijn familie is nog thuis. Ik kan ze nu nog afbellen.

Ik krijg mijn moeder aan de telefoon en leg uit wat er is gebeurd, en dat ik vanavond niet voor ze ga koken.

'Oh lieverd,' zegt ze geschrokken, 'we komen alsnog naar je toe. Je kunt wel een beetje steun gebruiken nu.'

Ik wil weigeren, omdat ze nu niets aan mij hebben, maar eigenlijk wil ik niets liever dan mijn ouders nu bij me. 'Oké', zeg ik met een klein stemmetje. 'Dank je wel.'

Mijn moeder belooft Henk, Tilly en Rens af te bellen en dan samen met papa direct in de auto te stappen. Ze kunnen hier pas over ruim anderhalf uur zijn. Het lijkt een eeuwigheid, en ik weet dat ik niet op hun komst kan wachten voor ik naar het ziekenhuis ga. Ik zal toch moeten, in mijn eentje.

'Kom dan naar het Onze Lieve Vrouwe Gasthuis', zeg ik. 'Daar is Judy naartoe gebracht.'

Meteen zegt mama: 'Ga jij daar nu ook naartoe? Alleen?'

'Ja, ik heb het haar beloofd.'

'Wacht anders tot wij er zijn, lieverd. Ik weet dat je...'

'Nee, mam', zeg ik resoluut. Ik moet gaan, ik kan Judy nu niet in de steek laten. Niet na alles wat ze voor mij heeft gedaan. 'Ik red me wel. Echt. Ik moet er toch aan wennen. Met de baby enzo.'

Ik weet dat ik warrig overkom, maar mijn moeder begrijpt het. 'Oké. Tot straks, lieverd. Bel me als er iets is.'

Ik hang op en dwing mezelf in beweging te komen. Autosleutels, huissleutels, kaart van Amsterdam voor als ik het niet kan vinden. Als ik alles heb loop ik naar beneden en ga via de openstaande deur Judy's huis binnen. Op de keukentafel vind ik haar grote trots, het reserveringsboek. Ze heeft het twee weken geleden aangeschaft, omdat het kladblok waar ze eerst de reserveringen op schreef volgens haar niet langer voldeed toen het zo storm ging lopen.

Ik scheur de pagina van vandaag eruit en loop weer naar het trappenhuis, waar ik de inhoud van mijn tas terug prop en daarna de deur achter me dichttrek.

De buren zijn alweer verdwenen, terug naar hun eigen huizen en eigen leven en vastbesloten om als Judy terug is, zéker nog eens te vragen hoe het met haar gaat. Opeens erger ik me aan de stadse mentaliteit van elkaar met rust laten. Hoezo met rust laten? Iemand wordt in een ambulance afgevoerd en je loopt niet eens het huis binnen om te zien hoe het met haar huurder gaat? De huurder die haar heeft gevonden? Dat zou in het dorp wel anders zijn geweest.

Ik stap in mijn auto en rijd weg. Van die keer met het bloedprikken weet ik zo'n beetje waar het ziekenhuis is, en terwijl ik in die richting rijd, blader ik door het stratenboekje om uit te vinden wat nou eigenlijk de snelste route is.

Het kost me een kwartier om bij het ziekenhuis te komen. Ik zoek een parkeerplek in de buurt, gooi lukraak geld in de meter, plaats een ticket achter mijn raam en loop daarna naar de ingang. Daar houd ik stil. Voor de deur staan mensen in witte jassen, rokend en pratend. Rokend in je witte jas voor de deur van een ziekenhuis. Ik probeer te bedenken wat ik daarvan vind. Vind ik daar eigenlijk wel iets van?

Wat kan mij het ook schelen?

Maar toch blijf ik staan kijken. Ik zet een stapje naar voren en voel alles in mijn lichaam protesteren. De baby schopt. Dat doet ze aan de lopende band, maar nu zie ik het als iets. Een teken ofzo.

Doe normaal, zeg ik streng tegen mezelf. Ik moet gewoon naar binnen. Het is niet eng. Waarom zou het eng zijn?

Ziekenhuizen en dood. Ze horen bij elkaar. Dag en nacht. Zon en maan. Sterren en vallen. Ze zijn gewoon onlosmakelijk met elkaar verbonden. En ook al wil ik niet dat dat zo is, in mijn hoofd is het zeker zo.

Kom op. Ik probeer mezelf te dwingen nog een stap te zetten. Ik ben hier eerder geweest. Toen heb ik het ook gedaan. Toen is er ook niets gebeurd. Nee, ik vond het niet leuk, maar wie vindt het wel leuk om een ziekenhuis binnen te gaan? Toen was Liz er.

Ik durf het niet alleen. Ik kan het niet alleen.

Uit mijn tas haal ik mijn telefoon.

'Daph!' roept ze vrolijk als ze opneemt. 'Hoe is het, chick? Zit iedereen nog braaf op z'n plek?'

'Liz, ik heb je nodig', zeg ik met trillende stem. 'Judy is van de trap gevallen en ik moet naar haar toe in het ziekenhuis, maar ik...'

'Oh jezus', zegt Liz, die het meteen begrijpt. 'Waar ben je? Ik kom nu naar je toe. Het vu?'

'olvg. Ben je thuis?'

'Nee, ik zit toevallig bij de IJsbreker. Ik ben er over vijf minuten.'

Ik heb geen idee waar de IJsbreker is, maar blijkbaar is het in de buurt. Ik blijf voor het ziekenhuis staan wachten. Allerlei gevoelens vechten om voorrang. Ik voel me lullig naar Judy toe. Zij ligt te creperen van de pijn op de Eerste Hulp, terwijl ik hier voor de deur sta en niet naar binnen durf, om redenen waar zij niets mee te maken heeft, laat staan dat ze er iets aan kan doen. Maar toch moet ze langer wachten tot ik er ben.

En tegelijkertijd vecht ik tegen de neiging om terug te rennen naar mijn auto en heel hard weg te rijden. Ik weet niet waarheen, gewoon weg. Niet naar huis, of naar mijn ouderlijk huis, of naar een andere plek die ik ken. Alleen maar weg. Naar Friesland. Of het buitenland. Weg van dit ziekenhuis, weg van mijn leven dat blijkbaar niet leuk mag worden, weg van alle ellende, weg van alles wat ik ken. Alleen de baby en ik. Meer hebben we niet nodig.

Maar ik weet dat het niet waar is. We hebben wel meer nodig. En ik kan niet wegrennen. Judy heeft mij geholpen en nu het andersom nodig is, laat ik haar in de steek. En dat brengt me weer terug bij het schuldgevoel.

Dit kan zo niet.

Ik haal diep adem, slik en steek mijn kin in de lucht. Ik ben negentwintig jaar, straks ben ik moeder, ik moet streng zijn voor mezelf. Ik heb een baby om het goede voorbeeld aan te geven. Een baby die ik niet mag opzadelen met mijn eigen angsten. Een baby die er nu misschien nog niet zo veel van merkt, maar voor wie ik nu al mijn best moet doen.

En dan loop ik zonder mijn pas in te houden het ziekenhuis binnen.

In de hal krioelen mensen door elkaar heen. Patiënten in rolstoelen, of lopend met een infuuspaal. Of gewoon lopend in pyjama en sloffen, op weg naar buiten om ook te gaan roken. Of juist op weg naar een afdeling die op een van de bordjes staat aangegeven.

En mensen in witte jassen die zich haasten om ergens op tijd te zijn. Ergens in deze stad op zich, met al die afdelingen waar mensen dood gaan. Waar mensen beter worden gemaakt.

Met mijn gedachten strikt op dat laatste gefocust loop ik naar de balie, waar een vrouw me vriendelijk te woord staat.

'Mevrouw Hussen is nog op de spoedeisende hulp', zegt ze, nadat ze met haar lange, roze gelakte nagels iets heeft ingetypt. 'Dat is hier.'

Ze geeft me een plattegrondje en omcirkelt een afdeling. Ik knik en bedank haar.

'Jemig, ik dacht al dat je weg was gegaan.' Iemand grijpt me bij mijn arm. Ik draai me om en kijk in het bezorgde gezicht van Liz. Het bezorgde en een beetje bezwete gezicht, van het harde fietsen. 'Gaat het?'

'We moeten die kant op', zeg ik, zwaaiend met de plattegrond in mijn hand. Met ferme stappen begin ik in de juiste richting te lopen.

Liz grijpt mijn arm. 'Hé, je hoeft dit niet alleen te doen', zegt ze lief. 'Ik ben bij je.'

Ik knik en samen haasten we ons naar de spoedeisend hulp. Als we zeggen voor wie we komen, neemt een behulpzame verpleegkundige ons mee naar Judy. Ze ligt op een zaaltje met allemaal bedden naast elkaar, sommige omzoomd door een gordijntje, net als het bed van Judy zelf.

Ze ziet er ineens heel oud uit, en dun onder haar gele deken. Als ze me ziet, licht haar gezicht een beetje op. 'Je bent er', zegt ze.

'Hoe gaat het met je?' vraag ik bezorgd. Ik kijk naar Judy's heup, maar er ligt een deken overheen. Ik zie geen ingewikkelde constructies om haar been omhoog te houden, zoals je weleens ziet in die real life doktersseries. Maar misschien is dat alleen na een operatie, ik heb eigenlijk geen idee.

'Er zijn foto's gemaakt', zegt Judy. 'En nu is het afwachten. Ik heb al zes verschillende artsen gezien, volgens mij. En allemaal willen ze kijken en voelen en hebben ze zo'n zorgelijke blik in hun ogen, dus ik ga maar vast uit van het ergste.'

'Welnee', zeg ik veel te optimistisch, vooral om mezelf gerust te stellen. 'Het valt vast heel erg mee. Artsen kijken altijd zorgelijk, daar zijn het artsen voor. Ze worden betaald om zo te kijken.'

Judy knikt, maar ik zie dat ze het niet gelooft. Ik geloof het zelf niet eens.

'Heb je pijn?' vraag ik.

Ze schudt haar hoofd. 'Ze hebben me iets gegeven dat ontzettend goed werkt. Alleen als ik beweeg, voel ik het. Maar zolang ik stil blijf liggen, is er niets aan de hand.'

Op dat moment komt er een jonge arts binnen, waarschijnlijk een assistent. 'Mevrouw Hussen', zegt hij, Liz en mij negerend. 'Ik heb de uitslag van de röntgenfoto's besproken met de radioloog en ik ben bang dat ik slecht nieuws voor u heb. Uw heup is inderdaad gebroken.'

Judy reageert met niet meer dan een knikje. De man bladert even in zijn papieren. 'Uw been is gelukkig alleen maar gekneusd', zegt hij dan. 'Maar die heup, ja... Ik ga nu met de orthopeed en de chirurg overleggen wat we kunnen doen, maar bereidt u zich maar voor op een operatie.'

Weer dat knikje. Ik kijk naar Judy's gezicht en probeer haar reactie te peilen, maar ze geeft nauwelijks iets prijs. En dat terwijl ze normaal gesproken juist een open boek is.

De arts-assistent gaat weg en even zeggen Judy, Liz en ik allemaal niets. Dan is Judy degene die de stilte verbreekt. 'Nou, lekker dan', zegt ze droog.

Liz en ik knikken alleen maar. Ik weet niet wat ik moet zeggen. Ik heb honderd vragen, maar dat zijn waarschijnlijk dezelfde als Judy en voor de antwoorden moet ik echt bij de arts zijn. Is het wel te opereren? Hoe lang moet ze revalideren? Zal ze ooit nog kunnen lopen? Kan ze nog zelfstandig wonen? Of moet ze...

Nee, zeg ik in gedachten streng tegen mezelf. Hier moet ik niet aan denken. Natuurlijk kan ze nog lopen en op zichzelf wonen. Op papier is Judy misschien drieënzestig, maar in de praktijk is ze stukken jonger. En dus komt ze er echt wel weer bovenop. Tot die tijd kan ik haar verzorgen. Ik zit toch thuis vanwege de baby, ik kan voor haar koken, de boodschappen doen, het huis schoonmaken. Ze hoeft echt niet weg naar een of ander eng tehuis. Ze heeft mij.

Het ligt op het puntje van mijn tong om dat tegen haar te zeggen, maar ik houd me in. Het heeft geen zin om op de zaken vooruit te lopen.

'Willen jullie iets drinken?' vraagt Liz. 'Ik zag een koffieautomaat hier op de gang.'

'Water', antwoord ik.

Judy heeft van de verpleging te horen gekregen dat ze niets mag drinken totdat de arts is geweest. In verband met een mogelijke narcose.

'Oh Liz.' Ik haal de verfrommelde agendapagina uit mijn tas en geef die aan haar. 'Deze mensen hebben voor vanavond een reservering. Wil jij ze afbellen? Hun telefoonnummers staan erachter. Behalve deze, want dat zijn mijn ouders. Zeg maar dat...'

'Daar komt niets van in', onderbreekt Judy me. 'Er wordt helemaal niemand afgebeld. We gaan vanavond open, ook al lig ik hier.'

Ik kijk haar verbijsterd aan. 'Je denkt toch niet dat ik in de keuken ga staan, terwijl jij straks misschien wel geopereerd wordt? Ik blijf hier wachten tot er nieuws is, en als je onder het mes moet, wacht ik tot ze klaar zijn.'

'Je hebt een restaurant te runnen', zegt Judy streng. Ineens is de kracht terug in haar stem. 'Je kunt niet voor elk wissewasje dichtgaan. De mensen die je nu afbelt, komen niet meer terug. Hoe laat is het nu?'

'Bijna drie uur', zegt Liz.

'Tijd om de voorbereidingen te gaan treffen. Ik wil dat je nu naar huis gaat en vanavond gewoon voor je gasten kookt.'

'Maar...' zeg ik.

Judy wil echter van geen wijken weten. 'Ik red me wel, ik red me al vierendertig jaar in m'n eentje. Ik bel Anneke wel. Die woont hier om de hoek en vindt het vast niet erg om me gezelschap te houden.'

'Ik help je wel', biedt Liz mij aan, ook al heeft ze sinds kort een nieuwe baan als serveerster bij een restaurantje in de Pijp. 'Ik moet eigenlijk werken, maar ik verzin wel een smoes en dan sta ik je bij in de keuken. Of in de bediening, wat je wilt.'

Ik geef geen antwoord, voel me overdonderd. Ik denk niet dat ik in staat ben nu gewoon naar huis te gaan en te koken alsof er niets aan de hand is. Er is wel iets aan de hand, en niet zomaar iets. Ik ben er gewoon met mijn gedachten niet bij.

'Onzin', zegt Judy als ik dat laatste hardop uitspreek. 'Je moet je gewoon concentreren. Ik zeg niet dat het leuk is, maar het is je werk en je gaat niet afzeggen. Niet in deze fase, waarin we nog aan het opbouwen zijn. Begrijp je me?'

Ik knik gedwee, omdat ik weet dat Judy geen nee gaat accepteren. Ik heb er helemaal geen goed gevoel bij om haar hier achter te laten, maar als ik inderdaad vanavond gewoon het restaurant wil draaien, zal ik nu wel weg moeten.

'Laat me dan in elk geval Anneke voor je bellen', zeg ik. 'Ik ben er geruster op als ik weet dat zij hier is.'

Judy stemt in en geeft me het nummer, dat ze gelukkig uit haar hoofd weet. Ik typ het in in mijn telefoon. Daarna loop ik even naar buiten, omdat ik niet weet of je binnen wel mobiel mag bellen.

Gelukkig neemt Anneke op en belooft ze meteen te komen. Het gesprek duurt minder dan een minuut en ik ga meteen terug naar Judy. Als ik binnenkom, is ze in gesprek met twee mannen in witte jassen. Liz is er niet.

'Tijdens de operatie zullen we pinnen en schroeven plaatsen om het bot weer aan elkaar te zetten', hoor ik de oudste arts zeggen, waarschijnlijk de specialist. 'Daarna zult u veel tijd nodig hebben om te herstellen. Eerst hier in het ziekenhuis en daarna in een revalidatiecentrum.'

Ik zie Judy knikken. Ze lijkt de informatie op te nemen alsof het niet over haarzelf gaat. Mij raakt het echter des te harder.

'Revalidatiecentrum?' vraag ik schor. 'Kan ze niet gewoon thuis herstellen?'

De arts kijkt mij aan en richt zijn blik daarna weer op Judy. 'Hoe het herstel verloopt, zullen we moeten afwachten. Misschien bent u snel weer op de been, misschien duurt het langer. In elk geval zult u opnieuw moeten leren lopen, en dat kost tijd. En er is een kans dat u nooit meer helemaal goed zult kunnen lopen.'

'Kom ik dan in een rolstoel terecht?' vraagt Judy. Voor het eerst zie ik vrees ik haar ogen.

De arts maakt een gebaar met zijn hoofd dat het midden houdt tussen nee schudden en ja knikken en ik bedenk dat hij dit gebaar waarschijnlijk speciaal bewaart voor dit soort gesprekken. Misschien heeft hij het in de loop der jaren geperfectioneerd, zodat het niet te veel op knikken of juist op schudden lijkt. Het moet precies ertussenin zitten, geen antwoord geven op een vraag waar hij geen antwoord op weet.

Is het ernstig, dokter?

Misschien.

Kan ik straks nog lopen, dokter?

Wie zal het zeggen.

Ga ik dood, dokter?

Geen ja, geen nee.

Het gebaar zegt niets, en tegelijkertijd alles.

De arts schraapt zijn keel. 'Ik begrijp uw vragen, mevrouw Hussen. Maar op dit moment kan ik het niet met zekerheid zeggen. Alles hangt af van hoe de operatie verloopt, hoe het bot zich houdt en hoe de revalidatie gaat. Dat u in een goede conditie verkeert, is zeker een pre, maar het is gewoon afwachten.'

Judy knikt, maar ik kan zien dat ze met dit antwoord geen genoegen neemt. 'Wat gaan jullie precies doen?'

Dat is blijkbaar het vakgebied van de andere arts, ik vermoed de chirurg. 'U hebt wat wij noemen een collumfractuur, oftewel een breuk in het dijbeen, bij de heupkop. We kunnen met behulp van pinnen en schroeven het bot weer vastzetten en zo de breuk repareren. Het bot groeit dan in de juiste positie weer aan elkaar, maar daarvoor moet er wel voldoende groei zijn en dat is nou precies wat we moeten afwachten.'

Judy gaat even verliggen en ik zie haar gezicht vertrekken van pijn. Ze knikt ferm. 'Oké, we gaan ervoor', zegt ze, alsof ze iets te kiezen heeft. 'Ik wil precies weten wat ik zelf kan doen om het herstel een beetje te bespoedigen. Ik wil zo snel mogelijk weer naar huis.'

De artsen knikken beiden. De chirurg zegt: 'Vanzelfsprekend. Maar eerst zullen we de operatie uitvoeren. Omdat er door de breuk bloedvaten afgekneld kunnen zijn, is het van belang snel te opereren. Er is een operatiekamer beschikbaar en u wordt zo opgehaald.'

De artsen nemen afscheid en Judy en ik blijven achter. We zeggen allebei niets. Even later komt Liz binnen met twee bekertjes water. Ik klok het mijne meteen achterover.

'Goh', zegt Judy uiteindelijk. 'Het is wat.'

'Het komt vast wel goed', zeg ik optimistisch. 'Ik weet het zeker. De artsen kunnen tegenwoordig zo veel en ze doen zo'n operatie vast heel vaak en...'

Ik weet dat ik ratel, maar ik kan niet stoppen. Ik moet iemand moed inpraten, en ik vrees dat ik zelf diegene ben.

Judy kijkt me aan. 'Natuurlijk komt het goed', onderbreekt ze me dan. 'Ik twijfel daar geen seconde aan. Geef me twee weken en dan ben ik weer thuis. Ik doe je iets aan als je in de tussentijd het restaurant sluit. Elke avond open, die passanten komen echt wel.'

Voor het eerst komt het in me op dat Judy ook bang is, maar dat dit haar manier is om die angst de baas te worden. Ik laat het zo.

'Ga nu maar', zegt Judy. 'Anders kom je te laat. De eerste reservering is om half zeven.'

Er komt een verpleegkundige binnen om met Judy te praten. Ik pak haar hand en knijp erin. 'Houd je taai. Vanavond na je operatie kom ik langs.'

'Oh please', zegt Judy en ze rolt met haar ogen. 'Als je het goed doet, zijn de laatste gasten niet voor elven weg. En dan is het bezoekuur hier wel voorbij. Kom morgen.'

'Oké, morgen', beloof ik.

'En wil je iets voor me doen? Op de keukentafel ligt mijn mobiel. Bel Daniël en vertel hem wat er gebeurd is en praat hem uit zijn hoofd dat hij hierheen moet komen, want dat is wat hij ongetwijfeld gaat zeggen. Zeg hem dat ik morgen bel.'

Ik knik en beloof het. Dan laat Judy mijn hand los. Ik slik en knipper en probeer niet te huilen. 'Tot morgen. Sterkte.'

En dan is ze weg. De verpleegkundige duwt haar bed de kamer uit. Ik voel Liz' arm om mijn schouder en dan kan ik me niet langer inhouden. Mijn hart wordt door een grote vuist samengeknepen en dat doet zo veel pijn dat ik alleen maar kan hyperventileren van de snikken en ik huil tot Liz schouder drijfnat is en ik het gevoel heb dat mijn tranen op zijn, al zou ik nog uren kunnen huilen.

Maar ik heb het Judy beloofd. Vanavond is het restaurant open. Uiteindelijk neemt Liz me mee naar buiten en ik denk aan hoe ik eerder een ziekenhuis verliet, de avond dat mijn leven voor altijd veranderde.

Niet nog een keer.

18

IK DRAAI HET MENU AF MET EEN ZEKERE ROUTINE, KNIP kruiden om de lamsschotel op smaak te brengen, roer in de saus zodat die niet gaat schiften, klop slagroom stijf voor het dessert. Maar geen moment ben ik erbij met mijn gedachten. Mijn moeder helpt me in de keuken, Liz neemt het gedeelte voor de schermen voor haar rekening. Ik weet niet of ik de hulp echt nodig heb. Liz is er vooral omdat ze iets wil doen, iets waarvan ze het gevoel heeft dat ik er wat aan heb. En mijn moeder kan niet goed stilzitten, hoewel ze vindt dat ik dat wel zou moeten doen. Dat ik zo hard werk, bijna zeven maanden zwanger, heeft duidelijk niet haar voorkeur, maar ze zegt niets.

Een beetje verbaasd was ze wel toen ik haar belde om te zeggen dat zij en papa gewoon naar mijn huis moesten komen, en dat ze vanavond ook in het restaurant zouden eten. Ze protesteerde nog en hoewel ik het met haar eens ben dat het geen goed idee is, heb ik haar protesten afgekapt. Als Judy het zo wil, doe ik het zo.

Maar ik kan het niet van me af zetten. Elke keer als mijn gedachten even afdwalen zie ik haar voor me, eerst liggend op de trap, daarna in de ambulance, en vervolgens in dat ziekenhuisbed waarin ze er volkomen misplaatst uitzag. Ziekenhuisbedden zijn voor zieken, voor hulpbehoevenden. Niet voor mensen als Judy.

Ik schud mijn hoofd alsof ik mezelf wil overtuigen, maar ik weet dat het niet waar is. Ziekenhuisbedden zijn wel voor mensen als Judy, vrouwen van drieënzestig die even een misstap maken en vervolgens van een arts te horen krijgen dat ze misschien niet meer kunnen lopen.

Ik haal diep adem en slik. Niet aan denken.

Mijn moeder ziet het. Ze zat aan tafel tomaten te snijden, maar staat op en slaat haar arm om me heen. 'Het komt heus wel goed', zegt ze voor de zoveelste keer.

Wat is er gebeurd met het gegeven dat moeders altijd gelijk hadden? Als ik op mijn knie was gevallen, zei ze dat de pijn straks minder zou worden, en nooit had ze ongelijk. Toen ik op schoolkamp ging gaf ze me een steen tegen de heimwee, en verrek, die bleek te werken. En toen ik in de stress zat voor mijn eindexamen, zei ze simpelweg dat ze vertrouwen in me had. Een uur later bleek dat ik geslaagd was.

Maar ergens tussen dat moment en nu hebben haar woorden hun magie verloren. Hoe kan het goed komen als de artsen dat zo net nog niet weten?

Op de keukentafel ligt Judy's mobieltje en ik herinner me ineens dat ik Daniël moet bellen. 'Shit', mompel ik als ik me losmaak uit de armen van mijn moeder. Ik pak de telefoon en zoek Daniëls nummer op. Daarna typ ik het in in mijn eigen telefoon. Ik wil niet dat hij Judy's nummer ziet, alsof zij het is die hem belt.

Hij neemt op met een kort en zakelijk: 'Daniël.'

Hij spreekt het Engels uit, waarschijnlijk krijgt hij niet veel telefoontjes uit Nederland.

'Je spreekt met Daphne Draaisma', zeg ik. 'Ik ben degene die het appartement van je moeder huurt.'

'Ja. Hai.' Ik hoor verbazing in zijn stem, en een lichte verontrusting.

'Ik hoop niet dat ik stoor, maar...' Ineens denk ik aan het tijdsverschil. Is hij eigenlijk al wakker. Ach, alsof dat iets uitmaakt. Bovendien, al bel ik hem wakker of stoor ik wel, dit is belangrijk.

'Nee, je stoort niet', zegt hij. 'Al ben ik wel aan het werk. Waar kan ik je mee helpen?'

'Het eh... Het gaat over je moeder. Je moet niet schrikken, maar ze ligt in het ziekenhuis.'

'Het ziekenhuis?' herhaalt Daniël, alsof hij het pas kan geloven als hij het woord zelf heeft uitgesproken. 'Wat is er gebeurd? Wat is er aan de hand?'

'Ze is van de trap gevallen. Ze is...'

'Is het ernstig?' onderbreekt Daniël me. De verontrusting heeft plaatsgemaakt voor groeiende paniek. 'Is ze bij kennis? Is ze...'

'Ze is bij kennis, maar ze heeft haar heup gebroken. Ze wordt op dit moment geopereerd.'

Ik vind het moeilijk om de boodschapper van het slechte nieuws te zijn. Mijn moeder ziet het en knijpt even in mijn arm.

'Haar heup gebroken, jezus.' Even zegt Daniël niets. En dan: 'Ik wil niet dat ze geopereerd wordt tot ik er ben. Ik wil eerst met de artsen praten. Ze weten soms helemaal niet wat ze doen, ik wil weten wat ze van plan zijn.'

'Het spijt me, maar de operatie is al begonnen. Het moest snel gebeuren, omdat er mogelijk bloedvaten afgekneld zouden zijn, en dan zou haar been...' Wat eigenlijk? Afsterven? Ik weet het niet eens.

Gelukkig wacht Daniël niet op de precieze medische invulling. 'Dan kom ik er direct aan. Ik ga proberen of ik vanavond nog een vlucht kan krijgen.'

Ik aarzel even en zeg dan: 'Je moeder heeft me opgedragen je te zeggen dat je dat niet moet doen. Ze wil niet...'

'Shut up!' schiet Daniël uit zijn slof. 'Ik kom nu naar huis. Ik laat haar niet alleen in een ziekenhuis liggen.'

Ik geef hem geen ongelijk en zeg niets meer.

'Ik wil dat je me meteen belt als de operatie afgelopen is', zegt Daniël. 'En ik wil weten in welk ziekenhuis ze ligt.'

'Het OLVG.'

'Het telefoonnummer?'

Ik heb het niet bij de hand en beloof het hem te sms'en, al kan hij het natuurlijk ook zelf op internet opzoeken. Maar ik probeer behulpzaam te zijn, omdat ik op een of andere stomme manier het gevoel heb schuld te hebben aan het slechte nieuws dat ik hem moet brengen, al kan ik zelf niet eens bedenken op welke manier dat dan zou zijn. Dat ze een stoel moest halen voor het restaurant dat ik graag wilde?

'Is dit je nummer?' vraagt Daniël.

Even vraag ik me af wat hij bedoelt, maar dat realiseer ik me dat hij naar het schermpje van zijn telefoon kijkt. 'Ja.'

'Ben je bereikbaar?'

'Ja. Maar ik heb wel gasten en...'

'Wát zeg je?' roept Daniël. 'Terwijl mijn moeder op de operatietafel ligt, ben jij doodleuk bezig met dat restaurantje van je? In haar huis?'

'Ze wilde het zelf!' roep ik ter verdediging. Ik voel mijn stem overslaan van de brok in mijn keel. 'Ik wilde alles afzeggen, maar toen ging ze zo'n beetje over de rooie, dus heb ik maar...'

'Laat maar.' Daniël klinkt bits. 'Ik laat je weten welke vlucht ik neem en vergeet alsjeblieft niet te bellen als ze uit de operatie is.'

Ik beloof het, wil nog mijn excuses aanbieden voor het feit dat het restaurant open is, of dat ik hem moest bellen, of dat ik überhaupt besta, maar hij heeft al opgehangen.

Mijn moeder kijkt me aan. Ik schud mijn hoofd, knipper met mijn ogen en ga dan op zoek naar het telefoonnummer van het ziekenhuis, dat ik vind in het telefoonboek in de la van de kast. Als ik het naar Daniël heb gestuurd, steekt Liz haar hoofd om de hoek van de deur. 'De eerste gasten zijn er. Waar staat de wijn?'

Hoewel Judy het me heeft verboden, mijn moeder heel bedenkelijk keek en zelfs mijn vader er een opmerking over maakte, stap ik die avond nadat de laatste gasten zijn vertrokken in de auto op weg naar het ziekenhuis. Liz heeft aangeboden mee te gaan, net als mijn ouders, maar ik heb de hulp afgeslagen. Ik moet dit alleen kunnen. Ik heb straks een baby om voor te zorgen, het minste wat ik kan doen is een manier vinden om met mijn angsten om te gaan. En bovendien weet ik helemaal niet in welke staat ik Judy aantref, ze heeft misschien geen zin in die hele polonaise rond haar bed.

Als ik al bij haar mag, want zelfs dat weet ik niet zeker. Ik had het ziekenhuis kunnen bellen, maar ik ga er liever heen. Alsof het dan meer betekenis heeft.

Mijn telefoon piept even, een berichtje. Ik lees het terwijl ik wacht voor een stoplicht. Het is van Daniël, hij meldt dat hij nu boardt voor een vlucht naar Amsterdam. Ik weet nog niet of ik dat aan Judy ga vertellen.

Even later zet ik mijn auto in de parkeergarage onder het olvg en loop naar de balie. Nu pas bedenk ik dat het elf uur 's avonds is, en natuurlijk allang geen bezoekuur meer. Achter de receptie zit een beveiliger, die me vragend aankijkt. 'Ik kom voor mevrouw Hussen', zeg ik. En dan, als gok: 'Afdeling chirurgie?'

'Heelkunde', zegt de man. Hij tikt wat dingen in op zijn computer. 'Aha, ik zie het al. Ze ligt op de intensive care.'

Ik schrik me kapot. 'Hoezo?'

De beveiliger weet het antwoord uiteraard niet, maar kan me wel vertellen dat bezoek op dit tijdstip zeker niet is toegestaan. 'Bent u familie?'

'Ja', lieg ik. 'Ze is net geopereerd, ik wil heel graag naar haar toe.'

'Ik kan iemand van de avonddienst vragen u op te halen, maar als de verpleging geen bezoek toestaat, moet u zich daarbij neerleggen.'

Ik knik en beloof het. Hij belt naar de afdeling en zegt dan dat er iemand aankomt om me op te halen.

Even later staat er een verpleegkundige voor mijn neus. 'Bent u de familie van mevrouw Hussen?'

'Ja.'

'Haar dochter?'

Zo'n leugen gaat me wat te ver en dus zeg ik: 'Haar eh... nichtje. Haar zoon woont in Amerika en is onderweg.' Dat laatste is totaal irrelevante informatie, maar de verpleegkundige knikt en gaat me voor naar de IC. In de lift zegt ze: 'Uw tante heeft net een zware operatie ondergaan en u moet niet schrikken van hoe ze erbij ligt. De apparaten zijn vooral bedoeld om haar de juiste hoeveelheid medicatie te geven en om haar goed in de gaten te houden. U mag bij haar, maar niet langer dan tien minuten. Ze heeft rust nodig.'

Ik knik en vraag met een trillende stem: 'Moet ze lang op de IC blijven?'

'Dat bepaalt de arts per patiënt, maar het is gebruikelijk dat als het goed gaat, patiënten de dag na de operatie naar de zaal gaan.'

De verpleegster brengt me naar de kamer van Judy. Ik schrik van de slangen en meters. Er klinken piepjes. Aan weerszijden van het bed staat apparatuur, rode cijfers lichten fel op in het schemerdonker. Alleen boven het bed brandt een klein lampje. Judy ziet er breekbaar uit. Ze draagt een blauw ziekenhuishemd en zo zonder make-up, met haar haar een beetje door de war en de uitdrukking van vermoeidheid op haar gezicht, zou ik haar bijna niet herkennen. Het herinnert me er pijnlijk aan hoe levenslustig ze normaal gesproken is.

Ik loop naar het bed, ineens een beetje ongemakkelijk met mezelf. Zit ze er eigenlijk wel op te wachten mij te zien? Ze zei toch niet voor niets dat ik niet mocht langskomen?

'Judy?' zeg ik zacht. Ik kijk om. De verpleegkundige is weg.

Judy's oogleden bewegen een beetje, en dan kijkt ze me ineens aan. Even heeft ze moeite zich te oriënteren, maar dan speelt om haar lippen een klein glimlachje. 'Hi', fluistert ze. Haar stem klinkt schor, ongebruikt.

'Hé', zeg ik zacht. 'Hoe voel je je?'

Judy sluit haar ogen weer en even denk ik dat ze in slaap is gevallen. Licht verontrust bedenk ik dat ze helemaal niets zegt over het feit dat ik hier ben, terwijl ze me dat heeft verboden. Dat zegt alles over hoe ze zich nu voelt.

Maar dan doet ze haar ogen weer open. 'Hoe voel ik me?' herhaalt ze zacht mijn vraag. Ze moet erover nadenken. 'Moe', antwoordt ze uiteindelijk. 'Zo moe.'

'Heb je pijn?'

Judy schudt even haar hoofd. 'Pijnstillers', verklaart ze fluisterend. 'Hoe is het gegaan?'

Dat was precies de vraag die ik aan haar wilde stellen, maar blijkbaar heeft ze nog niet met de dokter gepraat. Dat zal morgen wel komen. Het liefst wil ik de arts nu spreken, hem vragen of Judy ooit nog normaal zal kunnen lopen.

Of nee, ik wil hem vragen wanneer Judy weer normaal zal kunnen lopen. Ze is hartstikke vitaal, als ze hier iets blijvends aan overhoudt, moet er iets misgegaan zijn tijdens de operatie.

Maar ik zal moeten wachten, want de arts zal zich vanavond hoogstwaarschijnlijk niet meer laten zien. Het is al laat, hij is vast allang naar huis.

'Als de verpleegster ernaar vraagt, moet je zeggen dat ik je nichtje ben', zeg ik, nerveus en zoekend naar iets zinnigs om te zeggen, maar ik kom niet verder dan dit onbelangrijke punt. 'Ze wilde me niet binnenlaten als ik geen familie was, dus ik moest wel liegen.'

Om Judy's lippen speelt een grijns. 'Beloofd', zegt ze zacht, zo zacht dat ik het bijna niet versta. Ze is ontzettend moe. Ik kan beter weggaan.

'Ik ga naar huis. Ik kom morgen weer.' Even aarzel ik. 'Daniël is er morgen ook. Ik kon hem niet tegenhouden.'

Waar ik verwacht dat Judy, hoe zwak ook, zal protesteren, glijdt er iets van opluchting over haar gezicht. Ik leg even mijn hand op die van haar en knijp zachtjes. 'Tot morgen.'

'Tot morgen, my love', mompelt ze, terwijl haar ogen dichtvallen.

Ik wacht nog heel even, maar Judy is al in slaap gevallen. Dan laat ik haar hand los, draai me om en loop de gang op. Als ik voorbij de zusterkamer kom, groet ik met een knikje. Daarna loop ik met opgeheven hoofd de afdeling af. Ik moet geloven wat mama zei: het komt goed. Ik slik, nu wil ik niet huilen. Judy is nu moe en ze lijkt duizend keer ouder dan ze is, maar ze komt er wel weer bovenop. Het komt goed.

Het moet goed komen.

De volgende ochtend word ik gedwongen om aan mijn nieuwe overtuiging te gaan twijfelen. Het is half twaalf als ik het ziekenhuis binnenkom. Judy is inmiddels naar de zaal verplaatst, wat op zichzelf een goed teken is, maar het bataljon witte jassen rond haar bed baart me zorgen. Te midden van de artsen en verpleegkundigen ontwaar ik Daniël, zittend naast zijn moeders bed. Ik voel een bepaalde opluchting, hij is er al en heeft zijn koffers niet in Judy's huis geparkeerd. Net als de vorige keer verblijft hij blijkbaar in een hotel.

Ik wil rechtsomkeert maken, ik ben nu duidelijk even te veel. Maar als Judy me ziet, wenkt ze me. Ze zit half rechtop en is een stuk helderder dan gisteravond. 'Kom erbij. De artsen gingen toch net weg', zegt ze met een stem die behoorlijk aan kracht heeft gewonnen.

En inderdaad, de witte jassen verwijderen zich uit de kamer, gevolgd door de verpleegkundigen. Ik begroet Judy met een zoen op haar wang en aarzel even bij Daniël, die me helpt door zijn hand uit te steken. Ik schud hem en krimp een beetje ineen onder zijn ferme handdruk.

'Hallo Daphne', zegt hij.

'Hoi. Goede reis gehad?'

Hij knikt. 'Prima. Het was erg fijn dat ik zo snel een vlucht naar Amsterdam kon krijgen.'

En dan zijn we uitgepraat. Althans, Daniël gaat zitten en wendt zich tot zijn moeder, maar niet nadat hij een blik op mijn inmiddels enorme buik heeft geworpen. Ik voel me er een beetje ongemakkelijk bij.

'Hoe gaat het?' vraag ik aan Judy, terwijl ik aan de andere kant van het bed plaatsneem. Het klapstoeltje waarop ik ga zitten kraakt een beetje, wat ik nogal gênant vind, al ligt het vast niet aan mij maar aan de kwaliteit van het stoeltje. Ik zie Daniël kijken en ga een toontje harder praten. 'Heb je veel pijn?'

Judy haalt haar schouders op. 'Vanochtend wel, maar toen hebben ze me extra pijnstillers gegeven en nu gaat het wel weer wat beter. Ik ben blij dat ik van die intensive care af ben.'

'Oké. Mooi.'

Het is weer stil. Dit ben ik niet gewend. Met Judy in de kamer is het zelden stil. 'Wat zeiden de artsen?' vraag ik. 'Is de operatie goed gegaan?'

Daniël gaat verzitten en Judy kijkt even weg. Daarna haalt ze diep adem en richt haar blik op mij. 'Eigenlijk niet, nee', zegt ze dan, wat haar duidelijk moeite kost. 'De breuk bleek ingewikkelder dan ze dachten en ze hebben het bot wel kunnen repareren met schroeven en pinnen, maar het zal niet meer recht aan elkaar groeien. Daarvoor is de breuk te gecompliceerd. Dat betekent dat ik waarschijnlijk veel moeite zal houden met lopen.'

Het nieuws valt me rauw op mijn dak, ik heb gewoon deze optie uit het lijstje met mogelijkheden geskipt. Hallo, dit is Júdy! Die gaat maar door, wie haar wil stoppen moet haar neerknuppelen. Het lijkt me een grote inschattingsfout te zeggen dat ze niet meer zal kunnen lopen.

'Maar je kunt...' begin ik. Ik weet niet eens hoe ik die zin moet afmaken. Uiteindelijk zeg ik: 'Maar je kunt toch revalideren? Opnieuw leren lopen?'

Judy knikt. Ze is zelf duidelijk ook ondersteboven van het nieuws. 'Dat kan ook wel, maar een been dat niet goed in elkaar zit, kan nooit meer zo goed lopen als een gezond been. Ik zal heus wel weer wat stappen kunnen doen, maar het zal niet meer worden wat het was.'

'Maar... Maar...' Ik kan geen tegenargumenten meer bedenken, al pijnig ik mijn hersenen want ze moeten er zijn. Er is hier sprake van een heel groot misverstand.

'Met een rollator is goed te leven', zegt Daniël dan. 'Alleen het vergt aanpassingen.'

'In huis bijvoorbeeld', zegt Judy.

Ik vang Daniëls blik. 'Het is te vroeg om daar nu iets over te kunnen zeggen', zegt hij. Waarmee hij tegelijkertijd niets en alles zegt. Judy lijkt dat er niet uit te halen, en ik spreek het niet uit, maar ik begrijp heel goed wat Daniël bedoelt.

Even later, als ik thee haal uit een automaat op de gang, komt hij naast me staan. Hij zet een bekertje onder de machine en tapt een espresso. Extra sterk. Ik kijk hem niet aan.

'Hoe lang moet je nog?' begint hij een gesprek, met een blik op mijn buik.

'Ik ben 6 juni uitgerekend.'

'Dat schiet al aardig op.'

'Ja.'

Ik nip van mijn thee en brand mijn lip. Ik wil weglopen, terug naar Judy's kamer, maar de onuitgesproken woorden hangen zwaar tussen Daniël en mij in, en ik kan niet in beweging komen.

'Luister', zegt hij uiteindelijk. 'Ik vind het heel vervelend dit te moeten zeggen, maar mijn moeder heeft je de nogal optimistische versie van de woorden van de arts gegeven. Wat hij heeft gezegd is dat het wel een jaar kan duren voor ze het lopen weer onder de knie heeft, en dat het nooit meer zal worden als eerst. Zo zal ze bijvoorbeeld geen trappen meer kunnen lopen.'

Ik staar hem aan. Wat is dit nou weer voor negatief gedoe?

'Ze ziet het zelf allemaal hartstikke positief in', zegt Daniël hoofdschuddend. 'De helft van wat de arts zegt, wil ze niet horen. Maar het ziet er allemaal niet best uit.' Hij kijkt naar mij, een beetje glazig. Hij ziet er moe uit, dat zal de jetlag wel zijn. 'Er zal van alles veranderen. Ik weet niet eens of ze wel in haar huis kan blijven wonen.'

'Natuurlijk wel!' roep ik fel, geïrriteerd dat Daniël zo pessimistisch doet. 'Laten we eerst maar eens afwachten of het echt zo erg is.'

Nu klinkt Daniël ook geërgerd. 'Zo erg is het.'

Ik geef geen antwoord. Mijn handen trillen en de thee gaat bijna over de rand van het bekertje. Daniël staart naar de rij bekertjes in de houder naast het koffieapparaat. Ik vraag me af of ik iets zou moeten zeggen, maar hij lijkt in gedachten verzonken.

'Nou ja', zegt hij uiteindelijk tegen niemand in het bijzonder. 'We zien het wel.'

Dan slaat hij de laatste slok koffie achterover, knijpt het bekertje fijn en mikt het in de prullenbak. Vervolgens loopt hij terug naar Judy's kamer.

Met een boos gebaar smijt ik mijn thee weg.

Er klinkt een tingeltje uit mijn zak en het duurt even voor ik me realiseer dat dat mijn telefoon is. Snel pak ik hem. Ik weet niet of je hier mobiel mag bellen, maar als ik zie dat het Liz is, neem ik snel op. Ik ga in het hoekje naast het koffieapparaat staan en hoop dat de verpleging me niet ziet, wat een utopie is als je zeven maanden zwanger bent.

'Hé', zeg ik op gedempte toon.

'Hoe is het met Judy?' vraagt Liz. Ze sms'te gisteravond dezelfde vraag, maar toen kon ik haar niet meer vertellen dan dat de operatie was afgelopen en dat Judy moe was.

'Goed', antwoord ik nu, al weet ik niet of dat nou eigenlijk wel waar is. En dan, alsof dat de graadmeter is: 'Ze zit alweer een beetje rechtop.'

'Is de operatie geslaagd?'

'Eh... ja. Ik denk het.'

'Dat klinkt niet echt overtuigend.'

Ik zucht. 'Ik weet het eigenlijk niet zo goed. Judy zegt dat het goed is gegaan, maar dat ze wat moeite zal houden met lopen. Daniël daarentegen zegt zo'n beetje dat ze naar een verzorgingstehuis moet. Ik weet niet wie ik nou moet geloven.'

'Judy natuurlijk', zegt Liz meteen en vol overtuiging. 'Die Daniël moet zijn mond houden. Je zei de vorige keer toch al dat hij een vervelende kwast is?'

Ik geloof niet dat ik dat heb gezegd, maar ik heb Liz wel verteld dat hij niet bepaald overliep van enthousiasme voor het idee van een huiskamerrestaurant.

'We moeten het maar afwachten', zeg ik met veel meer rust dan ik voel.

'Ja, precies. Zeg, je hebt voor vanavond alweer zes reserveringen staan. Ik neem aan dat we om vijf uur beginnen?'

'We?'

'Ja, natuurlijk. Ik kom je helpen. Oh wacht, de telefoon gaat weer.'

Liz heeft het mobieltje meegenomen dat Judy speciaal voor het restaurant heeft aangeschaft. Het is een goedkoop prepaidtoestelletje, maar dat maakt niet uit want het is alleen voor inkomende oproepen. Het nummer staat op het bord dat tegenwoordig tijdens openingstijden bij de deur hangt en blijkbaar hebben mensen het in hun telefoon opgeslagen. Dat het restaurant net nu lekker gaat lopen, is een klassiek geval van slechte timing. De kok kan elk moment een kind werpen, de initiator ligt met een onzekere toekomst in het ziekenhuis. En toch ben ik niet van plan te stoppen. Judy slaat me met haar kruk, of rollator, of rolstoel, of wat ze ook gaat gebruiken om zich te verplaatsen, om de oren als ze erachter komt.

Liz is klaar met het telefoontje en komt weer aan de lijn. 'Een tweetje om half acht. Dat brengt het totaal op vijftien mensen, dus we zitten vol. Wat is het menu?'

'Al sla je me dood. Ik moet nog inkopen doen.'

'Ik help je. Ik draag de tassen wel.'

'Moet je niet werken?'

Liz laat een zielig hoestje horen. 'Echt, ik ben te ziek om aan de slag te gaan.'

'Je bent de allerbeste', zeg ik en ik grijns. 'Als ik ooit iets voor je terug kan doen...'

'Ja, grappig dat je erover begint. Schop die Daniël een vliegtuig in, luister naar Judy en doe wat je kan om haar zo snel mogelijk weer thuis te hebben. En laat je niet gek maken.'

'Beloofd.'

Als ik ophang, krijg ik een ongenadig harde trap tegen mijn ribben, maar ik glimlach en loop terug naar Judy.

19

.

'HOE IS HET MET JUDY?' IS HET EERSTE WAT LIZ VRAAGT. BIJNA gelijktijdig geeft ze me een zoen op mijn wang en ze zet haar fiets op slot. Het is nu twee weken geleden dat Judy werd geopereerd en Liz is ontzettend betrokken.

'Redelijk', antwoord ik. 'Ze voelt zich wel aardig, maar de artsen zijn niet echt positief over het lopen. Gelukkig laat ze zich niet gek maken, ze ziet het allemaal wel, zegt ze.'

Liz knikt. 'Als je alles moet geloven wat die pessimistische artsen zeggen, word je ook niet gelukkig. Goed dat ze er rustig onder weet te blijven. Ga je nog naar haar toe?'

'Morgen weer.' Eigenlijk had ik nu willen gaan, maar ik had al een tijdje geleden met Liz afgesproken om babyspullen te gaan inslaan en ik wilde niet afzeggen. Deels omdat ik het ontzettend waardeer dat Liz – voor wie baby's een ver-van-haar-bed-show zijn – voortdurend met me meegaat, of ik nou naar de verloskundige moet of naar de Hema om allerlei rompertjes en sokjes te kopen, en deels omdat ik een vrijwel lege babykamer heb die ik toch eens van wat noodzakelijke spullen moet voorzien. Helaas bleek het kennisje van Judy zelf onverwacht weer zwanger, wat betekent dat ik haar meubeltjes niet kon overnemen. Daarom heb ik online een complete babykamer besteld, die hopelijk deze week wordt geleverd. Vandaag ben ik uit op vulling voor de kasten.

We gaan de Hema binnen en lopen meteen door naar de babyafdeling. Liz pakt niet één, maar twee mandjes.

Gelukkig is het rustig bij de babyspullen. Ik haal het lijstje dat ik thuis heb gemaakt uit mijn tas. 'Zes rompertjes', lees ik voor. 'Een paar hydrofielluiers, veiligheidsspelden, een kruik plus kruikenzak, twee mutsjes, zes paar sokjes, drie...'

'Ho, wacht even.' Liz steekt haar hand op. 'Ik lees wel voor, en dan moet jij uitkiezen wat je mooi vindt.'

Pas nu ik beter kijk zie ik dat er alleen al acht verschillende mutsjes verkrijgbaar zijn. Wit, roze, blauw, groen, met tekst, zonder tekst, met bolletje, zonder bolletje. Ik aarzel even en kies dan voor een wit en een roze mutsje.

'Of vind je dat afgezaagd?' vraag ik aan Liz. 'Roze voor een meisje?'

Ze trekt een rimpel in haar neus. 'Roze voor een jongen zou erger zijn.'

Ik grinnik en leg de mutsjes in een van de mandjes. Daarna kies ik rompertjes en sokjes in dezelfde kleur, een schattig babypakje in taupe en wit dat ook binnenstebuiten gedragen kan worden, twee paar slofjes die niet op mijn lijstje staan maar té lief zijn, een pak navelbandjes en een paar hydrofielluiers die alleen maar in het wit verkrijgbaar zijn, wat de keus lekker makkelijk maakt.

Liz meent dat ik ook echt niet zonder een babymodel skinnyjeans kan, in maat 68, maar dan heb ik die maar vast in huis.

Ik zoek een kruik en een kruikenzak uit, mik drie fopspenen in het mandje en ook twee pakken spuugdoekjes, want daarvan schijn je er nooit genoeg te kunnen hebben. Liz leeft zich intussen uit bij de kleertjes. Ze houdt een overslaghemdje en een broekje met de sokken eraan vast omhoog, in een wit-li-la dessin.

'Dat is veel te klein!' zeg ik, me afvragend of ze soms bij de premature kleertjes heeft gekeken. Vooral het broekje lijkt me echt ieniemienie.

'Allebei maat 50', zegt Liz echter. 'Op jouw lijstje staat dat je babykleertjes in maat 50 nodig hebt.'

Ik pak het broekje van haar aan en laat het door mijn handen gaan. Niet te geloven dat dit straks om de beentjes van mijn baby zal passen. Ik aai met mijn duim over de zachte stretchstof en probeer me voor te stellen dat ik mijn dochter in mijn armen houd.

Liz komt bij me staan en samen staren we naar het broekje. 'Mooi hè?' zegt ze en ze knijpt even in mijn arm.

Dan gooi ik het broekje in een van de mandjes. Liz mikt ook het overslaghemdje erin en neemt het voor de zekerheid ook nog in een wit-groen printje. Het broekje koop ik in tweevoud, handig als een van de twee in de was zit.

Even later sjouwt Liz twee volle winkelmandjes naar de kassa. Ik volg haar met een luieremmer bungelend aan mijn arm en een grote, grijze speelgoedolifant die ik niet kon laten liggen, hij past zo leuk bij de wit-grijze meubels die ik heb besteld. In mijn andere hand houd ik een verzameling kleerhangertjes met roze strikjes.

Het valt mee, ik ben maar iets meer dan honderd euro kwijt voor twee volle tassen. We stouwen alles in de kratten op onze fietsen en zetten dan koers naar de Cornelis Schuytstraat, waar Liz' favoriete koffietentje zit.

'Argh', zeg ik even later langgerekt terwijl ik ga zitten en mijn benen strek. Lang staan en lopen gaat me steeds moeilijker af. Ik leg mijn voeten even op de stoel tegenover me, maar trek ze snel weg als de ober aan komt.

We bestellen allebei een koffie verkeerd met een stuk worteltaart, wat volgens Liz een gezonde keuze is en volgens mij niet, maar die calorieën heb ik vandaag wel met shoppen verbrand.

'Hé meiden!' Iemand houdt z'n pas in naast ons tafeltje. Liz herkent hem eerder dan ik.

'Ha Fred! Hoe gaat het?'

Nu herken ik de man die volgens mij een of twee straten achter mij woont en de afgelopen weken al vier keer met zijn vriendin in het restaurant is komen eten.

'Betrapt', grijnst hij. 'Ik kom ook nog weleens in andere zaken.'

'Wij zijn nu toch gesloten', zegt Liz gevat. 'Maar vanavond zijn we open.'

Fred kijkt op zijn horloge. 'Ik moet straks nog even terug naar kantoor, maar als het niet later wordt dan een uur of zeven, kom ik vanavond zeker eten. Moet ik reserveren?'

'Bij deze', zegt Liz met een glimlach. 'We houden wel een tafeltje vrij. Twee personen?'

'Graag. Zal wel rond half acht, acht uur worden.'

Hij zwaait naar iemand die binnenkomt en excuseert zich. Ik kijk Liz vol bewondering aan. 'Jij bent zoveel beter in marketing dan ik.'

'Maar jij kunt beter koken', zegt ze onbewogen. 'We zijn een goed team samen.'

Onze koffie wordt gebracht – twee kunstig gemaakte creaties van melk onderin en koffie daarbovenop, geserveerd in een glas – en ik ga verzitten. Daarbij stoot ik de luieremmer om die onder de tafel staat, met een deel van onze aankopen erin gepropt. 'Volgens mij heb ik nu alles wel in huis', zeg ik terwijl ik de emmer rechtzet. 'Niet te geloven hoeveel je nodig hebt voor zo'n baby.'

'Van die kleine kleertjes kun je nooit genoeg hebben', meent Liz. 'Al heeft je dochter ze nooit aan, ze zijn alleen al leuk om in de kast te hebben hangen.'

Ze knikt naar twee vrouwen die de zaak inkomen. Ik draai me half om en zie een tweetal dat vaak in de brasserie kwam. 'Blijkbaar hebben ze de brasserie met het grootste gemak voor deze zaak ingeruild', zeg ik.

Liz knikt. 'Ja, zo gaat dat. Geen wonder dat ze destijds niets voor ons wilden doen, het aanbod van tentjes om je koffie te halen en te lunchen is enorm.'

'Misschien is het uiteindelijk niet zo erg dat de brasserie is gesloten', zeg ik terwijl ik in mijn koffie roer. 'Nu ben ik gedwongen om na te denken over wat ik echt wilde en dat bleek koken te zijn.'

Liz knikt. 'En ik hoef me niet meer elke dag aan Onno te ergeren. Dat is ook een voordeel.'

Ik grinnik en hef mijn koffie. 'Daar proost ik op.'

'En op veel te veel babykleertjes in maat 50', zegt Liz voor ze haar glas tegen het mijne stoot.

'Dessert erin?'

Ik strijk een sliert haar uit mijn verhitte gezicht en kijk vragend naar Liz.

Ze schudt haar hoofd. 'Nee, ze willen even wachten. Maar dat drietje wil wel graag het hoofdgerecht, ze hebben een beetje haast omdat ze naar het theater gaan. Oh, en Fred en zijn vriendin zijn ook gekomen.'

'Oké.' Ik keer de forellen op de bakplaat en giet er nog wat extra olijfolie overheen. Ik voel mijn eigen maag knorren, maar tijd om te eten heb ik niet. Het is bijna half acht en top-druk.

De deur van de keuken gaat opnieuw open en ik verwacht dat het Liz is die binnenkomt. Zonder me om te draaien roep ik: 'Twee voorgerechten klaar over drie minuten, geef me vijf minuten voor de hoofdgerechten.'

Er komt geen reactie en ik draai me om. Mijn hart schiet in mijn keel. Daar staat Daniël.

'Oh', zeg ik. Mijn toch al warme hoofd wordt nog een beetje warmer. 'Sorry. Ik dacht dat je Liz was.'

Wat doet hij hier? Hij logeert toch in een hotel? Ik ben al-lang blij dat hij niet hier in huis zit. Hij is al twee weken in Ne-derland, ik moet er niet aan denken hem voortdurend om me heen te hebben.

Liz gooit de keukendeur open en roept: 'Mevrouw Stans wil graag haar vis ongefileerd. Ze vindt het leuk om het zelf te doen. Heeft vroeger in de vis gewerkt of zoiets en... O, sor-ry. Ik stoor.'

Ik knik, waarmee ik zowel bedoel dat ik het begrepen heb, als dat ze inderdaad ons gesprek onderbreekt. Niet dat ik dat laatste erg vind. Of dat er van een echt gesprek sprake was.

De operatie van Judy is nu dus twee weken geleden, en het wordt steeds duidelijker dat terugkeren naar huis geen optie is. Daniël probeert haar daar dagelijks van te overtuigen en de laatste drie, vier dagen heb ik het gevoel dat ze het zelf ook be-gint te begrijpen. Ik ben het er niet mee eens, maar ik vind dat ik me in deze discussie afzijdig moet houden. Dit is iets waar Judy in de eerste plaats zelf over moet beslissen, en de discussie tussen haar en Daniël is ook niet mijn business. Maar dat bete-kent niet dat het me niet interesseert – integendeel.

In het ziekenhuis probeer ik Daniël zo veel mogelijk te ont-lopen. Dat gaat best goed. Ik ga meestal vroeg naar Judy, hij probeert dan wat werk te doen. Het avondbezoekuur is uiteraard zijn moment, omdat ik tegenwoordig vijf dagen per week in de keuken sta.

Er valt een stilte tussen ons die alleen wordt doorbroken door het gesis van de vis op de plaat. 'We moeten praten', zegt Daniël.

'Moet jij niet bij je moeder zijn?' vraag ik. 'Het bezoekuur is net begonnen.'

'Ze was moe en wilde gaan slapen. Ik ben vanaf vier uur bij haar geweest, we hadden een gesprek met de arts.'

Het steekt me dat ik dat niet eens wist. Judy heeft er vanochtend niets over gezegd.

'Oh.'

'Het was geen goed gesprek.' Daniël haalt een hand door zijn donkere haar en ik zie de tekenen van vermoeidheid op zijn gezicht. Even voel ik me schuldig dat ik me niet heb gerealiseerd dat hij zich natuurlijk ook zorgen maakt om zijn moeder. En vast ook om zijn werk, want ik geloof niet dat ze in Amerika aan zorgverlof doen.

'Moet jij niet terug naar New York?' vraag ik plompverloren. Ik realiseer me te laat hoe misplaatst die vraag is.

Ik zie Daniëls gezicht verstrakken.

'Sorry', zeg ik snel en een beetje beschaamd. 'Zo bedoelde ik het niet. Ik vroeg me alleen af of je het allemaal wel kunt regelen, qua werk. En of je het nog wel trekt.'

Dat laatste moest aardig klinken, maar volgens mij maak ik het alleen maar erger.

'Het gaat prima, dank je', zegt Daniël gereserveerd. 'Ik probeer per telefoon en mail wat werk te doen. En als ze vinden dat ik terug moet komen, hebben ze op dit moment even pech. Ik ben nu hier nodig en mijn moeder is belangrijker voor me dan mijn baan.'

'Ja. Ja, natuurlijk.'

'Maar ik moet met je praten.'

'Ik ben nu bezig. Kan het wachten?'

Hij kijkt om zich heen.

'Heb je al gegeten?' vraag ik. 'Houd je van forel?'

Hij kijkt langs me heen naar de bakplaat en ik zie zijn gezicht een beetje ontspannen.

'Weet je wat, ga zitten, eet wat en dan praten we straks. Als het wat rustiger is.' Ik doe te veel mijn best, ik weet het. Uitsloven heeft echt geen zin, ik weet toch al wat Daniël wil zeggen. Dat dit huis verbouwd moet worden. Ik denk niet dat mijn forel hem op andere gedachten kan brengen, maar als we dan toch een moeilijk gesprek moeten voeren, dan liever niet als ik acht hoofdgerechten moet maken, plus tegelijk een paar voor en nagerechten.

Daniël stemt toe en gaat tot mijn opluchting niet in de keuken zitten. Hij neemt plaats aan de tafel in de kamer, de stamtafel waar nog drie mensen zitten te eten. Twee van hen zijn vrouwen uit de buurt, die elkaar niet kenden, maar sinds ze hier aan de praat raakten al drie keer zijn komen eten. Ik hoop op een nieuwe vriendschap, ontstaan boven mijn gerechten.

Daniël pakt een krant en gaat zitten lezen. Als Liz binnenkomt voor de voorgerechten leg ik haar snel uit dat ik vanavond nog een lastig gesprek met Daniël kan verwachten. De doodsteek voor het restaurant, vermoed ik. Ik ben niet achterlijk. Judy heeft op de begane grond geen badkamer of slaapkamers. Die bevinden zich allemaal op één- en tweehoog. Ik haal me snel haar eigen trappen binnendoor en het trappenhuis dat ik gebruik voor de geest. Het is allemaal smal. Een traplift zal niet passen, maar er is ruimte voor een bad- en slaapkamer op de benedenverdieping. Alleen kan ik hier dan natuurlijk geen restaurant blijven runnen.

Voor het eerst laat ik die gedachte, die ik al weken probeer weg te duwen, toe. Het voelt alsof de lucht uit mijn longen wordt gezogen. Geen restaurant betekent geen inkomen, en dat betekent dat ik het zal moeten zien te redden met het verzekeringsgeld. Het recht op een uitkering is allang vervlogen, ik heb maar een paar weken in de brasserie gewerkt. En door het verzekeringsgeld heb ik geen recht op bijstand. Als ik heel zuinig aan doe kan het allemaal wel, ik heb gelukkig ook wat verdiend met het restaurant. En dat Liz niet betaald wil worden voor wat ze voor mij doet, helpt meer dan ik eigenlijk wil toegeven. Maar ik voel me daar wel lullig over. Ze heeft haar nieuwe baan bij het restaurant opgezegd – deels voor mij, maar dat ze in de eerste twee weken zes keer ruzie kreeg met haar baas hielp ook niet echt – en werkt nu weer in een koffiehuis, zodat ze haar werktijden kan aanpassen aan de openingstijden van mijn restaurant. Voor niks, want tegen de tijd dat ik weer aan de slag kan, is er vast geen restaurant meer. Ik durf geen hoop meer te hebben op het tegendeel.

'Ik zal zorgen dat het hem in elk geval aan niets ontbreekt', belooft Liz met de voorgerechten in haar hand. 'Geen idee of het uitmaakt, maar het kan vast geen kwaad. Drinkt hij bier of wijn?'

Ik weet dat hij wijn drinkt, maar hij ziet er op dit moment uit als een man die wel een biertje kan gebruiken. 'Heineken', zeg ik. 'Dat is in Amerika hartstikke duur, dus dat drinkt hij vast niet zo vaak. En pak de koudste die je hebt, mannen houden van koud bier.'

Ineens duikt Maarten op in mijn gedachten. Mannen houden van koud bier, dat zei hij altijd. Op mooie zomeravonden kon je hem niet gelukkiger maken dan met een koud pilsje in de tuin. IJskoud, het liefst een biertje dat een halfuurtje in de vriezer had gelegen. Ik huiver nog als ik denk aan die keer dat hij achter me kwam staan en het steenkoude flesje in mijn nek legde. Ik gilde het uit, en Maarten kwam niet meer bij. Om het goed te maken haalde hij rosé voor me. Droge, fruitige rosé, waarvan ik in zijn gezelschap liters heb weggedronken. Samen in de tuin, op het terras, of binnen, aan de keukentafel. Ik denk dat we onze beste gesprekken voerden met Heineken en die rosé waarvan ik naam ben vergeten, maar waarvan ik de fles uit duizenden zou herkennen. Na Maartens dood heb ik er geen slok meer van gedronken. Ik schakelde over op goedkope supermarktwijn omdat de smaak me toch niet interesseerde en ik het niet aankon onze rosé in m'n eentje te drinken. De zes flessen die nog in huis stonden, heb ik laten staan voor Pieter en Nadine. Ik weet zeker dat ik er nooit meer een glas van zal nemen. Het zal niet meer smaken naar die mooie avonden, en die mooie gesprekken.

Een lichte brandlucht dringt mijn neus binnen en met een schok draai ik me om. De forel begint aan te branden! Snel pak ik een spatel en haal de visjes van de plaat. Ik fileer ze razendsnel, laat er één ongefileerd en leg daarna op elk bord wat tagliatelle. Mijn zelfgemaakte pesto en een paar krullen Parmesan maken het af. Liz heeft de salade al op de tafels gezet, zie ik.

Ze komt als een wervelwind de keuken binnen, grist de borden mee en verdwijnt weer.

Ik begin aan het voorgerecht voor Daniël, en ik merk dat ik daar net een beetje beter mijn best op doe.

Drieënhalf uur later zit hij tegenover me in de keuken. De gasten zijn weg, net als Liz. Ik heb intussen zelf ook gegeten en wacht nu tot de twee moelleux au chocolat klaar zijn, die ik drie minuten geleden in de oven heb gezet. Daniël heeft er al eentje gehad als nagerecht, maar knikte toen ik vroeg of hij er nog eentje wilde. Zelf kijk ik al de hele avond uit naar het moment dat ik aan mijn eigen chocoladetaartje kan beginnen. Al barst het van de calorieën.

Maar ach, na al die maanden zwangerschap en twaalf kilo erbij zou het me misschien niet uit moeten maken.

'Je kunt goed koken', verbreekt Daniël de stilte die er tussen ons is gevallen. 'Mijn moeder heeft gelijk als ze zegt dat je talent hebt.' Even glimlacht hij. 'En dat zegt ze nogal eens.'

Ik heb het gevoel dat ik hem iets moet geven. Gelijk, of zo. Ik schraap mijn keel. 'Ik weet dat je het er niet mee eens bent dat ik hier een restaurantje run, en dat begrijp ik. Soms vind ik het zelf ook raar, maar...'

Maar wat? Ik weet niet wat ik nou eigenlijk wil zeggen.

'Laat maar', zegt Daniël vermoeid. 'Ik weet dat mijn moeder en jij er lol in hebben, dus wat maakt het uit wat ik ervan vind? En zoals ik al zei, je hebt hier iets goeds neergezet. Je laat je gasten niet betalen voor bagger. Maar ja...'

Even lijkt hij in gedachten verzonken. Hij kijkt rond in de keuken. De keuken waarin hij is opgegroeid, het huis van zijn jeugd.

Dan richt hij zijn aandacht weer op mij. 'Ik moet realistisch zijn. Zeker na het gesprek dat mijn moeder en ik vanmiddag met de artsen hebben gevoerd. Ze hebben heel duidelijk aangegeven dat het niet reëel is dat mijn moeder ooit nog zonder hulpmiddelen kan lopen. Sterker nog, die optie is uitgesloten. Het bot groeit wel weer aan, maar het zal nooit meer recht staan. Ze heeft op z'n minst een stok nodig, maar dat zal alleen voor de korte stukjes voldoen. Ze zal niet meer zonder rollator kunnen. En voor buitenshuis een scootmobiel.'

Hij vertelt het zakelijk, maar ik zie dat het hem wel degelijk raakt. Ik probeer me voor te stellen dat het mijn moeder is die nu in het ziekenhuis ligt, en over wie ik te horen krijg dat ze niet meer goed kan lopen.

Snel zet ik die gedachte van me af.

'Het is allemaal niet onoverkomelijk', zegt Daniël dan. 'Maar er zullen wel dingen geregeld moeten worden. Ze zal een gelijkvloerse woning moeten hebben.'

'Waarom gaat ze niet verhuizen?' vraag ik. 'Dat is toch makkelijker dan verbouwen?'

Daniël knikt. 'Daar heb ik het met haar over gehad, maar het is uitgesloten. Ze werd boos op me toen ik erover begon. Ze is verknocht aan dit huis en wil hier niet weg. Verbouwen, oké, daar kan ze mee leven. Maar met geen tien paarden krijg je haar dit huis uit.' Hij zucht. 'Alleen tussen zes planken, dat zei ze letterlijk.'

Ik schiet in de lach en daardoor breekt ook bij Daniël een glimlach door. 'Ze is wel een felle tante, mijn moeder.'

'Dat mag je wel stellen.'

Hij kijkt me aan. 'Mijn moeder heeft erg getwijfeld voor ze een huurder ging zoeken. Ze was bang dat ze allerlei rare types in huis zou halen. Maar nu ze jou als huurder heeft, raakt ze er niet over uitgepraat hoe blij ze is dat ze de stap heeft genomen. Vandaag nog, in het ziekenhuis. Ze is erg op je gesteld en ze kan niet wachten tot je baby er is.'

Ik glimlach. 'Ja, daar verheugt ze zich op. Ik moet zeggen dat ik het bij mijn verhuizing naar Amsterdam niet beter had kunnen treffen. Je moeder is heel bijzonder.'

'Oh ja.' Daniël snuift en lacht tegelijk. 'Dat is ze zeker. Weet je, ze zou het liefste zelf op de eerste etage gaan wonen en jou op de benedenverdieping je restaurant gunnen, maar het is gewoon geen optie. Voor een traplift is geen plek en om nou ook nog het trapgat te gaan vergroten alleen vanwege het restaurant...'

De oven piept en ik sta op om de chocoladetaartjes te pakken. Ik begrijp zelf ook wel dat Judy niet haar hele huis aan mijn projectje kan aanpassen, hoe leuk ze het restaurant zelf ook vindt. Maar jammer is het wel. Ik heb zin om boos te worden, maar ik weet niet op wie.

Weer verlies ik iets in mijn leven, bedenk ik pathetisch terwijl ik de moelleux au chocolat uit hun vormpjes losmaak en ze op twee bordjes laat glijden. Ik drapeer er wat frambozen en rode bessen omheen en strooi poedersuiker over en rondom het taartje. Dan pak ik twee vorkjes en zet beide borden op tafel.

'Dat ziet er geweldig uit', zegt Daniël gemeend. 'En het ruikt ook nog eens fantastisch. Is het een moelleux?'

Ik knik. 'Ik heb hem zo vaak geoefend dat ik nu precies weet hoe lang hij in de oven moet om de buitenkant knapperig en de binnenkant vloeibaar te krijgen. Maar daarvoor heb ik er wel vijftien laten mislukken. Nou ja, niet dat die niet te eten waren...' Ik kijk naar mijn buik en zeg bij wijze van grapje: 'Dat is wel te zien ook.'

Daniël glimlacht. 'Ik vind het knap hoe je het allemaal aanpakt. Het moet niet makkelijk voor je zijn. In je eentje en dan straks met de baby enzo.'

Ik prik met mijn vork in mijn taartje en kijk toe hoe de vloeibare chocolade zich over mijn bord verspreidt. Dan neem ik een hap, vooral om mezelf een houding te geven, want ik weet niet hoe ik moet reageren op Daniëls compliment.

'Tja...' zeg ik uiteindelijk. 'Ik doe ook maar wat.'

Daniël lijkt ineens in verlegenheid gebracht door wat hij zelf heeft gezegd en concentreert zich op zijn dessert. Even zeggen we allebei niets, dan beginnen we op hetzelfde moment te praten.

'Maar...'

'Vind jij...'

Daniël lacht. 'Jij eerst.'

'Vind jij het niet lastig dat je moeder hier alleen woont en jij zo ver weg zit?' vraag ik.

Hij haalt zijn schouders op. 'In het begin wel, maar mijn moeder was juist degene die vond dat ik deze kans moest pakken en naar Amerika moest gaan. Dat maakte het wel makkelijker. Maar het is natuurlijk wel een feit dat ik haar enige kind ben en dat ik me verantwoordelijk voel voor haar.'

Ik denk aan mijn ongeboren dochter. Zal zij zich op een dag verantwoordelijk voelen voor mij? Ik hoop het niet. Het lijkt me niet de juiste verhouding.

Daniël heeft gezien dat ik naar mijn buik keek. 'Dat duurt nog wel even, hoor', zegt hij met een schuin lachje. 'Voordat zij aankondigt in Amerika te gaan werken...'

Ik grinnik. 'Dat vrees ik ook, want ik ga op de startbaan liggen van het vliegtuig dat het waagt haar naar het buitenland mee te nemen. Ik vind het knap van Judy dat ze je heeft gestimuleerd. Volgens mij zou ik dat zelf nooit kunnen.' En dan stel ik de vraag die al een tijdje op mijn lippen ligt, maar die ik eigenlijk niet durf te stellen. 'Hoe was het om alleen met je moeder op te groeien?'

Daniël lijkt een beetje overvallen te worden door mijn vraag. Hij haalt een hand door zijn haar. 'Tja...' Onbewust werpt hij een blik op mijn buik, hij weet heel goed waarom ik deze vraag stel. 'Persoonlijk heb ik mijn vader nooit echt kunnen missen, omdat ik hem niet echt heb gekend. Ik heb meer het instituut "vader" gemist. Neefjes, nichtjes, vriendjes, buurkinderen – iedereen had een vader, behalve ik. Dat vond ik weleens moeilijk. Maar mijn moeder is altijd vader en moeder ineen geweest. Bovendien heeft ze me precies verteld hoe mijn vader was, en waarin ik op hem lijk. Ik heb een heel positief beeld van hem en ik weet dankzij mijn moeder zeker dat hij veel van me heeft gehouden. Dat geeft een goed gevoel.' Hij schraapt de laatste chocolade van zijn bord en likt het vorkje af. Ik weet niet goed wat ik moet zeggen, Daniël lijkt met zijn gedachten ver weg.

Uiteindelijk wijst hij met het vorkje naar zijn bord. 'Geweldig, dit. Echt.'

Ik kleur een beetje. 'Dank je. Het kan nog beter, ik proefde nog...'

Daniël schudt zijn hoofd en onderbreekt me. 'Je moet jezelf niet zo naar beneden halen. Je hebt echt de potentie om een heel goede kok te worden. In je eigen restaurant, bedoel ik. Je echte, eigen restaurant. Waarom kijk je niet eens om je heen of er niet een leuke tent ter overname wordt aangeboden?'

Ik kijk hem aan alsof hij ter plekke zijn verstand is verloren. 'Is het je opgevallen dat ik nogal zwanger ben?'

Hij haalt zijn schouders op. 'Voor na de geboorte van je baby.'

'Dan heb ik echt geen geld om in een eigen zaak te stoppen.'

'Er zijn duizenden redenen te bedenken waarom je het niet moet doen', zegt Daniël. 'Het is niet zo moeilijk om iets weg te redeneren met allerlei argumenten die echt wel hout snijden, maar die je ook kunt weerleggen. Met wilskracht.'

Ik kijk hem aan. 'Wilskracht is het probleem niet', zeg ik wrevelig. 'Maar een zwangerschap is nogal een ding, en een baby krijg je niet zomaar. Dat kost tijd, vooral om daarna te herstellen en je draai te vinden. Het is niet het beste moment voor dit soort grote veranderingen in mijn leven. Veranderingen die tijd en moeite kosten.'

Daniël knikt. 'Maar na een paar maanden wil je misschien wél kijken wat de mogelijkheden zijn voor je eigen zaak, toch?'

'Misschien', antwoord ik. Het voelt nog zo ver weg. Bovendien woonde ik een jaar geleden nog nietsvermoedend op een boerderij, verwachtend dat ik daar minstens tachtig zou worden en mijn leven zou slijten als boerin. Er is in de tussentijd al zo veel veranderd, een eigen restaurant – een écht restaurant – is echt een brug te ver. Ik moet eerst maar eens pas op de plaats maken.

'Als je je nu alvast gaat oriënteren, is het straks makkelijker instappen', zegt Daniël. 'Ik ken wel wat mensen in de horecawereld in Amsterdam. Ook mensen die bereid zijn te investeren in een succesvol concept.'

Investeren in een succesvol concept? Ik kan me niet voorstellen dat een van zijn ongetwijfeld succesvolle vriendjes een paar duizend euro op de plank heeft liggen om in een restaurant te stoppen dat nu alleen maar in een huiskamer bestaat.

'Ik zal erover nadenken', zeg ik, zonder het geloof dat dit ook maar iets gaat opleveren.

Maar Daniël lijkt erg in zijn nopjes met zijn eigen idee. 'Heb je deze week nog een plekje? Ik ga twee vrienden van me vragen om langs te komen en zelf te proeven, en dan weet ik zeker dat ze enthousiast zullen zijn.'

'Laat me maar weten wanneer ze willen komen, dan houd ik er rekening mee.'

Even vang ik Daniëls onderzoekende blik. Hij trekt zijn wenkbrauwen een beetje op, maar zegt niets. Dan leunt hij achterover en slaat zijn armen over elkaar heen. Ik staar naar de chocolade, die stolt op mijn bord.

'Wil je koffie?' vraag ik en ik begin te redderen met de bordjes.

'Wacht maar, ik pak het wel.' Hij wil hetzelfde bordje pakken als ik en even raken onze handen elkaar. We houden allebei onze hand stil, verwachtend dat de ander terugtrekt, waardoor het moment lang duurt. Mijn hand voelt warm, net als mijn wangen.

'Sorry', zegt Daniël dan, en laat het bordje los. 'Laat maar. Ik pak wel koffie. Wat wil jij?'

Hij maakt een koffie en een cappuccino terwijl ik de vaatwasser eerst uit- en dan weer inruim. We zeggen allebei niets, het gerinkel van serviesgoed en het gebrom van het koffieapparaat zijn de enige geluiden die de keuken vullen. Daniël pakt een fles cognac uit de kast en schenkt zichzelf een glas in voor naast de koffie. Ik krijg een huiselijk gevoel dat ik snel van me af zet. Het moet niet te gezellig worden, uiteindelijk zitten we hier alleen maar omdat Judy in het ziekenhuis ligt en ik moet stoppen met mijn restaurant.

Alsof Daniël mijn gedachten kan raden, zegt hij: 'Ik vind het echt vervelend dat ik beslissingen moet nemen waar niemand blij van wordt, maar als ik het aan mijn moeder overlaat gebeurt er niets. Dan wil ze weer hier wonen zonder te verbouwen, met alle problemen die daarbij komen kijken. Ik zit in New York, ik kan haar dan niet helpen.'

'Ik wel', zeg ik, maar Daniël glimlacht een beetje triest en schudt zijn hoofd.

'Jij hebt een baby om voor te zorgen, en misschien wel een restaurant. En bovendien, waarom zou een jonge vrouw als jij voor mijn moeder gaan zorgen? Haar elke dag de trap op en af helpen en haar in haar niet aangepaste badkamer onder de douche zetten?'

'Omdat ik haar heel graag mag', zeg ik. 'En omdat ze ook heel veel voor mij heeft gedaan.'

'Het is niet iets tijdelijks', werpt Daniël tegen. 'Het is voor altijd. Ze zal nooit meer in haar eentje een trap op kunnen lopen.'

Ik leun achterover en neem twee slokken cappuccino. Ineens voel ik me moe, en de cafeïne helpt niet. Ik weet dat Daniel gelijk heeft, ook al wil ik het niet.

Daniël slaat een teug cognac achterover en zet zijn glas neer. 'Anyway,' zegt hij, met dezelfde tongval als zijn moeder wanneer ze Engels praat, 'ik ga deze week nog met een aannemer praten.'

Ik staar naar het langzaam verdwijnende schuim van mijn cappuccino.

De volgende ochtend zit ik naast Judy's bed. Ze probeert vrolijk te doen, maar ik zie dat zich vandaag niet top voelt.

'Ik beleef dat moment keer op keer op keer', zegt ze een beetje mat, terwijl ze aan de rand van de deken plukt. 'Ik wist dat ik ging vallen, en toch kon ik niets doen. Die stomme misstap. Ik had beter moeten opletten.'

'Ja', zeg ik. 'Maar je kunt er nu niets meer aan doen.'

'Nee, en dat frustreert me. Ik wil gewoon uit bed, hup, naar huis en mijn leven weer oppakken.'

'Dat gaat niet. Daniël gaat deze week met de aannemer praten en dan moet het huis eerst verbouwd worden.' Terwijl ik het uitspreek kan ik mezelf wel slaan. Waarom snijd ik dit onderwerp zo lomp aan?

Judy kijkt weg, naar buiten, al is daar alleen blauwe lucht met wat witte plukken wolk te zien. Ze knikt langzaam. 'Ja. Er gaat een hoop veranderen.' Ze richt haar blik op mij. 'Ik pieker me suf hoe het nou met het restaurant moet, maar ik weet het gewoon niet. Het plan is dat ik op de benedenverdieping ga wonen en dat we op termijn gaan kijken naar de mogelijkheden om van de eerste en de tweede ook appartementen te maken, zoals jouw huis. Maar ook al doen we dat niet, dan nog is een restaurant op de eerste etage geen optie. Als je iets wilt opbouwen, moet je het zo toegankelijk mogelijk maken. Mensen moeten bij wijze van spreken de keuken in kunnen kijken als ze langslopen. Die trap schrikt veel te veel af en bovendien moet er dan boven een keuken worden geïnstalleerd die groot genoeg is.'

'Ik weet het', knik ik. Ik wil Judy niet verder van streek maken en dus zeg ik: 'Het komt wel goed. Ik vind misschien wel een ander plekje. Daniël heeft gezegd dat hij het bij wat kennissen gaat aankaarten.'

Judy knikt. Ik probeer aan haar blik af te lezen of zij daar net zo min vertrouwen in heeft als ik, maar ze is niet te peilen. 'Ach', zegt ze. 'Eerst maar eens de baby. Hoe gaat het met je kleine meisje?'

Ik leg mijn hand op mijn buik, meteen voel ik er een schop tegenaan. 'Goed', zeg ik trots. Nu de uitgerekende datum nadert word ik steeds nieuwsgieriger.

Judy kijkt me recht aan. 'Zie je het een beetje zitten?'

'Wat? De bevalling?'

'Ook, maar vooral als de baby er straks is. Ik ga proberen je zo veel mogelijk te helpen, maar ik weet niet wat ik straks wel en niet kan.'

Eigenlijk heb ik daar nog niet eens zo over nagedacht, dat Judy nu natuurlijk niet veel meer kan dan op de bank zitten en de baby vasthouden. Ze kan me praktisch niet helpen. Even word ik zenuwachtig, maar dan krijg ik een gevoel van vertrouwen. 'Het komt wel goed', zeg ik. 'Ik ga het wel redden.'

Judy kijkt me aan. Ik zie trots in haar ogen. 'Je hebt echt zo veel sprongen gemaakt', zegt ze zacht. 'Ik zie je nog zitten aan mijn keukentafel, bang dat je het niet zou redden als moeder. En moet je nu eens kijken.'

Ik herinner me dat gesprek ook. 'Ik was echt bang dat mijn kind iets te kort zou komen zonder vader in haar leven', zeg ik. 'Maar dankzij jou weet ik dat je best in je eentje een kind kunt opvoeden. Al zal ik mijn dochter wel tot in den treuren lastigvallen met hoe geweldig haar vader was, maar daar moet ze dan maar mee leren leven.'

Judy grinnikt. 'Dat moet wel lukken. Daniël is er ook overheen gekomen dat ik zijn vader altijd heb opgehemeld.'

Ik denk aan gisteravond. Wat Daniël over zijn jeugd heeft gezegd, heeft me goed gedaan. Als iemand kan weten hoe het is om zonder vader op te groeien, is hij het.

Ik weet niet waarom ik tegen Judy niets over het gesprek zeg. Misschien omdat ik niet wil dat zij de indruk krijgt dat Daniël en ik de hele tijd over haar praten nu ze er niet is, al zal er over Judy geen onvertogen woord vallen. In plaats daarvan zeg ik: 'Ik heb trouwens een mooie doos gekocht en ik heb mijn familie en vrienden gemaild dat ze er iets in mogen doen voor mijn dochter. Alles mag, als het maar met Maarten te maken heeft. Iedereen reageerde enthousiast.'

'Goed van je!' roept Judy. 'Ik weet zeker dat het een prachtig document wordt.' Ze pakt mijn hand die op haar deken ligt, en knijpt er even in. 'Jullie gaan het geweldig krijgen met z'n tweeen', zegt ze vol vertrouwen.

En dan moeten we allebei een traan wegvegen, wat eigenlijk zo komisch is dat we erom moeten lachen.

20

HET IS MAANDAG EN HET RESTAURANT IS GESLOTEN. IK HEB tijd nodig om nieuwe recepten te zoeken, ook al is het nog maar voor even.

En boven alles moet ik ontzettend nodig tijd gaan besteden aan de babykamer. Voor zover je van een kamer kunt spreken, het studeerkamertje telt nog geen zes vierkante meter en de meubeltjes die gisteren zijn bezorgd nemen in hun platte verpakkingen al bijna al die ruimte in beslag.

Gelukkig hoef ik het kamertje niet te verven. De muren zijn vlak voor ik hier kwam wonen nog wit gesaust en die kleur voldoet prima. Mijn moeder is bezig een gordijntje te naaien, dus ook daar hoef ik me niet druk om te maken. Het in elkaar zetten van de meubels is echter wel even een klusje. Een klusje dat ik al een paar dagen voor me uitschuif. Mijn vader heeft aangeboden het te doen, maar hij kan pas volgend weekend komen en ik wil het voor die tijd allemaal klaar hebben. Het is nog aan de vroege kant, maar als de baby besluit te komen, moet ik er wel klaar voor zijn.

Maar eerst de recepten voor de aankomende week. Met een stapel kookboeken ga ik aan tafel zitten. Ik wil geen standaardrecepten uit een boek koken, maar ze kunnen prima ter inspiratie dienen. Laatst heb ik een lekkere runderstoofschotel gemaakt, die in het oorspronkelijke recept met lam bereid moest worden, maar die met wat kleine aanpassingen prima met rundvlees kon. Een week later vroeg iemand of hij de schotel weer kon krijgen, maar toen stond er vis op het menu.

Ik tik met mijn pen tegen de lege pagina op mijn schrijfblok. Misschien moet ik de gasten een keuze geven tussen vis en vlees, al maakt dat de inkoop wel wat moeilijker. Maar mensen die niet van vis of een bepaald soort vlees houden, eten nu vegetarisch, hoewel ze daar niet altijd op zitten te wachten. Als ik iets kies dat je ook een dag kunt bewaren, of kunt invriezen, hoef ik misschien niet eens zo veel weg te gooien. Ik kan mensen ook bij de reservering al vragen of ze vis of vlees willen, dan kan ik nog makkelijker inschatten hoeveel ik van beide moet inkopen.

Ik klik mijn pen aan en schrijf boven aan mijn schrijfblok "vis en vlees?".

Daarna staar ik een tijdje naar wat ik heb opgeschreven. Waarom maak ik me hier eigenlijk nog druk om? Binnenkort is het toch voorbij.

Ik kras mijn vraag door en sla een kookboek open. Ik kan me beter bezighouden met de recepten dan met vragen over de toekomst van het restaurant, die niet relevant zijn als je toch moet stoppen.

Twee uur later heb ik een rijtje nieuwe ideeën waar ik zelf erg blij mee ben. Ik kan nog net het begin van het aspergeseizoen meepikken, waarvoor ik allerlei lekkere bereidingen heb gevonden. Zodra ik de eerste asperges tegenkom bij de groenteman, wil ik ze op het menu zetten. Het water loopt me bij de gedachte in de mond, al gebeurt dat tegenwoordig bij het minste of geringste. Zal wel een zwangerschapsding zijn. Vannacht werd ik om vier uur wakker met een onbedwingbare behoefte aan Ben & Jerry's Cookie Dough ijs.

Met enige moeite kom ik overeind en ik berg de kookboeken op in de kast. Dan klap ik mijn laptop open. Ik ga naar Google en typ in 'restaurantruimte Amsterdam'. Kijken kan geen kwaad.

Er staat best veel te huur, maar van de bedragen krijg ik spontane rillingen. Tweeduizend euro per maand is gemiddeld, maar daar komt dan wel een overnamesom van een ton of meer bij. Die tweeduizend euro zou ik alleen kunnen betalen als ik meer omzet maak en mijn eigen bescheiden salarisje skip, maar om meer omzet te maken moet ik meer klanten hebben en dat betekent dat ik op z'n minst verstand moet krijgen van hoe ik een zaak run. Bovendien zal ik mensen moeten aannemen. Die ook weer betaald moeten worden.

Ik klik de website weg en blijf voor me uit zitten kijken. Het duizelt me.

Het geluid van mijn telefoon haalt me uit mijn gedachten. Ik weet niet of het een paar minuten of een halfuur later is. Ik kijk op mijn mobiel. Mijn moeder.

'Hai mam.'

'Lieverd! Hoe gaat het?'

'Prima.'

'Ja? Schopt ze goed?'

Oh ja, dit soort vragen gaat tegenwoordig niet meer over mij, maar over het wezentje in mijn buik. 'Als een voetballer', zeg ik geduldig. 'Ze trapt mijn ribben aan gort.'

Mijn moeder is duidelijk gerustgesteld. 'Mooi zo.' Een paar jaar geleden verloor een nichtje haar baby na zeven maanden zwangerschap. Van de ene op de andere dag hield de baby op met schoppen en toen er een echo werd gemaakt, was het jongetje al dood. Nu ik de zevenmaandengrens gepasseerd ben, is mijn moeder hier ontzettend mee bezig, al probeert ze het er niet te veel over te hebben. Gek genoeg ben ik zelf helemaal niet bang dat er iets mis gaat met de baby. Een kind dat in de buik van een zuipende, nauwelijks etende, totaal gestreste moeder doodleuk een paar maanden lang precies volgens de curve weet te groeien, moet een ijzeren gestel hebben, daarvan ben ik inmiddels door Ellen wel overtuigd.

'Hoe is het verder?' vraagt ze. 'Hoe is het met Judy?'

Ik breng haar op de hoogte van de laatste ontwikkelingen, en van de plannen die Daniël met het huis heeft. 'Hij zit op dit moment bij de aannemer.'

In de stem van mijn moeder gloort hoop. 'Dus je moet ergens anders gaan wonen? Je kunt toch ook...'

'Dat zei ik niet', onderbreek ik haar. 'Ik kan hier prima blijven, er komen misschien op termijn zelfs meer huurders. Alleen moet het restaurant stoppen.'

Ze geeft geen antwoord. 'Nou ja, als je ooit het huis uit moet, dan kun je altijd bij ons terecht. Dat weet je, hè?'

Ja, dat weet ik. Ze zegt het namelijk nog steeds elke week wel een keertje, ook toen Judy nog blakend van gezondheid rondjes liep. Ik ga er maar vanuit dat het goed bedoeld is en probeer een door hormonen voortgestuwde golf van ergernis te bedwingen. Ik heb geen zin in discussies.

Even later gaat bij mijn moeder de deurbel en midden in het aanbod dat ze namens mijn vader overbrengt om de meubeltjes in elkaar te zetten, moet ze ineens ophangen. Ik bedank haar nogmaals, maar zeg dat ik het zelf ga proberen en dan is het gesprek voorbij. De ergernis is alweer verdwenen. Ik vraag me af hoe het zal zijn om mijn moeder bij de bevalling te hebben. Als ze maar niet hysterisch wordt. Dan zet ik haar hoogstpersoonlijk op de gang.

Als ík maar niet hysterisch word.

Nu de uitgerekende datum nadert, spookt het woord "bevalling" steeds vaker door mijn hoofd, voorzien van allerlei gevoelens die variëren van een vervelend klusje dat opgeknapt moet worden tot complete en allesverlammende angst dat ik de eerste vrouw zal zijn die er niet toe in staat blijkt en bij wie de baby uiteindelijk zal blijven zitten. Wat als ik alles fout doe?

Maar dan komt mijn moeder weer in mijn gedachten tevoorschijn, die niet hysterisch maar juist heel rustig is, en me precies vertelt wat ik moet doen, want uiteindelijk heeft ze de missie die bevallen heet, al twee keer volbracht.

Ik schud mijn hoofd en zet de bevalling uit mijn hoofd. Misschien bedenkt mijn baby wel dat het veel leuker is om met haar hoofd omhoog te blijven liggen, zodat ik een keizersnee krijg. Iets waar ik stiekem op hoop, maar dat durf ik niet tegen Ellen te zeggen Ze zal vast zeggen dat een natuurlijke bevalling niet voor niets een natuurlijke bevalling is en dat het veel beter is voor mij en mijn kind. Niet dat ik dat geloof. Voor mijn kind misschien wel, maar voor mij zeker niet.

Om mijn gedachten te verzetten loop ik naar het studeerkamertje. Ik heb er nooit een seconde in gestudeerd heb, maar omdat Judy het zo noemde, heb ik de term overgenomen. In ieder geval is het de bedoeling dat ik het studeerkamertje naar een babykamer transformeer. Ik haal een schaar uit de keuken en begin de verpakkingen open te knippen. Er is een bedje, een kast en een commode. Rechte meubels, die met schroeven in elkaar moeten worden gezet. Hoe moeilijk kan het zijn?

Ik begin met het bedje, omdat het me de makkelijkste klus lijkt. Als ik al het verpakkingsmateriaal in de huiskamer heb neergelegd, waardoor de vloer verdwenen is onder een laag plastic, karton en hout, houd ik vier poten, een voor- en achterkant en twee van spijlen voorziene zijkanten over. En een bodem, maar die is van later zorg.

Ik pak de montageaanwijzingen erbij. Zes simpele plaatjes, blijkbaar heeft de fabrikant er rekening mee gehouden dat zijn spullen in elkaar gezet worden door, of in elk geval in het gezelschap van, zwangere en daardoor niet zo scherpe maar wel bizar lichtgeraakte vrouwen.

Het eerste plaatje is eenvoudig. Ik moet twee poten bevestigen aan de achterplaat van het bedje. Of andersom, dat is maar hoe je het bekijkt.

Onder in mijn kledingkast kom ik een gereedschapskoffertje tegen, een fractie van al het gereedschap dat Maarten had en dat natuurlijk op de boerderij is achtergebleven. Maar dit koffertje heeft Henk voor me samengesteld, een soort EHBO-pakket voor klussers. Ik heb er nooit eerder in gekeken.

Er zit een schroevendraaiersetje in, een hamer en een doosje met schroeven en spijkers. Verder wat tangetjes waarvan ik niet weet waarvoor ik ze moet gebruiken en een schroefboormachine. Die laatste komt wel van pas.

Ik loop terug naar de toekomstige babykamer, zoek in het bijgeleverde zakje naar de juiste schroef en duw die een beetje in het voorgeboorde gaatje. Dan zet ik de schroefboor erop.

De kop van de boor draait, maar de schroef gaat niet vaster zitten. Ik ben gewoon geen handige klusser. Als Maarten dit had gedaan, was die schroef precies goed in het gat terechtgekomen en had hij zo vast gezeten dat er twee potige bouwvakkers voor nodig waren geweest om hem weer los te draaien. Maar Maarten is er niet en ik moet in mijn eentje de meubels voor de babykamer in elkaar zien te zetten en daarmee ben ik waarschijnlijk de meest trieste zwangere van Nederland. Ik krijg visioenen van stellen – zij met bolle buik – die liefdevol naar elkaar lachen terwijl hij op de grond zit en een bedje in elkaar schroeft en zij de net neergezette kast inruimt met stapels kleertjes. Af en toe wisselen ze een blik die alleen aanstaande ouders samen kunnen wisselen. Een blik van de allergrootste verbondenheid die je ooit met iemand zult hebben. Een blik van eeuwigdurende liefde en genegenheid en trouw.

Ik kijk om me heen en in het kamertje, dat er ineens troosteloos uitziet met al die losse onderdelen en niemand die er is om een blik van eeuwige liefde mee te wisselen. Het enige waar mijn blik op valt, zijn losse planken, een deurtje waar nog geen greep op zit en een paar zakjes schroeven. Niemand die met nauwelijks verholen trots naar mij en mijn bolle buik kijkt, niemand die pronkt met zijn zwangere vrouw en de ongeboren baby. Niemand die glimt en straalt bij het idee dat hij vader zal worden en zich natuurlijk ontfermt over de babykamer, omdat dat nou eenmaal is wat aanstaande vaders doen.

Niemand.

Ik ben alleen.

Ik kijk naar de bungelende schroef en ineens moet ik ontzettend huilen. Ik kan bijna geen adem meer halen van de snikken die uit mijn keel komen. Het verdriet is zo hard en rauw en ik kan me er alleen maar aan overgeven. Mijn hele lichaam schokt. Ik voel een pijnlijke steek in mijn buik. Ik probeer het wel, ik probeer het echt wel. Ik ga door met mijn leven, voor mijn baby, voor mezelf. Maar waarom kan het dan niet gewoon een beetje meezitten? Waarom kan die schroef niet gewoon rotsvast in het hout verdwijnen? En waarom moet nu net die ene persoon die me mee wist te slepen, die me wist over te halen iets op te bouwen wat ik leuk vond, in het ziekenhuis belanden? Waarom moet ik kwijtraken waar ik net met enthousiasme aan ben begonnen? Pats, boem, weer alles in puin. Ik kan niet nog een keer opnieuw beginnen. Ik heb geen kracht meer.

Pas een hele tijd later, als ik mijn billen gevoelloos zijn geworden en ik wens dat hetzelfde zou gebeuren met mijn hart, sta ik op. Mijn benen voelen wankel. Ik heb in geen uren iets gegeten, maar ik heb geen honger. Het lampje van de batterij op de schroefboor knippert. Is hij leeg? Ik heb geen idee. Ik kijk er vluchtig naar en sleep me dan naar de slaapkamer, waar ik in bed ga liggen en de dekens tot aan mijn kin optrek. Het is nog geen drie uur 's middags, maar waarom zou ik wakker blijven. In mijn buik voel ik weer een steek. Ik draai me op mijn zij. Ik kan niet meer lekker liggen, mijn buik zit hopeloos in de weg. Ik schuif er een kussen onder en doe mijn ogen dicht. Het gevoel in mijn billen komt terug. Jammer genoeg. Ik heb even genoeg van gevoelens in het algemeen.

Blijkbaar ben ik in slaap gevallen, want als ik mijn ogen opendoe schemert het een beetje. Ik kijk op mijn wekkerradio. Het is half zes. Ik heb bijna drie uur geslapen.

Ik kom overeind en kreun zachtjes. Mijn benen doen pijn, waarschijnlijk doordat ik op de grond heb gezeten. In mijn buik rommelt het, de baby trapt alle kanten op en ik leg geruststellend mijn hand erop, maar ze laat zich niet kalmeren.

Op blote voeten loop ik naar de babykamer, waar niets veranderd is. Natuurlijk.

Ik knip het licht aan, pak de montagehandleiding van het bedje er weer bij. Het zal toch moeten. Laat ik het dan maar snel doen, dan ben ik ervan af. Net als ik een nieuwe poging wil wagen met de schroef, klinkt er een korte klop op de deur.

Met moeite kom ik overeind. Op dit tijdstip kan het eigenlijk alleen maar Liz zijn. Maar hoe is ze binnengekomen? Mezelf erop wijzend dat ik de benedendeur beter dicht moet doen, trek ik de deur open. Op de gang staat niet Liz, maar Daniël.

Hij grijnst een beetje en lijkt ongemakkelijk. 'Hoi. Stoor ik?'

Ik wil ja zeggen, maar het lijkt ineens raar om hem niet binnen te laten in wat vroeger zijn eigen huis was. Dus zet ik een stap opzij om hem erlangs te laten. 'Ik was meubels in elkaar aan het zetten.'

'Aha.' Daniël knikt. We staan onhandig tegenover elkaar in het piepkleine halletje en mijn buik steekt een heel eind uit in zijn richting. Maar hij blokkeert de deur naar de woonkamer en ik kan hem niet voorgaan.

'Wil je iets drinken?'

'Lekker.'

'Dan moet ik even...' Ik zet een stapje in zijn richting.

'Oh sorry', zegt hij. 'Ik ben niet handig bezig.'

Ik vraag me af waarom we allebei niet normaal kunnen doen. Het zal er wel mee te maken hebben dat dit zijn huis is geweest, maar dat hij hier nu op bezoek is.

Ik trek de koelkast open. Gelukkig staat er nog een fles witte wijn koud, het werk van Liz. Daniël knikt dankbaar als ik hem een glas aanbied. Zelf neem ik een colaatje.

Hij loopt naar het studeerkamertje en werpt een blik om de hoek. 'Raar idee dat dit straks een babykamer is', zegt hij. 'Dit deed bij mij altijd dienst als rommelkamer. Ik nam me elke week voor om het nu echt een keer op te ruimen, maar het kwam er pas van toen ik ging verhuizen.'

Ik ben achter hem aan gelopen en overhandig hem het glas wijn. Even kijken we samen naar de platliggende onderdelen die nog meubels moeten worden. 'Lukt het een beetje?' vraagt Daniël met een hoofdknikje in die richting.

'Mwah. Ik moet er even goed voor gaan zitten. Er zit wel overal een montagehandleiding bij, maar...'

Daniël raapt de handleiding van de vloer. Hij werpt er een blik op en kijkt daarna naar de manier waarop ik de schroef in de poot heb gezet. 'Die zit verkeerd om.'

'Hoezo? Er zit een voorgeboord gat.'

'Ja, maar dat is voor de steunen voor de bodem. Je moet die poot andersom zetten, en dan kun je hem pas aan de achterkant bevestigen.' Hij zet zijn wijn op de grond en doet het voor. 'Kijk, en als je dan hier de schroef in draait, past hij ook veel beter.'

Met het grootste gemak zet hij de ene kant van de achterkant vast. Daarna pakt hij de andere poot en werpt nog een blik op de handleiding. 'Ja, dit klopt', mompelt hij. Ik zeg niets.

Als de achterkant aan de twee poten bevestigd is, kijkt Daniël me aan. 'Sorry', zegt hij, plotseling een beetje ongemakkelijk met zichzelf. 'Ik wilde niet... Ik begrijp dat je... Dat iemand anders deze meubels in elkaar had moeten zetten. Ik moet me er niet mee bemoeien.' Hij pakt zijn wijn en blijft ermee in zijn handen staan. 'Sorry', zegt hij nogmaals.

Ik schud mijn hoofd en wil niet toegeven aan de emotionele achtbaan die door mijn lichaam raast vanaf het moment dat hij de eerste schroef vastzette. Waarom is dat hele "meubels in elkaar zetten" zo'n groot ding, dat ik volledig heb onderschat? Ja, een andere man had dit in elkaar moeten zetten. Niet de man die hier zit, die ik tot voor kort niet kende en met wie ik eigenlijk alleen contact heb omdat hij de plaats waar ik een restaurant run gaat laten verbouwen. Waarmee hij en passant mijn restaurant de das omdoet, maar dat is dan weer niet zijn schuld. Die man dus, die zit hier de meubeltjes in elkaar te frutselen van het kind dat ik met die andere man had moeten krijgen, en waarvan die andere man niet eens weet dat hij het krijgt. Wat ook niet zo is, want als je dood bent kun je geen kinderen krijgen. Of wel? Daar zouden wetten voor moeten bestaan. Wetten en regels die het allemaal zo veel makkelijker zouden maken.

'Sorry', herhaalt Daniël nogmaals. Ik kijk hem niet aan. Er glijdt een traan over mijn wang en ik voel een kramp in mijn buik, die niet komt van een trap van mijn kind. Ik weet niet waar hij wel vandaan komt. Verwarring. Verdriet.

Daniël bijt op zijn onderlip. Hij is vast het soort man dat niet tegen huilende vrouwen kan. Ik slik, maar ik voel nog meer tranen opkomen. Mijn cola helpt daar niet tegen. Ik heb een bijna onweerstaanbaar verlangen naar de wijn die Daniël in zijn hand houdt. Verdoving. Het enige wat echt helpt.

Een tweede traan glijdt langs mijn neus naar beneden, en dan nog een, en nog een. Daniël zet een stapje naar voren. Hij wil vast weg. Maar ik blokkeer de doorgang naar de voordeur. Ik ga opzij. Ga maar. Verdwijn maar. Ga maar praten met je aannemer

Maar Daniël gaat niet weg. Hij staat nu heel dicht bij me en veegt met zijn vinger de traan weg die onder aan mijn kaak hangt, klaar om zich los te maken en te landen op mijn sleutelbeen. Dan nog een vinger, nog een traan. En dan voel ik een arm om mijn schouder en trekt Daniël me tegen zich aan. 'Stil maar', zegt hij zacht. Niet sussend, niet dwingend. Gewoon: "stil maar".

Na een paar minuten laat Daniël me los. Ik huiver, ineens is het koud. Ik doe mijn ogen open en kijk naar een natte plek in zijn blauwgeruite overhemd. Mijn tranen.

Ik zet een stap naar achteren. 'Sorry', zeg ik zacht. Mijn bijna onhoorbare stem is in tegenspraak met mijn razende emoties.

'Ik kan beter een andere keer terugkomen', zegt hij. 'Dit is niet een handig moment om de tekening van de aannemer te laten zien.'

Ik zeg niets, ik zou niet weten wat ik zou moeten zeggen. Behalve dan dat ik opnieuw een stevige kramp voel, die langer aanhoudt dan de vorige keer. Ik leg mijn hand op mijn buik en kreun zacht, hoewel ik dat niet wil.

'Wat is er?' vraagt Daniël gealarmeerd.

'Niets.' Ik hoor zelf dat ik hijg. 'Niets aan de hand. Een beetje kramp.'

'Je ziet anders helemaal wit.'

Ik kan geen antwoord geven, moet mijn kiezen stevig op elkaar houden om een nieuwe pijnaanval te pareren.

'Shit, dit gaat niet goed.' Daniël grijpt mijn arm. 'Ga even zitten.'

'Nee', wuif ik hem weg. 'Nee, het gaat echt wel.'

Maar mijn lichaam werkt niet echt mee bij mijn toneelstukje om hem snel de deur uit te krijgen. Ik word overspoeld door een nieuwe pijnscheut, die de vorige twee dik overstemt. 'Auw.'

'Zie je wel, je moet echt gaan zitten.' Daniëls stem klinkt nu kalm. Hij pakt opnieuw mijn arm en troont me mee naar de bank in de woonkamer. Het verpakkingsmateriaal dat in de weg ligt, schopt hij aan de kant. Hij pakt het glas dat ik nog steeds in mijn hand heb en zet het op tafel. Ik probeer te gaan zitten, maar hap naar adem als de pijn dan pas echt doorbreekt.

'Ik blijf wel staan', zeg ik, half vooroverbuigend. 'Dat is beter.'

'Hoelang ben je zwanger?' vraagt Daniël.

Ik knipper met mijn ogen. 'Drieëndertig weken.'

'Ik bel een dokter.' Hij haalt zijn mobiele telefoon uit zijn borstzakje. 'Heb je een huisarts?'

Bianca, maar ik weet haar nummer niet. 'Bel de verloskundige', zeg ik. De pijn is nu zo hevig dat ik niet langer probeer hem tegen te houden. Ik begin in paniek te raken. 'Het nummer staat... ergens. Ik weet het niet. In mijn telefoon.'

Hij pakt mijn mobiel van de tafel en vindt het nummer blijkbaar, want nog geen tien seconden later is hij aan het bellen. 'Gesloten', zegt hij met een verbeten trekje om zijn mond. 'Maar ik kan het noodnummer bellen.'

Hij typt het in in zijn eigen telefoon en komt dan weer naast me staan. Ik probeer te gaan zitten en deze keer lukt het wel. Daniël houdt mijn arm vast om te voorkomen dat ik ineens achterover val. Als ik zit, laat hij niet los.

'Goedenavond, Daniël Hussen. Mijn eh...' Hij werpt vluchtig een blik op mij en praat dan verder. 'Mijn buurvrouw is drieëndertig weken zwanger en heeft ineens heftige kramp in haar buik.' Hij luistert even en vraagt dan aan mij. 'Is het regelmatig?'

'Geef maar', zeg ik, hengelend naar de telefoon, terwijl ik tegelijkertijd met mijn neus richting mijn knieën ga om de pijn draaglijker te maken. Daniël overhandigt me zijn BlackBerry. Gelukkig heeft Ellen dienst.

Ik vertel haar precies wat ik voel en ze is duidelijk in haar beslissing. 'Ik wil dat je naar het ziekenhuis gaat', zegt ze. 'Er moet een CTG-scan van de baby worden gemaakt en ik wil dat de gynaecoloog je onderzoekt. Ga maar vast op weg naar het OLVG, ik ga bellen dat je eraan komt. Heb je vervoer?'

Daniël luistert mee bij mijn oor en knikt meteen. 'Ik breng je', zegt hij. Dankbaar knik ik.

Even later zit ik naast hem in zijn huurauto, nadat hij me de trap af heeft geholpen. De pijn neemt gelukkig een beetje af, maar is nu wel continu aanwezig. Ik wis een straaltje zweet van mijn voorhoofd, hoewel ik het steenkoud heb. Over mijn hele lijf tril ik.

'Rustig maar', zegt Daniël, die blijkbaar mijn bevende knieen ziet. 'Het komt vast goed. We zijn gelukkig heel snel op weg gegaan naar het ziekenhuis.'

Natuurlijk heeft hij de ballen verstand van dit soort dingen, maar zijn woorden klinken geruststellend. Ik slik en probeer aan andere dingen te denken dan de baby in mijn buik die zich een weg naar buiten probeert te banen, hoewel ze daar nog helemaal niet klaar voor is. Maar hoe ik het ook probeer, dat blijft het enige op mijn netvlies.

'Als ze het maar redt', zeg ik met dichtgeknepen keel. 'Als ze maar niet...'

'Rustig maar', herhaalt Daniël, terwijl hij boos toetert naar een automobilist die hem afsnijdt. Zijn rijstijl is niet in overeenstemming met zijn geruststellende stemgeluid. 'Zo moet je niet denken. Er is vast niets aan de hand en anders...'

Ik sluit mijn ogen en denk niet aan het einde van die zin.

'Anders kunnen de artsen heel veel', maakt Daniël hem af. 'Echt heel veel.'

Hij parkeert de auto schuin op de stoep voor het ziekenhuis. 'Kom mee.' Met moeite stap ik uit de auto, de pijn wordt meteen erger. Daniël slaat zijn arm om mijn middel heen om me overeind te houden. Met zijn andere hand pakt hij mijn bovenarm. 'Kleine stapjes, rustig aan', zegt hij. Ik wil juist grote stappen, maar mijn lichaam belemmert me.

Bij de ingang krijgt Daniël een rolstoel van iemand aangeboden. Dankbaar ga ik zitten. Meteen gooit hij het tempo omhoog. 'Afdeling verloskunde?' vraagt hij in het voorbijgaan aan de receptionist.

Ik hoor het antwoord niet, Daniël blijkbaar wel. Hij haast zich naar de lift.

Even later lig ik op een bed en staan er zes witte jassen in de kamer. Daniël is weg. Ik heb niet gemerkt dat hij verdween. De artsen en verpleegkundigen stellen vragen, die ik zo goed mogelijk probeer te beantwoorden.

'Mijn baby', zeg ik zacht. 'Hoe gaat het met mijn baby?'

Ik krijg een band om mijn buik. Iemand luistert naar de hartslag van mijn meisje. Een goedkeurende blik, een geruststellend woord. De pijn neemt af, komt dan terug en is dan ineens weg. Nog meer vragen, ik geef nog meer antwoorden. Iemand zegt 'uw man', maar wordt meteen gecorrigeerd door een collega. Ik zie haar beschaamde blik. Het kan me nu niet schelen. Alleen mijn baby telt.

Na wat een eeuwigheid lijkt, stroomt de kamer langzaam leeg. Er blijven twee mensen over, een man en een vrouw. De gynaecoloog en een verpleegkundige. De man neemt het woord. 'Uw baby maakt het prima, mevrouw Draaisma. Over haar hoeft u zich geen zorgen te maken. Ik denk dat de kramp die u voelde voorweeën waren, al is het daar nog wel wat vroeg voor. Die kunnen in zeldzame gevallen ontzettend heftig zijn. Het is goed dat u gekomen bent. We willen u graag nog twee uur hier houden en als de pijn niet terugkeert, mag u naar huis. Als u tenminste belooft het rustig aan te doen.'

Ik wil alles wel beloven, als het maar goed gaat met mijn baby. Ik glimlach zwakjes naar de arts, ineens ontzettend moe. 'Dank u wel.'

Hij neemt afscheid met een knikje en verlaat de kamer. De verpleegkundige volgt hem. Als ze weg zijn, doe ik even mijn ogen dicht. Maar dan gaat de deur weer open en komt Daniel binnen.

'Hé', zegt hij zacht. 'Slieg je?'

'Nee.'

'Wil je dat ik wegga?'

'Nee.' Ik zeg het zonder nadenken.

'Ik blijf niet lang.'

'Ik mag over twee uur naar huis.'

'Ja, de arts zei het.'

'Ben je bij Judy geweest?'

'Eventjes. Ze maakt zich zorgen. Ik zal haar zo vertellen dat alles in orde lijkt te zijn.'

'Hoe is het met haar?'

Daniël plukt aan een los draadje op zijn broek. 'Goed. Ze mag over drie dagen naar een revalidatiekliniek.'

Allebei zeggen we niets meer. Daniël gaat zitten en vouwt zijn handen op mijn deken, vlak naast mijn been. Ik trek het niet weg, hoewel ik dat zou moeten doen. Ik voel mijn ogen weer dicht zakken. Ineens ben ik uitgeput. Ik weet niet of het twee of twintig minuten later is, als ik een stoel hoor schuiven en even later de deur hoor gaan.

Hoewel ik moe ben, kan ik niet echt slapen. Ik doe mijn ogen open en staar naar het plafond. Ik wil naar huis, maar dat mag nog niet. Het is schemerig in de kamer. Door het raam zie ik dat het buiten al helemaal donker is, maar boven mijn bed brandt een klein lampje. Ik vouw mijn armen achter mijn hoofd en slaak een zucht. Beelden van wat er vandaag is gebeurd, trekken aan me voorbij. Daniël met het ledikantje, mijn tranen daarover. Toen leek het belangrijk, nu niet meer. Er moet een bedje komen, en ik ben geen ster in dingen in elkaar zetten. Waarom maakte ik me daar zo druk over? Het was aardig van Daniël om te helpen.

En daarna de tranen, de natte plek op Daniëls shirt. De nabijheid van zijn lichaam, de geur van deodorant en aftershave en... Iets anders. Man. Maarten had ook zo'n geur. Iets mannelijk dat ik niet kan beschrijven, maar dat er gewoon is.

Ik schud mijn hoofd. Mijn hart slaat te snel, ik heb een te goed gevoel over dat moment met Daniël. Hij was er toen ik hem nodig had, het voelde... veilig. En vertrouwd. Hij was oprecht bezorgd en ontzettend lief.

Nee! Ik heb dit niet gedacht! Ik kan Daniël toch niet ineens lief gaan vinden. Er is maar één man lief en dat is Maarten. Punt.

Maar dan voel ik weer Daniëls arm om mijn middel, me steunend terwijl ik nauwelijks kon lopen. Zijn geruststellende nabijheid, zijn overtuiging dat het goed zou komen, die ik onbewust overnam. Ik moet hem bedanken dat hij er was vandaag. Het juiste moment, de juiste plaats.

Meer is het niet.

21

'MOOI.' LIZ SLAAT OPGETOGEN HAAR HANDEN SAMEN EN KIJKT verrukt rond in de babykamer. Ik ben er zelf ook erg mee in mijn sas. De meubels zijn in elkaar gezet, het bedje is zelfs opgemaakt en de babykleren die ik heb gekocht en gekregen, liggen netjes in de kast.

'Heb je die meubels zelf in elkaar geschroefd?' vraagt Liz. 'Of hebben de mensen van die winkel dat gedaan?'

'Nee. Daniël.'

Liz kijkt om. 'Toch niet Daniël van Judy, hè?'

'Eh... Jawel. Die Daniël.'

Ze werpt me een vorsende blik toe. 'Jij hebt mij iets te vertellen?'

We gaan naar de huiskamer, waar Liz zichzelf een glas inschenkt van de wijn die Daniël gisteren ook heeft gedronken. Ik vertel haar van mijn korte ziekenhuisopname. Ze schrikt zichtbaar. 'Waarom heb je mij niet gebeld?'

'Er was geen tijd voor. Het gebeurde allemaal zo snel en Daniël was hier toevallig omdat...' Ja, waarom eigenlijk? Het zal wel iets met de aannemer te maken hebben gehad, ik herinner me vaag dat hij het noemde. 'In elk geval heeft hij me gisteravond naar huis gebracht en is hij in zijn moeders appartement gaan slapen, omdat hij bang was dat ik vannacht weer naar het ziekenhuis zou moeten, en dat niemand me dan kon brengen.'

Nu ik het navertel realiseer ik me eigenlijk pas dat ik dat wel wat meer had kunnen waarderen. Daniël had ook de deur achter zich dicht kunnen trekken en naar zijn hotel kunnen gaan, waar de kans dat hij midden in de nacht opnieuw met een vrouw in barensnood naar het ziekenhuis zou moeten rijden nihil was.

'Aardig', knikt Liz. 'En toen heeft hij de meubels in elkaar gezet?'

'Vanochtend kwam hij vragen hoe het ging en bood hij het aan. Dus ik heb ja gezegd.' Dat hij erop stond dat ik op de bank bleef liggen tot het klaar was, vertel ik er niet bij.

'En toen?' vraagt Liz.

'Toen ging hij weg', zeg ik simpel. 'Volgens mij is hij naar Judy.'

'Dat bedoel ik niet. Zei hij nog iets?' Haar ogen glimmen op een manier die mij niet aanstaat. 'Hij is toch aardiger dan ik dacht. Veel aardiger.'

'Hou op', zeg ik. 'Hij zei niets en ging weg en dat was het.'

Het is niet helemaal waar. Daniël stond erop dat ik hem zou bellen als er iets was, ook midden in de nacht. Maar als ik dat aan Liz ga vertellen klinkt het veel pathetischer dan dat het is en blijkbaar zit ze nu al allemaal conclusies te trekken.

'Misschien vindt hij je wel leuk', zegt ze.

'Liz, kappen nou. Ik ben dik en zwanger en getrouwd.' Ik zwaai met mijn ring voor haar neus, maar houd daarmee op als ik zelf merk dat dat een beetje kinderachtig overkomt.

'Ja, je bent getrouwd', zegt Liz voorzichtig. 'En je haat me vast omdat ik dit zeg, maar degene met wie je getrouwd bent, is wel dood, Daph.'

Ik haat haar niet, ik wil gewoon niet dat ze dit soort dingen uitspreekt. Alsof ik dat zelf niet weet.

'Houdt je huwelijk dan op te bestaan?' vraag ik fel.

Liz kijkt naar de grond. 'Ik moet me er ook niet mee bemoeien. Wat weet ik ervan? In elk geval is het fijn dat Daniël de meubels voor je in elkaar heeft gezet. Is er verder iets wat je nodig hebt? Kan ik iets voor je doen?'

Ik vraag haar om me morgenavond te helpen in de bediening. Er komen vijftien mensen, volle bak, en ik zou het rustiger aan moeten doen. Maar elke euro die ik nog kan verdienen voor de baby komt, is mooi meegenomen. Met Liz' hulp moet het lukken om enigszins kalm aan te doen. Ze belooft meteen dat ze er zal zijn.

De volgende avond haal ik goedkeurend een bakplaat met zalmpakketjes uit de oven. De vis is ingepakt in papier, maar geurt heerlijk. Naar zalm en venkel en de olijfolie die ik erover heb gesprenkeld. In een pan pruttelen aardappeltjes met rozemarijn. De lichtgebonden venkelsaus die ik een paar weken geleden voor het eerst probeerde en die toen begon te schiften, is nu mooi wit en romig. Niet té, maar precies zoals ik het wilde. Ik neurie mee met de radio. Alles loopt op rolletjes vanavond.

Liz komt de keuken binnen met drie lege voorgerechtborden. 'Complimenten aan de chef!' roept ze vrolijk. 'Oh, en dat laatste tweetje is ook binnen. Wist je dat die door Daniël gestuurd zijn?'

Ik staar haar aan. 'Meen je dat?'

'Ja, ze zeiden dat jij ervan afwist.'

Zijn "kennissen uit de horecawereld". Die ik eigenlijk niet meer had verwacht.

'Niet?' vraagt Liz als ik geen antwoord geef. Ze werpt een verontrustende blik naar binnen. 'Zijn het oplichters of zo?'

'Nee, het klopt', zeg ik snel. 'Shit, had ik maar geweten dat ze zouden komen, dan had ik iets anders gemaakt.'

'Waarom?' vraagt Liz. 'Wat je vandaag hebt gemaakt is prima. Het is niet makkelijk om de vis op deze manier echt lekker te krijgen, dus je laat zien wat je kan. Kom op, ik geef de heren een biertje en jij gaat aan de slag.'

Haar peptalk werkt. Het is inderdaad geen makkelijk recept, maar de vis die ik heb voorgeproefd smaakte fantastisch.

Ik begin met steak tartare, iets wat ik zelf al maanden niet mag hebben, maar wat ik na de bevalling als een gek naar binnen ga schrokken. Voor de zekerheid heb ik vandaag twee voorgerechten, maar nog niet één gast heeft de steak tartare afgeslagen.

Ook Daniëls relaties niet, meldt Liz even later. Ik doe een schietgebedje dat de tartare inderdaad van de sublieme kwaliteit is die de slager me heeft beloofd, want als de twee mannen de hele nacht gearmd met de wc-pot doorbrengen, kan ik het wel vergeten.

Een halfuurtje later komen de twee borden brandschoon terug in de keuken. 'Ze zijn onder de indruk', zegt Liz verrukt. 'En ze willen graag een fles witte wijn. Zal ik zeggen dat die van het huis is, omdat ze vrienden van Daniël zijn?'

'Goed idee! Zoek jij iets lekkers uit?'

Dat kun je aan Liz wel overlaten en ze verdwijnt naar de kelder om in de wijnkoelkast een mooie fles uit te zoeken. Even later verschijnt ze weer in de keuken en houdt een chablis voor mijn neus. 'Dit gaan ze waarderen.' Ze pakt twee glazen en gaat naar binnen. Ik glimlach als ik haar nakijk.

De avond vliegt voorbij en na het nagerecht, dat me net als het hoofdgerecht complimenten van de twee mannen heeft opgeleverd, doe ik mijn schort af en loop naar binnen. Niet dat ik zelf veel behoefte heb mezelf te laten zien, maar de mannen hebben nadrukkelijk bij Liz gevraagd of ze met de chef kunnen praten. Ik weet niet of zij weten dat ik op de hoogte ben van wie ze zijn. Ik denk het niet, ze beginnen er zelf in elk geval niet over.

'Prachtige gerechten', zegt de ene man, de oudste, zodra hij me de hand heeft geschud. 'Heel mooi van smaak, en van portionering. Welke opleiding heb je gevolgd?'

Ik overweeg er eentje bij elkaar te bluffen, maar bedenk dan dat ze dat gemakkelijk kunnen navragen, als ze dat al niet hebben gedaan. 'Geen', geef ik dus toe. 'Ik ben autodidact, als je het zo wilt zeggen.'

Tot mijn verbazing bevalt dat de heren wel. Ze knikken in elk geval allebei en lachen. Ze stellen nog wat vragen, complimenteren me opnieuw en maken dan aanstalten om weg te gaan. Ik laat ze persoonlijk uit. Als ik terugkom in de huiskamer, geeft Liz me een high-five.

'Goede indruk!' roept ze. 'Ik weet zeker dat ze ervoor gaan.'

'Waarvoor eigenlijk?'

'Voor jou. Ze willen vast ontzettend veel geld in je investeren. Je een eigen restaurant geven.'

'Hou op', zeg ik kribbig. Ik weet niet waarom, maar ineens heb ik een pestbui. Ja, natuurlijk, complimenten tot en met, maar wat heb ik eraan? Niets. Niemand gaat investeren in een zwangere zonder opleiding, en tegen de tijd dat ik ontzwangerd ben, zijn ze me allang weer vergeten. Het is allemaal godvergeten tijdverspilling.

'Chagrijn', scheldt Liz goedgemutst. 'Kom, ik ga opruimen en jij gaat lekker zitten.'

Dat doe ik niet, ik ga aan de slag om de keuken op te ruimen. Een uurtje later is alles aan kant en neemt Liz afscheid. Ik draai de deur achter haar op slot, maar nog voor ik terug ben in de keuken, hoor ik dat de sleutel opnieuw wordt omgedraaid. Ik blijf staan.

Daniël komt de huiskamer binnen. 'Ha, goed dat ik je nog zie. Heb je Gerard en Sjoerd impressed met je kookkunst?'

'Gerard en Sjoerd?' vraag ik, hoewel ik dondersgoed weet wie hij bedoelt.

'Ja, twee mannen die vanavond bij je hebben gegeten. De een lang, beetje dik, zwart haar. De ander blond en...'

'Oh, die. Ja, heb ik gezien.'

'Ze zitten in horecazaken. Als ze interesse hebben, investeren ze in je. Ze houden ervan om jong talent te ontdekken en een kans te geven.' Hij praat nogal zakelijk. Jong talent, vast zo'n term waar die commerciële types elkaar graag mee om de oren slaan.

Ik knik. 'Aha.'

Daniël kijkt me onderzoekend aan. 'Is er iets?'

Ik weet niet waarom ik het niet kan opbrengen om enthousiast te reageren. Hij doet echt wel zijn best voor me, maar ik geloof gewoon niet in die commerciële praat van hem.

'Ik weet het niet', zeg ik daarom. 'Ik zie die kennissen van je nog niet meteen investeren. Volgens mij zijn we allemaal onze tijd aan het verdoen.'

Had ik een therapeut gehad, dan had die vast iets gezegd in de trant van dat ik bang ben om opnieuw teleurgesteld te worden en misschien is dat ook wel zo. Maar volgens mij is het ook mijn gezonde verstand dat me waarschuwt. Ik weet niet veel van investeringen in horecagelegenheden, maar stel dat ik een paar duizend euro kon inzetten, dan zou ik dat niet op mezelf doen.

'Je moet niet zo onzeker zijn over je eigen kunnen', zegt Daniël vol enthousiasme. 'Ik denk juist dat er een heel goede kans is dat ze het wel doen. Moet je je voorstellen, dan heb je over een tijdje je eigen restaurant.' Hij maakt een wijds handgebaar. 'Jouw naam op de gevel.'

Zijn grootheidswaanzin begint me te irriteren. Jammer genoeg pikken mijn toch al razende hormonen dat beetje irritatie op en gaan ermee aan de haal. Ik voel een soort onredelijke ergernis opkomen en ik probeer mijn mond te houden, maar toch flap ik eruit: 'In your dreams, ja. Ik geloof helemaal niets van al die praatjes.'

Daniël kijkt me verbaasd aan. 'Sorry?'

'Dat ik er niets van geloof. Jij stelt het allemaal mooier voor dan het is, omdat je graag wilt dat ik ergens een zaak krijg. Dat zou wel het probleem in dit huis oplossen.'

Daniël kijkt oprecht geschokt. 'Hoe bedoel je dat?'

'Zoals ik het zeg. Wat is anders de reden dat je dit allemaal voor me regelt?' Ik zet mijn handen in mijn zij en kijk hem uitdagend aan, me ineens pijnlijk bewust van mijn naar voren wijzende buik.

'Omdat... Omdat...' Hij zoekt naar woorden. 'Omdat ik je graag mag! Oké? Dat is het. Daarom.'

Ik negeer zijn woorden en het gevoel dat erbij hoort. Ik draai me om en antwoord sarcastisch. 'Natuurlijk. Dat zal het zijn.'

'Waar heb je het over?' vraagt Daniël.

Het antwoord op die vraag moet ik hem schuldig blijven, maar ik trek toch weer mijn mond open. 'Die twee vrienden van jou gaan echt niet in mij investeren en dat weten wij allebei dondersgoed. Dus zit me niet lekker te maken met je praatjes, oké? Ik wil alleen zijn.'

Geen idee waarom ik dat laatste toevoeg. Ik wil helemaal niet alleen zijn. Ik kijk Daniël weer aan. Hij houdt een map omhoog, waarvan ik nu pas zie dat hij hem in zijn hand heeft. 'Ik kwam alleen maar de bouwtekeningen laten zien', zegt hij een beetje ontdaan. 'En nu heb ik het ineens met jou aan de stok. Waar is dit misgegaan?'

'De bouwtekeningen?' vraag ik neutraal.

Daniël knikt. 'Ze beginnen over drie weken op de beneden-verdieping en maken dan later van de eerste en tweede verdieping appartementen.'

Hij lijkt zelf niet te weten waarom hij dit vertelt. Ik knik alleen maar. 'Leuk', zeg ik een beetje cynisch. 'Enig. Zal ik op zoek gaan naar twee leuke huurders?'

Nu is Daniël wel geïrriteerd. 'Nee hoor', zegt hij wrevelig. 'Daar is mijn moeder prima zelf toe in staat. Bovendien heeft ze maar één huurder nodig. Het andere appartement is voor mij.'

Ik staar hem aan. 'Hoezo?'

'Omdat ik misschien wel besluit om niet terug te gaan naar New York?' Hij kijkt me uitdagend aan. 'Of moet ik daarvoor aan jou toestemming vragen? In dat geval spijt het me ontzettend dat ik me niet aan de regels heb gehouden.'

Hij klinkt sceptisch. Zelf voel ik de ergernis verdwijnen, alsof iemand de deur open heeft gezet om de hormonenachtbaan eruit te laten.

'Sorry', zeg ik tam. 'Ik moet me er niet mee bemoeien. Ik ben soms een beetje...'

'Hormonaal?' vult Daniël in.

Ik haal mijn schouders op en moet dan ineens ontzettend lachen, hoewel er niets grappigs aan is. Gelukkig lacht Daniel mee. 'Kom, we gaan koffiedrinken', zegt hij en gaat me voor naar de keuken.

Het ritueel van een aantal dagen geleden herhaalt zich. Ik krijg cappuccino, hij neemt espresso met cognac ernaast.

'Ik moet je mijn excuses aanbieden', zeg ik als we allebei zitten. 'Ik waardeer het dat je je kennissen hebt gevraagd langs te komen.'

Daniël haalt zijn schouders op. 'Het leek me het minste wat ik kan doen. Meer kan ik ook niet. Het zijn vrienden van me, maar als het om zaken gaat, maken ze helemaal hun eigen keuzes, die ze baseren op het rendement wat ze eruit denken te halen. Ik weet zeker dat je een goede indruk hebt gemaakt, nu is het gewoon een kwestie van afwachten.'

Ik leg mijn hand op mijn buik. Hoelang moet ik afwachten?

'Daar kan wel een paar maanden overheen gaan', beantwoordt Daniël de vraag die ik niet stel, maar wel denk. Zijn blik rust op mijn hand ter hoogte van mijn navel. 'Je kunt niet van ze verlangen dat ze de beslissing in één dag nemen. En ik weet helemaal niet of ze wel interesse hebben.'

Ik schud mijn hoofd. 'Ik begrijp het.'

'Ik zou het je wel gunnen. Je werkt hard en hebt hier echt iets moois neergezet, als iemand een kans verdient ben jij het.'

Ik knik een beetje en weet niet wat ik moet antwoorden op zijn compliment, daarom verander ik van onderwerp. 'Dus je blijft in Nederland?'

Daniël schudt zijn hoofd en knikt tegelijk. Ik kan er niets uit opmaken. 'Ik zit er heel sterk aan te denken', zegt hij dan. 'Als ik in New York ben, mis ik Amsterdam best veel. Mijn vrienden, de vertrouwdheid.' Hij aarzelt even. 'Mijn moeder. Al klinkt dat ontzettend triest voor een man van vijfendertig.'

Ik grinnik. 'Wel een beetje, ja. Maar ik begrijp wat je bedoelt. Ik zou het ook hebben, ook al klinkt New York als iedereens droom.' Ook al woon ik niet op zes uur vliegen, ik vind de afstand tot mijn moeder soms ook best groot. Even een kopje koffie drinken is er niet bij.

Daniël knikt. 'Ja, maar New York is ook een grote, onpersoonlijke stad. Het draait alleen maar om succes en geld en hoewel ik dat in het begin prachtig vond, begin ik nu in te zien dat er andere dingen in het leven zijn die veel belangrijker zijn. Door wat er met mijn moeder is gebeurd besef ik dat zij niet het eeuwige leven heeft. En dat geldt niet alleen voor haar, maar ook voor anderen die me dierbaar zijn. Als ik in het bejaardenhuis terugkijk op mijn leven wil ik dat ik blij ben met de mensen die in mijn leven zijn geweest, de gesprekken die ik heb gevoerd, de tijd die ik met dierbaren heb doorgebracht. Dan wil ik niet blij moeten zijn dat ik heel veel geld heb verdiend, als dat ten koste is gegaan van andere dingen.'

Ik zwijg. Daniël ook. We nemen tegelijk een slok van onze drankjes en dan verbreekt Daniël de stilte. 'Daar denk ik de laatste dagen veel over na. Ik mis Amerika nauwelijks nu ik hier ben en bovendien wordt mijn functie bij het hotel uitgekleed en daardoor veel minder uitdagend. Maar ik wil geen overhaaste beslissingen nemen. Ik heb nog niet opgezegd, hoor.'

Ik knik en weet niet zo goed wat ik er verder over moet zeggen. Ik weet niet eens wat ik ervan vind. Daniël in Amerika. Ik denk vluchtig terug aan het moment in het ziekenhuis. Mijn hart dat ineens harder begon te kloppen. Mijn hart dat zelfs nu ik eraan terugdenk een sprongetje maakt. Het voelde veilig bij hem, vertrouwd en warm, ook al kennen we elkaar nog maar net. De oprechte bezorgdheid die ik in zijn ogen zag, zijn blik, zijn arm om mijn schouder... Ik slik en probeer het bonken van mijn hart te negeren, maar het probleem is, het laat zich niet zomaar negeren.

'Nee.' Ik spreek het hardop uit, alsof ik mezelf tot de orde wil roepen. Het kwam door de situatie. Het sloeg nergens op en ik verbied mezelf er nog verder aan te denken.

Maar als ik Daniël weer aankijk, voel ik mijn wangen kleuren. 'Dus de bouwvakkers komen over een paar weken', verander ik van onderwerp.

Daniël knikt. Hij schudt de papieren uit het mapje en laat me de tekeningen zien. 'Het is fijn dat de aannemer het allemaal kon regelen, want waarschijnlijk mag mijn moeder na acht weken revalidatiecentrum voorzichtig naar huis. Alleen als het goed gaat, natuurlijk, en ze moet overdag nog wel naar het revalidatiecentrum.'

'Dus het moet over acht weken klaar zijn', zeg ik. 'En dan zit de bouwvak er nog tussen.'

'Ja, de aannemer wil het voor de vakantie af hebben. De benedenverdieping, althans. De twee appartementen komen daarna.'

Ik knik. 'Fijn dat het zo snel geregeld kan worden. Judy zal er wel naar uitkijken om weer naar huis te gaan.'

'Oh ja.' Daniël steekt zijn vinger op. 'Dat vergat ik nog. Als je het fijn vindt om familie uit te nodigen rond de tijd dat de baby geboren wordt, en daarna, dan staan de eerste en tweede verdieping van dit huis tot je beschikking. Die blijven dus ongemoeid tot na de bouwvak en mijn moeder heeft ze niet nodig.'

'Wat lief dat je daaraan denkt', zeg ik spontaan.

'Ach ja', zegt Daniël en hij haalt zijn schouders op.

Een uur later lig ik met rode wangen in bed. Het was gezellig met Daniël, en bij het afscheid kreeg ik drie zoenen. Hoe onschuldig, drie zoenen op mijn wang. Bijna-vreemden doen het, zakenrelaties, mensen die elkaar niet eens echt mogen. Maar toch gloeien mijn wangen alsof iemand er een crème brûlée-brander bij heeft gehouden.

Hij wenste me welterusten en benadrukte nogmaals dat ik hem moet bellen als er iets is.

Het probleem is dat het allemaal makkelijker zou zijn als Daniël gewoon een onaardige ploert was, die mij volledig zou negeren en zich uitsluitend zou bezighouden met de vraag wanneer hij weer naar zijn uiterst interessante, snelle leven in Amerika zou kunnen vertrekken.

Maar dat is hij dus niet. Hij vraagt hoe ik me voel, hij denkt na over mij en mijn situatie en zegt dingen die ontzettend waar zijn en waar zelfs Liz of mijn moeder niet mee komt. Zoals dat het gewoon ontzettend bizar is om een kind van je dode man te krijgen. En daarmee is hij niet bemoeizuchtig of vervelend, maar gewoon heel erg aardig.

Was hij maar haatbaar.

Het is duidelijk: ik moet Daniël uit mijn hoofd zetten. Hij komt veel te dichtbij.

Maar het lukt niet, want behalve mijn wangen herinnert ook het gevoel van zijn hand op mijn buik me aan hem. De baby schopte zo hard dat ik ineen kromp en natuurlijk zag Daniel het. Toen ik zei dat ik een voetballer draag, wilde hij voelen. Hij vroeg het, hij raakte me niet zomaar aan. Misschien zei ik daarom wel ja. Hij legde zijn hand op de plek die ik aanwees en toen de baby er braaf een schop tegenaan gaf, grijnsde hij en zag ik iets oplichten in zijn ogen.

'Wil je kinderen?' vroeg ik plompverloren. Zou ik nooit zomaar aan iemand vragen, maar het was er de avond naar om zo'n vraag dan wel gewoon te stellen.

Daniël knikte vol overtuiging. 'Op het juiste moment en met de juiste vrouw, ja. Maar ik wil er dan wel de tijd voor hebben, ik wil geen vader worden die op zondag het vlees snijdt, als hij dan tenminste niet moet werken. En op dit moment heb ik die tijd niet. Die juiste vrouw is er trouwens ook niet.'

'Dat je naar New York vertrok was toch vanwege liefdesverdriet?'

Daniël schoot in de lach. 'Mijn moeder heeft je wel alles verteld, hè?'

'Je weet hoe ze is. Vanochtend zei ze nog vol afschuw dat je een soort heks aan de haak had geslagen. Op heel hoge hakken. En dat ze niet begreep waarom je het zo erg vond dat het uitging, maar dat je er kapot van was.'

'Ze heeft gelijk. Het was vanwege liefdesverdriet. Ik dacht dat de vrouw van mijn leven me had laten zitten, maar achteraf realiseer ik me dat ze bij lange na niet de vrouw van mijn leven was. Eigenlijk was het best een kreng.'

'Het was in elk geval niet Judy's type.'

'Die was blij toen ze haar spullen pakte.'

Daarna hadden we het over New Yorkse vrouwen ten opzichte van Nederlandse, waarbij die laatste het volgens Daniël op alle vlakken wonnen. En van vrouwen kwamen we op huisdieren, en daarna op de vraag of Coffee Company beter is dan Starbucks. Vervolgens vertelde Daniël een verhaal over de Starbucks waar hij elke dag zijn koffie haalt en waar een Chinees mannetje werkt met een ontzettend "splaakgeblek". Daniël kon hem zo goed nadoen dat de tranen over mijn wangen liepen en ik serieus vrees dat ik morgen spierpijn heb van het lachen.

Met een schok realiseer ik me dat ik in tijden niet zo heb gelachen.

Ik knip het bedlampje aan en kijk naar een foto van Maarten die ingelijst naast mijn bed staat. Ik heb sinds Maarten niet meer zo gelachen.

Die gedachte maakt een nieuwe trein aan emoties los. Ik doe het licht uit, ga op mijn rug liggen en laat de trein maar over me heen denderen. Er glijdt een traan uit mijn ooghoek naar het kussen en tegelijkertijd voel ik me raar licht.

22

'OH, DANIËL?' VRAAGT LIZ LANGS HAAR NEUS WEG. 'LEUK. WAAR gaan jullie heen?'

'Weet ik niet. Ergens.' Ik richt mijn aandacht op het groentetaartje dat ik uit de vorm probeer te halen. Eigenlijk zit het al los en kan ik het er zo uit laten glijden, maar ik concentreer me er toch ontzettend op. Veel harder dan nodig is. Om de vragen te ontwijken die Liz vast wil stellen, maar waar ik geen antwoord op heb.

De vragen die ik mezelf misschien eens zou moeten stellen. Als ik dat zou durven.

Nee, veel te vroeg. En sinds wanneer mag ik niet gewoon met een vriend uit eten?

Misschien sinds dat het al de derde keer in drie weken is, antwoordt een stemmetje in mijn hoofd. En daarom wil ik mezelf niet lastig vallen met dit soort moeilijke vragen. Een vriend. Gezellig. Meer is het niet.

Dat is precies wat ik Liz ga vertellen als ze nog één keer zo'n veelzeggende blik in mijn richting werpt. Of Judy, die er ook een handje van heeft, maar iets minder veelbetekenend naar me kijkt. Daniël is gewoon een vriend, is dat nou zo raar?

Liz houdt heel veelzeggend haar mond, maar ik kan haar blik niet negeren. Alsof ze precies weet wat er allemaal gebeurt, en ik niets hoef te zeggen. Ze trekt allemaal verkeerde conclusies, ik weet het zeker.

'Luister,' zeg ik geagiteerd, 'ik werk aan mijn sociale leven. Dat was toch precies wat jij me had opgedragen?'

Ze steekt afwerend haar handen in de lucht. 'Rustig maar. Ik zeg niets.'

Het is waar, ze zegt niets. Ze kijkt alleen maar. En daar kan ik niet tegen.

Gisteren sms'te Daniël of ik zin had om morgenavond naar het restaurant van een vriend van hem te gaan. Het is nog niet zo lang open en volgens hem is zijn vriend echt een talent. In de zaak waar hij voorheen werkte, hadden ze hem met grote tegenzin laten gaan. Ik stemde in. Net als de week ervoor, toen het om de tent van een kennis ging. En de week dáárvoor toen hij voorstelde om bij zijn oude werkgever te gaan eten. Daniël lijkt heel horecabedrijvend Amsterdam te kennen. En onder het mom van "de kunst afkijken" ga ik wel graag mee.

De verbouwing gaat morgen beginnen. Hoe eerder Judy thuis komt, hoe beter. Het restaurant kan ik binnenkort toch niet meer runnen. Ik wrijf even over mijn pijnlijke rug en hoop dat de baby er niet voor kiest om de volledige tweeënveertig weken vol te maken. Ellen heeft me verteld dat het gebruikelijk is om na de termijn van veertig weken een baby nog twee weken te laten zitten voor de bevalling wordt ingeleid. Die laatste twee weken van wachten lijken me niet echt een pretje.

Mijn gedachten glijden terug naar Daniël. Door langs te komen op het goede moment – of het verkeerde, dat is maar hoe je het bekijkt – heeft hij zich een plaats in mijn leven verworven die ik hem liever niet had gegeven.

Of wel? Vriendschap. Dat is het. Ik maak vrienden in Amsterdam. Goed bezig, zou een of andere peut of loog of ist zeggen. Ik pak mijn leven op, werk aan mijn sociale contacten en begeef me onder de mensen. Niets mis mee.

Al kan ik dat natuurlijk ook gewoon met Liz doen, maar op een of andere manier duikt Daniël de hele tijd op en doe ik niets om dat te voorkomen.

'Klaar', zegt Liz opgeruimd, terwijl ze het laatste wijnglas in de kast zet. Ze legt haar poleerdoek aan de kant. 'Het is mooi geweest voor vandaag. Ik ben echt gebroken.'

Liz heeft eerst haar dienst gedraaid in de lunchroom en is daarna naar mij toe gekomen. Ik steek mijn armen uit en omhels haar. 'Bedankt', zeg ik, voor de zoveelste keer bedenkend hoe lullig dat woordje toch klinkt.

Liz gaat weg en ik sluit af. Ik kijk op mijn horloge. Het is middernacht. Daniël valt vandaag niet binnen voor een kopje koffie. Ik doe mijn best om me niet teleurgesteld te voelen en loop naar boven.

'En nu lang uitademen.' Om het allemaal wat kracht bij te zetten spreekt de lerares het woord 'lang' ook in vijf seconden uit. Ik doe braaf wat ze vraagt en spiek intussen op de klok. Mijn hobby zal het niet worden, zwangerschapsgym. Gelukkig zijn we over tien minuten klaar.

Terwijl ik lang en langzaam uitadem kijk ik de groep rond. Veertien zwangeren plus mijzelf. Drie zijn er alleenstaand, volgens de lerares bovengemiddeld voor een klasje, al heb ik geen idee wat ik met die informatie moet. Alleenstaand.

Ik gruwel nog steeds van dat woord. Ik voel me niet alleenstaand. Mijn man heeft me niet verlaten, zoals bij een van de andere twee. Ik heb ook niet aangeklopt bij de spermabank, zoals de ander.

Maar blijkbaar bestaan er maatstaven en val ik in de categorie 'single'. Het levert me een hoop medelijdende blikken van de andere dames op. Vast lief bedoeld, maar ik weet niet zo goed waar ik moet kijken als iemand me zo'n blik toewerpt. Ik heb in elk geval de partneravond van vorige week geskipt.

'En nog een keer. Heel láááng uitademen.'

Braaf doe ik het en intussen kijk ik de tijd vooruit. Ik heb een beetje zitten googelen en aangezien ik overal lees dat bevallen net zoiets is als aangevaren worden door de Titanic op topsnelheid, geloof ik niet dat lang uitademen me veel verder gaat brengen.

Gelukkig is het bijna vijf uur en zitten de drie kwartier er weer op. De cursus is nog vier keer, maar ik overweeg op z'n minst de laatste twee lessen te laten schieten, baby of geen baby.

Om klokslag vijf krabbelt iedereen overeind. De lerares roept wat oefeningen voor thuis, die ik toch niet ga doen, en dan haast ik me naar de kleedkamer. Ik heb over anderhalf uur met Daniël afgesproken en wil thuis nog even douchen. Snel werk ik me uit mijn oude joggingsbroek en in mijn zwangerschapsjeans. Ik trek een T-shirt over mijn hoofd, rits mijn vest dicht en verlaat de kleedkamer, hier en daar iemand gedag knikkend.

Met enige moeite stap ik op de fiets. Mijn buik brengt me bij het op- en afstappen voortdurend uit evenwicht en ik pas nog maar net tussen mijn zadel en mijn stuur. Een auto toetert naar me als ik een beetje slinger. Ik neem me voor de volgende keer met de auto te gaan. Ik ben niet bijster dol op rijden in het stadsverkeer, maar dit is het ook niet.

Ik bereik zonder brokken mijn huis en zet mijn fiets op slot voor de deur. En nog eens. En nog eens. Drie sloten is volgens Judy het minimum dat een fiets op de openbare weg moet hebben en ik denk dat ze gelijk heeft, want mijn fiets is in ruim vijf maanden tijd nog niet één keer gestolen. Ik haal mijn tas uit het krat en loop naar binnen. Nog een uur voordat Daniël er is.

Vandaag zijn de bouwvakkers begonnen en nu ze weg zijn, neem ik een kijkje in Judy's huis. Het is er letterlijk een puinzooi. De keuken gaat schuil onder een laag stof en waar eerst mijn gasten zaten te eten, ligt de vloer er nu half uit. No way dat ik hier nog een restaurant draaiende had kunnen houden. Ik heb er wel de pest over in dat ik moet stoppen, maar voor mijn buik en vooral mijn benen is het eigenlijk wel beter. Gisteravond heb ik de laatste gasten uitgeleide gedaan, en daarna heb ik in de keuken een potje zitten huilen. Maar het kan echt niet meer.

Ik zet die gedachte snel van me af voor ik er verdrietig van kan worden en loop naar mijn eigen appartement. Ik gooi mijn kleren in de was en klauter in bad, tegenwoordig een behoorlijk ingewikkelde manoeuvre. Het voordeel van een douche in bad is echter wel dat ik mijn been op de badrand kan zetten en het zo nog net kan scheren, een klusje dat andere vrouwen – zo hoorde ik ze zeggen bij zwangerschapsgym – aan hun man overlaten. Ik voel me een beetje triomfantelijk als ik zelf mijn scheermes langs mijn scheenbeen haal. Ik ben geen alleenstaande moeder, ik ben een zelfstandige moeder.

Nog steeds goedgehumeurd sta ik even later voor de kledingkast. Ik heb vorige week een frisgroen jurkje gekocht. Eigenlijk niet meer de moeite, vond ik zelf, maar het lachte me toe vanuit de etalage en ik kon het niet weerstaan. Daar ben ik nu blij om. Ik wil een beetje leuk voor de dag komen.

Ik probeer het jurkje te combineren met een paar hakken die ik vorige week nog aankon, maar als ik ga staan klap ik bijna voorover. Ik kan me nog net aan de kast vastgrijpen. Gegeneerd trek ik de schoenen uit. Ik ben topzwaar geworden. Gelukkig heb ik ballerina's, en ze staan best leuk in combinatie met een zwarte legging. Tevreden bekijk ik het resultaat in de spiegel. Van de achterkant zie je, als je mij niet kent, niet meteen dat ik zwanger ben, maar aan mijn gezicht des te meer. De laatste dagen lijken mijn wangen wel per minuut boller te worden. Ik ben er nog niet over uit of ik het beter vind dan mijn normale gelaat. Afzichtelijk is het in elk geval niet, zoals bij een paar dames van de zwangerschapsgym die stuk voor stuk een paar ballonnen in hun wangzakken lijken mee te voeren. Dezelfde dames die niet normaal kunnen lopen en waggelen als een eend. Ik geef toe dat lopen bij mij ook een stukje minder elegant gaat dan gebruikelijk, maar ik vertoon nog geen gelijkenissen met Oom Donald.

Ik merk dat ik onbewust met mijn hand over mijn buik strijk. Even denk ik terug aan het moment dat ik hoorde dat ik zwanger was. Zwanger? Ik kon me zelfs met de beste wil van de wereld niet voorstellen hoe ik eruit zou zien met een bolle buik en nu sta ik hier voor de spiegel en ben ik al helemaal aan mijn nieuwe figuur gewend. Het enige wat ik nog vreselijk bizar vind, is het feit dat zich in de ballon die ik tegenwoordig mijn buik noem een wezentje zit dat zich over niet al te lange tijd een weg naar buiten zal banen en dan ineens in het ledikantje zal liggen dat nu nog onopgemaakt op haar staat te wachten. Over een paar weken sta ik misschien wel voor deze spiegel me af te vragen of het ooit nog goed komt met mijn lijf, meteen daarna reagerend op de geluiden die vanuit de babykamer komen.

Hoe zal mijn baby klinken? Zal ik wel het vermogen hebben de verschillende huiltjes te herkennen, zoals je veel moeders hoort zeggen? Misschien verschoon ik zes keer haar luier terwijl ze eigenlijk barst van de honger. Of andersom.

Ik glimlach en laat mijn hand stil liggen. We zien het wel, ik kom er vast wel uit. En anders helpt Judy me wel, toen ik gisteren bij haar was had ze het er nog over dat ze altijd precies wist wat Daniël wilde.

Ik hoop vooral dat mijn dochter Maartens ogen zal erven, en zijn vrolijkheid. Als dat laatste het geval is, hoef ik niet bang te zijn voor veel huiltjes. Dan zal ze voornamelijk lachen.

Ik maak mijn blik los van mijn buik en haal een kam door mijn haar. Daarna doe ik een klein beetje oogschaduw en wat mascara op en glimlach. Voor een hoogzwangere kan het er best mee door. Dat vind Daniël vast ook.

Ineens heb ik het gevoel alsof mijn zonnige, blauwe lucht door een donkere wolk wordt overschaduwd. Als een zomerdag die zo plotseling omslaat dat je geen tijd hebt om je handdoekje en je spullen bij elkaar te zoeken en het strand te verlaten voor het noodweer losbarst. Ik laat me op het bed zakken en leg mijn hoofd in mijn handen. Waar ben ik mee bezig? Ik sta me op te tutten, mezelf leuk aan te kleden, mijn haar te kammen – voor wie? Er is maar één iemand voor wie ik dat zou moeten doen, en dat is niet degene die hier zo meteen zal aanbellen. Ik zou het niet belangrijk moeten vinden hoe ik eruitzie. Wil ik soms dat hij me leuk vindt? Nee, natuurlijk wil ik dat niet. Het zou regelrecht overspel zijn als ik dat wel wilde.

Ik ren naar de badkamer en haal mijn make-up eraf. Daarna verruil ik het groene jurkje voor een linnen broek waarvan de knoop niet meer dicht kan. Ik trek een trui aan, hooggesloten en veilig. Mijn haar bind ik vast met een elastiekje. Opnieuw kijk ik in de spiegel. Het voelt nog niet goed. Ik moet die hele afspraak afbellen.

Maar ik ben te laat. Of Daniël is te vroeg, dat is het eigenlijk. Net als ik mijn mobiel pak, gaat de deurbel. Ik overweeg om niet open te doen, maar omdat ik dat niet kan maken, druk ik toch op de knop van de intercom en ik hoor de deur van het slot springen. Voetstappen komen de trap op.

'Wat zie je er goed uit', zegt Daniël.

Ik kreun zonder geluid te maken. Niet zeggen. Het is niet zo, en dat is precies hoe ik het wil. Maar de bewonderende blik in zijn ogen maakt duidelijk dat hij het meent. Ik sta in dubio. Ik moet dit niet doen. Het kan niet, het is niet juist. Het zou niet goed moeten voelen.

Maar het probleem is dat het gevoel juist wel goed is. De omstandigheden zijn alleen zo ontzettend slecht.

Daniël merkt niets van mijn razende emoties. Hij kijkt ontspannen op zijn horloge. 'Zullen we gaan? Het is nog wel een beetje vroeg, maar je zei de vorige keer dat je 's avonds erg moe bent en...'

'Nee.' Ik schud mijn hoofd. Ik kijk naar mijn linnen broek. Mijn trui. Er zitten losse draadjes aan. Is dit de vrouw die ik wil worden? De vrouw die zich verstopt in oude kleren? Zou Maarten me zo gezien willen hebben? Die laatste gedachte geeft de doorslag. 'Ik moet me nog omkleden.'

Het ritueel van net herhaalt zich in omgekeerde volgorde. Broek en trui verdwijnen in de kast, jurkje en legging verschijnen. In de kamer hoor ik Daniël zachtjes neuriën. De koelkast gaat open en dicht. Ik heb gezegd dat hij maar wat te drinken moet pakken. Ik breng opnieuw oogschaduw op, en mascara. Mijn ogen zijn een beetje rood van zo veel actie in zo weinig tijd. Ik spuit wat parfum op, trek het elastiekje uit mijn haren en knik. Zo is het goed. Denk ik. Weet ik veel. Ik heb behoefte aan een borrel, maar die kan ik wel uit mijn hoofd zetten.

Een halfuur later zitten we in het restaurant, tegenover elkaar aan een raamtafel. Daniël drinkt een biertje, ik water. Ik
kauw op een broodje met tapenade dat hij voor me heeft ge-
smeerd. Hij praat, maar ik weet niet waarover. Ik volg het niet.
Mijn hand voelt aan alsof die in brand staat. Ik kijk ernaar.
Zijn hand ligt op die van mij en ik weet echt niet wat ik daarvan moet vinden. Maar ik laat hem liggen, omdat wegtrekken
de slechtere optie is.

23

STILTE KAN SOMS ONTZETTEND LEKKER ZIJN. BIJVOORBEELD als je de hele dag het geluid van drilboren aan je hoofd hebt, vooral dan. Om drie minuten over half vijf ging de boor uit en in de twee uur die verstreken zijn tussen dat moment en nu, heb ik zo min mogelijk geluid gemaakt.

De bouwvakkers hebben me gelukkig wel verzekerd dat het drillen nu klaar is, vanaf nu gaan ze bouwen en daar heb ik twee verdiepingen hoger minder last van. Ik voel er weinig voor om straks met een pasgeboren baby de hele dag in de herrie te zitten.

Daniël is er en hij maant me om op te schieten, omdat hij ergens een reservering heeft gemaakt. Het laatste etentje is alweer een week geleden en volgens hem is het hoog tijd dat we weer ergens naartoe gaan.

'Maar waar gaan we heen dan?' vraag ik een beetje verveeld. Ik heb helemaal geen zin om weg te gaan.

'Ik zeg niet waar we heen gaan, dat is een verrassing', beantwoordt Daniël mijn vraag. 'Maar feestelijk is het wel.'

'Hebben we iets te vieren dan?' vraag ik een beetje korzelig.

'Ja.' Daniël kijkt me opgetogen aan.

'Wat dan? Dat mijn restaurant dicht is?'

'Misschien het feit dat je nu heel binnenkort een baby zult hebben?' weerlegt hij. Fijn, nu voel ik me nog een slechte moeder ook.

'Ja', zeg ik iets toegeeflijker. 'Dat is waar. Wat mij betreft vanavond nog, ik kan die buik inmiddels wel iets aandoen.'

'En we vieren ook dat ik mijn besluit heb genomen', zegt Daniël. Ik zie nu pas dat hij straalt vanavond. Misschien heb ik me een beetje egoïstisch opgesteld.

'Besluit?' vraag ik. Ik kijk geïnteresseerd. 'Wat voor besluit?'

Daniël aarzelt even. 'Het leek me wel leuk dit bij een glaasje wijn, of water, mee te delen, maar eh...' Hij kijkt me aan.

Ik voel een steek ergens in de buurt van mijn hart. Hij heeft zijn besluit genomen. Ik ben bang dat ik al weet wat het is. Hij gaat natuurlijk terug naar Amerika. Nederland is te klein voor hem, New York roept. Ik slik. Ik had het kunnen weten.

Weer iemand die mij in de steek laat, denk ik heel onredelijk. Eindelijk heb ik het weer eens leuk, eindelijk iemand die ik graag om me heen heb en die mijn leven een beetje opfleurt en dan, hup, pakt hij zijn biezen en verdwijnt. Wég straaltje geluk.

Ik slik mijn opkomende tranen weg. Daniël hoeft die niet te zien.

'Oh, nou, laten we dat glaasje water dan maar gaan drinken', zeg ik een beetje korzelig.

Als ik langs Daniël heen de deur uit wil lopen, pakt hij mijn arm. 'Is er iets?'

'Nee. Nee, hoor. Niets.' Ik wil doorlopen, maar Daniël houdt me tegen.

'Ik kan het net zo goed nu vertellen', zegt hij zacht. 'Wat mijn besluit is.'

Ik zet me schrap zijn stem is vlakbij, ik voel zijn adem langs mijn oor strijken als hij praat. Niet aan denken, spreek ik mezelf in gedachten streng toe. Hij gaat toch weg.

'Wat is het dan?' vraag ik stroef. Ik ben me heel erg bewust van het feit dat Daniël zijn hand nog steeds op mijn onderarm heeft liggen.

'Ik heb besloten,' zegt hij met opbouwende spanning in zijn stem, 'dat ik...' Hij valt stil. Ik draai mijn hoofd en kijk hem aan.

'Dat ik het je straks ga vertellen', maakt hij zijn zin dan grijnzend af. 'Kom mee, we gaan een hapje eten.'

Allebei zijn we stil als Daniël de auto door het drukke avondverkeer stuurt. Het zonnetje schijnt en overal zijn fietsers, ik krijg een zomers gevoel maar het besef dat Daniël weggaat drukt mijn vrolijkheid de kop in. Toch heb ik ineens zin om op een terrasje te zitten. 'Kunnen we buiten zitten?' vraag ik, verlangend kijkend naar de zonnestralen die achter de gebouwen vandaan komen.

'Er is een kleine binnentuin met een paar tafels', zegt Daniël. 'Sowieso is het maar een klein restaurantje. Vijfentwintig couverts.'

Met een steekje van spijt denk ik aan mijn eigen tentje. Vijftien couverts. Precies groot genoeg.

Daniël trommelt met zijn vingers op het stuur als we stilstaan voor een stoplicht. Ik werp een blik naar opzij. Is hij gespannen? Net als ik wil vragen wat er is, trekt Daniël op. We rijden De Pijp in. Het gonst hier van het leven, links en rechts zitten mensen op terrasjes, fietsers schieten voor de auto langs. Ik kijk naar buiten en geniet van de taferelen van de stad. Misschien moet ik naar een huisje in De Pijp gaan kijken. Veel jonge mensen, leuke winkeltjes, terrasjes – de buurt spreekt me ontzettend aan.

Daniël rijdt een relatief rustig straatje in en zet de auto stil voor een restaurantje met een piepkleine gevel. Witte deuren van hooguit twee meter breed. Op een zwart zonnescherm staat met zwierige witte letters "In de Huiskamer". Ik glimlach. 'Goede naam.'

Daniël zegt niets en stapt uit. Hij haalt een parkeerkaartje uit de automaat en legt het achter de voorruit. Daarna biedt hij me zijn arm aan. 'Kom mee, we gaan naar binnen.'

Een beetje onwennig steek ik mijn arm door die van hem. Bij de deur moet ik alweer loslaten, het is smal en we moeten achter elkaar naar binnen. Ik bewonder het witte houtwerk dat het raam in vakjes verdeelt. 'Gezellig', oordeel ik. Het hele restaurant straalt gezelligheid uit, wat ook komt door de twee grote planten voor het raam. Het valt me op dat voor het raam geen tafeltjes staan. Zou ik wel doen.

Oké, ophouden nu met voor restaurateur te spelen.

Ik loop snel achter Daniël aan naar binnen. Waar ik meerdere tafeltjes verwacht, zie ik alleen één lange tafel in het midden van de zaak. Een groot gezelschap zit geanimeerd te praten. Een beetje van mijn stuk gebracht kijk ik naar Daniëls rug. Zijn we vanavond de enigen die niet bij het gezelschap horen?

Maar hij loopt recht op de lange tafel af en ineens is iedereen stil. Ik zet een paar stappen naar voren. Dan herken ik Tessa, die op het hoekje zit. 'Hé', zeg ik opgetogen. 'Ben jij er ook?'

Plotseling vallen me meer bekende gezichten op. Daar zit Anneke, Judy's vriendin. En Ria. En Bert en Karin, die een straat bij ons vandaan wonen en elke week wel een keertje komen eten. En die ene man, dat is dat investeringsvriendje van

Daniël. En... 'Judy?' Mijn stem klinkt verbijsterd en opgetogen tegelijk. 'Huh?'

Ze strekt haar armen naar me uit en ik geef haar een kus. 'Maar jij moet toch...' Wat is er gebeurd met het revalidatiecentrum?

Er staat iemand op. Ik herken haar, maar ben te zeer overdonderd om me te realiseren wie het is.

'Dag, lieverd.' Mijn moeder omhelst me. Er staan meer mensen op. Ik krijg knuffels en zoenen. Mijn vader, Tilly, Henk, Rens. Saskia? Ik kijk haar verbijsterd aan. Ik ben nog niet eens op kraamvisite geweest. Liz is er, ze geeft me een lange knuffel, het deert niet dat mijn buik in de weg zit. Er blinken tranen in haar ogen.

Het tweede investeringsmannetje is er ook. Ik vraag me af waarom. Ik vraag me sowieso heel veel af, maar mijn hersenen lijken vergaan tot een grote brij waar veel vragen in rondgaan, maar ik heb er geen vat op. Ik sta te trillen op mijn benen.

En te midden van dit alles staat Daniël, niet in het minst verbaasd over de situatie. Hij staat een paar meter bij me vandaan en slaat alles gade, met een tevreden trek rond zijn gezicht.

'Heb jij...' begin ik. Hij knikt kort. Ik loop naar hem toe en blijf voor hem staan, ineens onzeker wat ik moet doen. Dan strekt hij zijn armen uit en ik vlucht erin. Mijn gezicht tegen zijn schouder, ik ruik zijn deodorant. Ik ruik hem. Vertrouwd en nieuw tegelijk.

'Ik moet je mijn besluit nog vertellen', zegt hij vlak bij mijn oor. 'Dit lijkt me wel een mooi moment. Ik heb besloten om definitief in Nederland te blijven. Ik heb mijn baan in New York al opgezegd.'

Ik hef mijn hoofd naar hem op. 'Echt?'

'Echt. Ik heb nu pas echt gemerkt hoe erg ik Nederland miste. En daarbij...' Hij maakt zijn zin niet af. Ik vlei mijn gezicht weer tegen zijn borst. Ondanks mijn omvang voel ik me veel lichter. Alsof er een stukje dat zwart was in mij op wit is gezet. Of geel, of rood. In elk geval een gelukkige kleur. Alsof er een last van mijn schouders is gevallen.

'Ik vind het geweldig dat je blijft', zeg ik tegen zijn overhemd. 'En wat ontzettend lief om een babyshower voor me te organiseren.'

Daniël maakt zich los uit de omhelzing en houdt me op een paar meter afstand. 'Babyshower?'

'Ja. Dat is toch wat dit is? Het is maar goed dat ik nog niet bevallen ben.'

Ik zie een mix van geamuseerdheid en wanhoop op zijn gezicht. 'Begrijp je het dan echt niet?'

'Wat?'

Daniël pakt me bij mijn hand en neemt me mee naar de keuken. Er is niemand, alles glimt en blinkt en er wordt niet gekookt. Wel liggen er ingrediënten op het aanrecht. Ik trek een koelkast open. Vol.

'Waar is de kok?' informeer ik.

Daniël pakt een schort van het aanrecht en doet het over mijn hoofd. Daarna maakt hij de banden achter mijn rug vast. De stof spant over mijn buik. 'Hier is de kok', zegt hij.

Ik kijk naar beneden. Daphne Draaisma, staat er midden op het schort. Chef-kok.

En daaronder: Patron.

Ik moet lachen. 'Waar heb je dit ding vandaan?'

Ik zoek Daniëls blik, maar hij lacht niet terug. Zijn ogen staan afwachtend. De keuken is halfopen en als ik omkijk, zie ik het hele gezelschap staan, Liz staat achter de rolstoel van Judy. Ik ontmoet haar blik. Opgetogen. Dan Judy. Ze heeft tranen in haar ogen. Haar handen liggen gevouwen in haar schoot. Ik zie dat ze een servetje heeft verkruimeld.

Mijn moeder doet een stap naar voren. 'Ik ben zo blij voor je, lieverd', zegt ze. Mijn vader knikt, duidelijk geëmotioneerd. Ik ontmoet Tilly's blik, ze staat vlak bij me.

'Maarten zou zo trots zijn geweest', zegt ze zacht.

Ik kijk weer om naar Daniël. En dan naar de tekst op mijn schort. 'Bedoel je...?'

Hij knikt. 'Ja, dat bedoel ik inderdaad. Welkom in je eigen restaurant, Daphne. Over drie maanden is dit allemaal van jou.'

Ik staar hem aan. Ik zou waarschijnlijk iets moeten zeggen, maar ik heb geen idee wat. Eigenlijk wil ik mezelf knijpen, eerst maar eens wakker worden uit deze droom en dan genieten van hoe het had kunnen zijn. Met dat steekje van spijt dat het allemaal niet zo is.

Maar ik word niet wakker. De twee investeringsmannetjes komen naast Daniël staan. 'Het is waar', zegt een van de twee. 'We geloven in jou en gunnen je heel graag een kans met dit restaurant. Daniël heeft alles al geregeld, je hoeft alleen maar van start te gaan. Maak er iets moois van.' Ik krijg een hand en drie zoenen. Keer twee.

Onwennig kijk ik rond in wat dus blijkbaar mijn eigen keuken is. Ik zet een paar passen naar voren, houterig. In mijn buik beweegt de baby. Ik leg mijn hand op het schort dat over mijn navel spant en ze ligt stil.

'Maar...' zeg ik, niet in staat om die zin af te maken.

Daniël legt zijn hand op mijn schouder, en dan op mijn rug. Ik draai me naar hem om. Hij geeft me een kus, op mijn wang. 'Ik hoop dat je er blij mee bent. En dat je bereid bent vanavond je eerste maaltijd te koken. Je vrienden en familie wachten erop.'

Ik kijk naar de ingrediënten op de roestvrijstalen werkbanken. Roseval, tijm, sjalotjes. In de koelkast heb ik iets van rundvlees gezien. Ik verdenk Liz ervan dat ze inkopen heeft gedaan. Niet te moeilijk, altijd een succes.

Met een grote grijns kijk ik naar Daniël. 'Ik zou het een eer vinden.'

Er klinkt gejuich en applaus en dan gaat iedereen aan tafel zitten. Mijn moeder helpt me in de keuken, net als Tilly en Tessa. Liz neemt het serveren van de drankjes voor haar rekening. Af en toe loopt Daniël binnen. Ik kan niet stoppen met stralen als ik hem zie. Het is gewoonweg niet te geloven dat hij dit voor me heeft gedaan. Er gaan allerlei namen door mijn hoofd. Chez Daphne. Nee, afgezaagd. In de Huiskamer, wat het nu is. Nee, ik wil mijn eigen stempel drukken. Daniel. Mwah, nee. Maarten. Kan. Misschien een soort verbastering ervan. In het Frans. Mon Martre. Het slaat nergens op, maar het klinkt lekker. Als ik het tegen Daniël zeg, begint hij te knikken. 'Mooi.'

Een uur later zijn we alleen in de keuken. De borden voor het hoofdgerecht zijn bijna klaar, mijn keukenhulpen helpen met de wijn inschenken en vullen de broodmandjes bij. Ik sta met mijn rug naar het fornuis, Daniël staat tegenover me. Buiten het zicht van mijn gasten. Mijn buik raakt bijna die van hem.

'Ik begrijp het niet', zeg ik zacht, terwijl achter me de saus begint te borrelen. 'Wat gebeurt hier?'

'Je begint je eigen restaurant', antwoordt hij. 'En daar ga jij een doorslaand succes van maken.'

Hij leunt lichtjes naar me toe.

'Maar waarom heb je dit voor mij gedaan? Ik bedoel...'

Ik weet eigenlijk niet wat ik bedoel.

'Omdat je het verdient', zegt hij simpel. 'En omdat ik graag iets voor je wilde doen. Je bent belangrijk voor me. Je bent bijzonder.'

Ik sla mijn blik neer. 'Maar je kent me nauwelijks.'

'Moet je iemand al jaren kennen om diegene speciaal te vinden?'

Speciaal. Het woord blijft tussen ons in hangen. Ik voel mijn hart razen. Straks dreunt mijn hartslag de baby er nog uit. Mag dit wel? Een bonzend hart, klam zweet dat over mijn rug parelt, het gevoel in mijn buik dat ik ken van... Van toen. Van Maarten.

Zijn naam gaat door mijn hoofd. Als iets vertrouwds, iets moois. Het maakt me niet bang, niet obsessief verdrietig. Ik krijg er een goed gevoel van. Het was een mooie tijd, de mooiste uit mijn leven en dat zal nooit veranderen, maar een tijd die voorbij is gegaan zonder dat een van ons dat wilde. Maar ook zonder dat een van ons het kan terugdraaien.

En nu sta ik hier, in de keuken van mijn eigen restaurant en iemand vindt me speciaal. Iemand die ik zelf met exact datzelfde woord zou omschrijven.

Dat besef doet mijn hart opnieuw bonzen. Ik kijk op naar Daniël. Hij doet een stapje naar mij toe en raakt mijn buik. Hij steekt zijn handen uit, ze komen samen achter mijn rug. Dan leunt hij naar voren en voel ik heel zacht, heel voorzichtig, zijn lippen op die van mij.

Ik verwacht angst, schuldgevoel, vluchtgedrag. Maar ik voel warmte en vertrouwen. Daniël zoent me en, een beetje tot mijn eigen verbazing, zoen ik terug. Zijn hand op mijn rug beweegt zacht.

Dan klinkt er een lachsalvo uit het restaurant, mijn vader komt overal bovenuit, wat ik niet van hem gewend ben. We laten elkaar los. Ik kijk langs Daniël heen, maar er komt niemand aan.

Ik heb het gevoel dat ik iets moet zeggen, maar ik weet niet wat. Uiteindelijk doe ik mijn mond open. 'Wow. Dat eh... Ik...'

Dit werkt niet. Ik heb geen woorden. Van het enige wat ik kan bedenken heb ik al spijt voor ik het heb uitgesproken. 'Sorry, ik...'

'Sorry?' Daniël glimlacht. 'Daar hoef je geen sorry voor te zeggen.'

'Nee, ik bedoel het ook niet zo. Maar ik... Je hebt niets aan mij en...'

'Jemig Daph,' zegt Daniël licht wanhopig, 'wanneer ga je inzien dat ik je echt heel leuk vind?'

Ik heb het gevoel dat ik geen adem krijg, mijn hart bonkt me een klaplong. 'Maar...' zeg ik half fluisterend, 'maar... Maar ik ben zwanger.'

Daniëls gezicht is nu heel dicht bij dat van mij. 'Ik vind je leuk', herhaalt hij. 'Inclusief baby, inclusief alles. Je bent bijzonder en ik wil bij je zijn. Noem het verliefd, als je wilt, noem het anders, maar ik ben gewoon als een idioot voor je gevallen.'

Ineens heb ik het gevoel alsof er binnen in mij een elastiekje knapt en het volgende moment voel ik een druppel op mijn voet. En dan nog een, en nog een, en een hele golf. Ik kijk naar beneden, waar zich langzaam een plas vormt op de vloer.

'Eh...' zeg ik langzaam.

'Wat is er?'

'Ik geloof dat de bevalling is begonnen.'

24

INEENS IS IEDEREEN WEG EN IS HET STIL. MIJN MOEDER IS NAAR
huis. Douchen, en omkleden. Mijn vader brengt haar. Ik pak
mijn telefoon. Ik moet Judy bellen. Ik weet zeker dat ze sinds
gisteravond in spanning zit te wachten.

Gisteravond. Het lijkt een eeuwigheid geleden. Het is nu vier
uur 's middags en ik heb het gevoel alsof er een vrachtwagen
over me heen is gereden. Maar wel een mooie vrachtwagen.
Een mooie vrachtwagen die in mijn armen ligt en tevreden in
slaap is gevallen.

'En?' Ik hoor de ingehouden opwinding in Judy's stem als ze
haar mobiel opneemt. 'Vertel!'

'Ze is er', zeg ik zacht. Er schiet een brok mijn keel als ik naar
mijn dochter kijk. 'En ze is zo ontzettend prachtig.'

Aan de andere kant van de lijn hoor ik Judy snikken. 'Wat
geweldig', snottert ze. 'Wat fantastisch.'

'Ze heet Maartje.'

Nu kan Judy helemaal niets meer uitbrengen. Over mijn eigen wangen glijden tranen naar beneden. Judy wil nog weten of alles goed is gegaan en ik verzeker haar dat dat zo is. Daarna hangen we op, ik zal haar later nog wel bellen.

Heel voorzichtig strijk ik met mijn pink over het voorhoofd van mijn baby. Het kleine, roze voorhoofd van mijn kleine, roze baby, die goed ingepakt in een wit pakje, een mutsje en een omslagdoek hier ligt. Te zijn. Dat is het enige waar haar leventje nu om draait. Er zijn. En het is meer dan genoeg. Het zal altijd meer dan genoeg zijn dat ze er alleen maar is.

Maartje.

Over de naam bestond geen enkele twijfel. Mijn moeder glimlachte toen ik hem uitsprak, even later aan de telefoon begon Tilly te huilen. Ze is onderweg, met Henk. Pieter en Nadine komen ook. Ik moet de anderen nog bellen. Het kan straks.

Liz was er ook, maar ze is alweer weg. Ik moet rusten, volgens haar. Dat is ook zo, maar ik ben doodop en hyper tegelijk en dat laatste verhindert me om te gaan slapen. Ik kan alleen maar staren naar mijn baby. Mijn dochter. Onze dochter.

De deur gaat een klein stukje open en Daniël steekt zijn hoofd om de hoek. Ik glimlach naar hem.

'Stoor ik?'

Ik schud mijn hoofd. Zachtjes zeg ik: 'Ze slaapt.'

Hij komt binnen en sluit de deur zorgvuldig achter zich. In zijn hand heeft hij een vierkant pakje. Hij buigt zich over het bed en geeft mij een kus op mijn mond, alsof hij nooit anders gedaan heeft. Daarna richt hij zijn aandacht op Maartje.

'Oh jezus', zegt hij duidelijk ontroerd. 'Wat is ze mooi.'

Ik knik en slik, ik voel alweer tranen opkomen. Hormonen, volgens Ellen. Ze heeft me gewaarschuwd dat ik er nog veel meer van kan verwachten de komende dagen.

'Ja hè?' fluister ik. Daniël gaat zitten en samen kijken we naar Maartje, die haar ogen stijf gesloten houdt. Ik voel haar warmte en ademhaling door de omslagdoek heen. Ik wil haar niet wegleggen. Nooit meer. Ik wil elke seconde weten of het goed met haar gaat.

'Hoe voel je je?' vraagt Daniël zacht.

Ik geef geen antwoord, omdat ik het niet weet. Anders dan ik me ooit heb gevoeld, dat is denk ik het enige wat enigszins in de buurt komt.

Daniël speelt met het pakje in zijn hand. 'Ik heb iets voor je. Ik ben niet zo goed met babyspul en...' Hij zegt het verontschuldigend terwijl hij me het pakje overhandigt. 'Ik hoop dat je het mooi vindt.'

Met één hand peuter ik het papier eraf. Er komt een zwart doosje tevoorschijn. Ik friemel aan de sluiting, maar krijg het niet open. Daniël helpt me.

'Oh wauw', zeg ik overdonderd. Op grijs fluweel liggen twee armbandjes, identiek maar verschillend van maat. Een grote en een kleinere. Beide zilver, met een klein diamantje.

Ik kijk naar Daniël door een waas van tranen. 'Wat prachtig.'

'Ze zijn gegraveerd', zegt hij. Hij pakt de grootste armband van het fluweel en geeft die aan me.

'Maarten, voor altijd in ons hart', staat er in krullende letters. Ik knipper en nu rollen de tranen naar beneden, op Maartjes witte babypakje. Daniël doet het armbandje om mijn pols en worstelt even met de sluiting, maar dan zit het vast. Hij pakt het kleinere sieraad en ik zie dat daar dezelfde tekst in gegraveerd staat.

'Het is nu nog te groot', zegt hij, terwijl hij met zijn vinger zacht over Maartjes hand gaat. 'Maar op een dag zal het passen, en als ze eruit groeit, kun je het groter laten maken.'

'Wat een mooi cadeau', zeg ik met verstikte stem. Ik kom iets omhoog en geef hem een kus. Op zijn wang. En daarna op zijn mond. Ik wil nog meer zeggen om duidelijk te maken hoe bijzonder ik zijn cadeau vind, maar ik kan geen woorden vinden. Mijn blik blijft hangen aan de foto van Maarten op het nachtkastje, die ik speciaal in mijn ziekenhuistas had gestopt. Het is de foto op het strand, op vakantie. Maarten staat er precies op zoals hij was. Mooi, stoer, relaxed. Lief.

In mijn armen beweegt Maartje een beetje. Als ze groter is, zal ik haar vertellen wat een geweldige man haar vader was. Hoeveel hij van haar zou hebben gehouden, hoeveel ik van hem hield. En hoe ontzettend hij wordt gemist. En ik zal haar de doos geven die zich de afgelopen tijd met herinneringen aan Maarten heeft gevuld. Foto's, briefjes, iedereen heeft er iets in gedaan of zal dat de komende tijd nog doen. Maartje zal weten wie Maarten was, ook al zal ze hem nooit ontmoeten. Niet fysiek. Maar hij zal altijd om haar heen zijn, als een beschermengel die ze zal koesteren.

Mijn blik glijdt van de foto naar Daniël. Zijn gezicht, dat op een vreemde manier vertrouwd voelt. Hij kijkt naar Maartje en ik zie een blik in zijn ogen die ik niet kan thuisbrengen. Het is geen vertedering, geen verwondering of simpel ongeloof over het wonder van een geboorte. Het gaat dieper dan dat. Ik denk dat het liefde is, maar misschien zijn het die verrekte hormonen die dit soort conclusies voor me trekken.

Ik weet het niet. En het maakt ook niet uit. Ik kom er vanzelf achter, maar het heeft tijd nodig.

Daniël legt zijn hand op de mijne en glimlacht even naar me. De warmte van zijn hand verspreidt zich door mijn hele lichaam. Daarna richten we allebei onze blik op Maartje en zo blijven we heel lang zitten.

mariëtte
Middelbeek

NU €4,95

BESTSELLER • BESTSELLER • BESTSELLER • BESTSELLER • BESTSELLER

single
&
sexy

'Het Nederlandse antwoord op Jill Mansell
en Sophie Kinsella' – *Chicklit.nl*

Lees ook van Mariëtte Middelbeek

Single & Sexy

Charlotte van Rhijn ziet als een berg op tegen haar 29ste verjaardag. Niet alleen heeft haar grote liefde Kars haar zojuist verlaten, maar iemand blijkt ook al haar bank- en spaarrekeningen te hebben geplunderd.

Met haar baan als kleuterjuf kan Charlotte haar rekeningen niet betalen, en al snel krijgt ze vaker bezoek van de deurwaarder dan van haar vriendinnen Eva en Natasja. Ze kan niet meer shoppen, ze kan niet meer stappen – zelfs wasmiddel kan ze zich eigenlijk niet meer veroorloven.

Dan bedenkt ze een geweldig plan: via Marktplaats verhuurt ze zichzelf als date. 'Lot', zoals ze zich tijdens deze betaalde afspraakjes laat noemen, is binnen de kortste keren de populairste date van de stad. Ze heeft de tijd van haar leven en denkt zelfs in een van haar klanten de liefde van haar leven gevonden te hebben. Maar dan begint ze griezelige sms'jes te ontvangen. Hebben al haar gezellige en goedbetalende dates wel het beste met haar voor?

Single & Sexy is een geestig en spannend verhaal over vriendschap en vertrouwen – en over het vinden van de vamp in jezelf.

Single & Sexy
240 pagina's, € 4,95
ISBN 978 94 6068 025 0

Mariëtte Middelbeek
Turbulentie

'Het boek grijpt je bij de keel en die tranen blijven echt niet weg.' – *Chicklit.nl*

M
marmer

Lees ook van Mariëtte Middelbeek

Turbulentie

Sara Doesburg geniet met volle teugen van haar leven vol glamour. Als stewardess vliegt ze de hele wereld over en waakt ze met harde hand over haar maat 36. De mannen heeft ze voor het uitzoeken. Een baan van 9 tot 5? Een degelijk leven? Sara moet er niet aan denken! Ze heeft geen enkele behoefte om ook maar iets aan haar leven te veranderen. Maar dan wordt er bij haar zus Anouk borstkanker geconstateerd. Ineens is alles anders. Sara is de enige binnen de familie die haar vierjarige neefje Max onder haar hoede kan nemen.

Weg vrijheid, weg luxe leventje! Ze zit niet te wachten op de verantwoordelijkheid voor een kind en verzet zich er dan ook met hand en tand tegen, maar je doodzieke zus kun je toch niet in de steek laten?

Terwijl Anouk vecht tegen de kanker, probeert Sara met vallen en opstaan te wennen aan het kind dat haar leven op z'n kop zet. En dringt zich de vraag op wat echt belangrijk is in het leven.

Turbulentie combineert lichtvoetige humor met een uiterst serieus onderwerp.

Turbulentie
240 pagina's, € 7,50
ISBN 978 94 6068 050 2

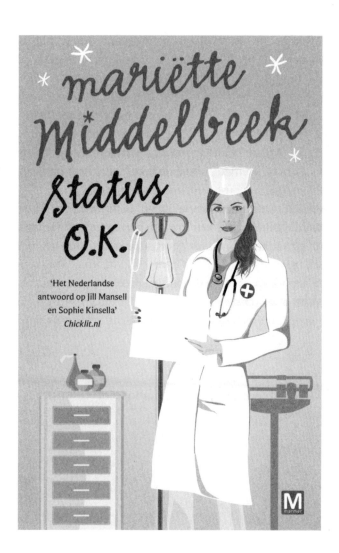

mariëtte
Middelbeek
status
O.K.

'Het Nederlandse
antwoord op Jill Mansell
en Sophie Kinsella'
Chicklit.nl

M
marmer

Lees ook van Mariëtte Middelbeek

Status O.K.

Sanne van Wetering weet het zeker: arts worden is haar missie. Ze staat aan het begin van haar tweede jaar coschappen en vindt zichzelf al behoorlijk ervaren, maar op de harde werkvloer van het ziekenhuis komt ze erachter dat ze nog heel veel te leren heeft. Ze moet dealen met jaloerse medecoassistenten, onbetrouwbare specialisten en verpleegkundigen from hell. En wat te denken van ruzie op de operatiekamer, bevallende BN'ers en avances van zeer aantrekkelijke collega-artsen.

Sanne werkt dag en nacht om haar doel te bereiken: de beste arts worden. Maar dan zet een onverwachte gebeurtenis haar hele leven op z'n kop. Ze wordt gedwongen in te zien dat een ziekenhuis niet alleen een plek is waar je carrière kunt maken, maar dat het ook een plaats is waar de emoties over leven en dood heel dicht bij elkaar liggen.

Status O.K.
320 pagina's, € 16,95
ISBN 978 94 6068 29 8

Colofon

© 2011 Mariëtte Middelbeek en Uitgeverij Marmer®

Redactie: Maaike Molhuysen
Omslagontwerp: Riesenkind
Omslagillustratie: Getty Images
Zetwerk: V3-Services
Druk: Hooiberg|Haasbeek

Eerste druk september 2011

ISBN 978 94 6068 049 6
NUR 301 / 343

Verspreiding in België via Van Halewyck, Diestsesteenweg 71a, 3010 Leuven, België.
www.vanhalewyck.be

Uitgeverij Marmer
De Botter 1
3742 GA BAARN
T: +31 649881429
I: www.uitgeverijmarmer.nl
E: info@uitgeverijmarmer.nl

www.mariettemiddelbeek.nl
www.twitter.com/mariettemid